古籍保护研究

《古籍保护研究》编委会 编

第七辑

中原出版传媒集团
中原传媒股份公司
大象出版社
·郑州·

图书在版编目(CIP)数据

古籍保护研究. 第七辑 /《古籍保护研究》编委会编. — 郑州：大象出版社, 2021. 4
ISBN 978-7-5711-1025-3

Ⅰ. ①古… Ⅱ. ①古… Ⅲ. ①古籍-图书保护-中国-文集 Ⅳ. ①G253. 6-53

中国版本图书馆 CIP 数据核字(2021)第 063926 号

古籍保护研究（第七辑）
GUJI BAOHU YANJIU(DI-QI JI)
《古籍保护研究》编委会　编

出 版 人	汪林中
责任编辑	吴韶明
责任校对	安德华　万冬辉
装帧设计	付锬锬

出版发行	大象出版社（郑州市郑东新区祥盛街 27 号　邮政编码 450016）
	发行科　0371-63863551　总编室　0371-65597936
网　　址	www. daxiang. cn
印　　刷	郑州新海岸电脑彩色制印有限公司
经　　销	各地新华书店经销
开　　本	720 mm×1020 mm　1/16
印　　张	14. 25
字　　数	247 千字
版　　次	2021 年 4 月第 1 版　2021 年 4 月第 1 次印刷
定　　价	76. 00 元

若发现印、装质量问题，影响阅读，请与承印厂联系调换。
印厂地址　郑州市鼎尚街 15 号
邮政编码　450002　　　　电话　0371-67358093

国家古籍保护中心主办
天津师范大学古籍保护研究院承办

编辑委员会

顾　　　　问：杨玉良　李致忠　刘惠平　安平秋
　　　　　　　高玉葆　顾　青　史金波　王余光
　　　　　　　程焕文　郑杰文　李　培　王刘纯
　　　　　　　沈　津　艾思仁（美）
主　　　　编：饶　权　钟英华
常 务 副 主 编：张志清　姚伯岳
副　　主　　编：李国庆　苏品红
编　　　　委：陈红彦　王红蕾　杜伟生　接　励
　　　　　　　顾　钢　黄显功　杨光辉　林　明
　　　　　　　刘家真　孔庆茂　陈　立　刘　强
　　　　　　　朱本军　吴晓云　刘心明　韦　力
编 辑 部 主 任：王振良
编辑部副主任：周余姣　赵文友
编　　　　辑：强　华　李华伟　罗　彧　凌一鸣
　　　　　　　王鸳嘉　付　莉　胡艳杰
编　　　　务：廖　雪

目　录

古籍保护综述

"中华古籍保护计划"少数民族古籍保护情况综述……………… 王　沛　001
国家古籍保护中心古籍书目数据库建设实践与思考…………… 包菊香　014

普查与编目

美国华盛顿大学图书馆存藏易学类古籍考略 ………… 周余姣　沈志佳　024
思路、方法与类型
　　——对《全国古籍普查登记图录》编纂的几点思考…………… 胡艳杰　042
首都师范大学图书馆古籍普查工作实践与思考 ……… 吴雪梅　芦婷婷　049

修复与装潢

修复与重现
　　——从学术研究角度看敦煌文献修复的贡献………………… 陈丽萍　058
《湘山志》修复记……………………………………………………… 陈福蓉　069
古籍修复原则与方法研究
　　——以黄丕烈藏书题跋之古书修补论述为基础……………… 吴庭宏　077
中国古籍修复题跋举隅
　　——见于《上海图书馆善本题跋真迹》……………………… 臧春华　084

保藏与利用

浅析木质装具对古籍文献的影响因素及改进措施 ………… 易晓辉 114
武汉大学图书馆利用 RFID 管理古籍的设想 ………… 吴芹芳 谢 泉 126
西藏山南、日喀则和阿里地区寺院古籍文献收藏、整理、保护现状
　　调研报告 ………… 任江鸿 岳蕊丽 133

再生与传播

化身千百　垂之永久
　　——国家图书馆出版社仿真影印《永乐大典》综述 ………… 许海燕 141

人才培养

山东省高校古籍保护与修复人才培养概述 ………… 李勇慧 桑丽娜 151
辽宁大学古籍保护与修复人才培养的探索与实践 …… 肖辉英 赵彦昌 160

史事与人物

马泰来先生琐忆 ………… 何义壮撰 凌一鸣译 170

版本与鉴赏

北宋李照《径山山门事状》考论 ………… 唐 宸 175
《曲石丛书》的版本、编撰特点与文献价值研究
　　——以苏州大学图书馆藏曲石精庐本为中心 ………… 邹桂香 187

书评与书话

打开历史现场的钥匙
　　——评《民间历史文献整理概论》………… 凌一鸣 197

研究生论坛

明墓出土大统历保护试论 …………………………………… 乔金丽　207

编后记 …………………………………………………… 王振良　213

CONTENTS

1. An Overview of the Implementation of the Protection and Conservation Project for Ancient Chinese Books in the Field of Ancient Minority Books
 .... Wang Pei　001

2. Practice and Thoughts of the Construction of Ancient Book Catalogue Database Built by National Center for Preservation and Conservation of Ancient Books
 .... Bao Juxiang　014

3. A Study on Ancient Books Related to *Zhouyi* Conserved in the Library of the University of Washington .... Zhou Yujiao, Shen Zhijia　024

4. On the Compilation and Publication of *The Pictorial Catalogue of National Survey and Registry of Ancient Books* .... Hu Yanjie　042

5. Practice and Reflection on the Survey of Ancient Books in the Capital Normal University Library .... Wu Xuemei, Lu Tingting　049

6. Restoration and Representation: On the Contribution of Dunhuang Document Restoration from the Perspective of Academic Research ... Chen Liping　058

7. The Restoration of *Xiangshan Chronicle* .... Chen Furong　069

8. Principles and Methods of Ancient Book Restoration: Based on Huang Pilie's Viewpoints of Ancient Book Restoration ············· Wu Tinghong 077

9. Restoration of Prefaces and Postscripts in Ancient Chinese Books: Examples Found in *Authentic Handwritten Prefaces and Postscripts of Rare Books Conserved in Shanghai Library* ············· Zang Chunhua 084

10. A Brief Analysis of the Effects and Improvement of Wooden Containers for Ancient Books ············· Yi Xiaohui 114

11. The Proposal of Using RFID to Manage Ancient Books in Wuhan University Library ············· Wu Qinfang, Xie Quan 126

12. An Investigation Report on Collection, Collation and Conservation of Ancient Books and Documents in the Temples of Shannan, Shigatse and Ngari Prefectures in Tibet ············· Ren Jianghong, Yue Ruih 133

13. Review of the National Library of China Publishing House's Facsimile Edition of *Yongle Encyclopedia* ············· Xu Haiyan 141

14. An Overview of Higher Education of Ancient Book Protection at Colleges and Universities in Shandong Province ············· Li Yonghui, Sang Lina 151

15. Exploration and Practice of Training Experts for Ancient Book Protection and Restoration at Liaoning University ············· Xiao Huiying, Zhao Yanchang 160

16. Some Memories of Mr. Ma Tailoi ············· Martin Heijdra 170

17. A Textual Research on Li Zhao's *Anecdotes of Jingshan Temple* in Song Dynasty ············· Tang Chen 175

18. A Study on the Version, Compiling and Documentary Value of *Qushi Series*: Focused on the Qushi Jinglu Version Conserved in Soochow University Library ············· Zou Guixiang 187

19. The Key to the Historic Scene: Comments on *Introduction to the Collation of Folk Historical Documents* ·················· Ling Yiming **197**

20. On the Protection and Conservation of Great Union System of Calendrical Astronomy Discovered in Ming Tombs ················ Qiao Jinli **207**

古籍保护综述

"中华古籍保护计划"少数民族古籍保护情况综述

An Overview of the Implementation of the Protection and Conservation Project for Ancient Chinese Books in the Field of Ancient Minority Books

王 沛

摘 要：在"中华古籍保护计划"的推动实施过程中，国家图书馆（国家古籍保护中心）全面贯彻党和国家的民族政策，牢固树立"保护民族古籍、增进民族团结、维护祖国统一"的理念，在制度设计、古籍普查、价值挖掘、文脉传承、人才培养等方面，积极推进少数民族文字古籍及民族地区古籍保护工作，取得了丰硕成果。本文对"中华古籍保护计划"实施以来少数民族古籍保护工作成绩进行总结梳理，并对下一步工作提出建议。

关键词：少数民族；古籍保护；古籍普查；名录评审；人才培养；数字化；宣传推广

中国是历史悠久的多民族国家。在广袤的中华大地上，分布着汉族、藏族、维吾尔族、蒙古族等五十六个民族。各民族在世代绵延的过程中，创制并使用着自己独特的语言和文字进行交流、生产和生活，同时产生和流传了灿若群星的文献。这些文献种类繁多、数量巨大、内容丰富、特色突出，是中华民族悠久的历史和文化的重要组成部分，更是人类文明的宝贵遗产。

根据《中国少数民族文字古籍定级》[1]国家标准，"中国少数民族文字古籍"是指"1912年（不含1912年）以前，在中国及相关历史疆域（含少数民族历史上建立的地方辖区）内，用少数民族文字书写或印制的书籍"。因少数民族文字古籍与汉文古籍在产生、发展、流传过程中客观存在的差异和复杂性，符合"a）以少数民族文字抄写、印制,b)以传统方式著述、装帧,c)具有重要历史、学术、艺术价值及传承意义"三个条件的各少数民族文字古籍,时代下限延伸至1949年(含1949年)。对于这些珍贵的民族文献,如何保护好它们,更好地利用和挖掘其潜在价值,服务当今的文化和社会建设,助力加强对中华民族共同体历史、中华民族多元一体格局的研究,是"中华古籍保护计划"实施的重要内容。

一、党和政府对少数民族古籍保护工作的重视

收藏于国家图书馆的回鹘文《玄奘传》(又名《大唐慈恩寺三藏法师传》)是20世纪以来新疆出土的最重要文献之一。1951年,在国家民族事务委员会组织下,在季羡林、王重民的建议下,由冯家昇进行整理,《玄奘传》得以影印出版。在百废待兴的新中国成立之初,这部回鹘文古籍能得到如此厚待,可见党和政府对我国少数民族文字古籍的高度重视。

党的十一届三中全会召开不久,1980年,中国民族古文字研究会成立;1983年,第一次全国性的少数民族古籍整理工作座谈会召开;1984年,《国务院办公厅转发国家民委关于抢救、整理少数民族古籍的请示的通知》(国办发〔1984〕30号)印发。随后,在"救书、救人、救学科"的原则指导下,国家先后制定并实施少数民族古籍"七五"至"十三五"时期工作规划,推动了少数民族古籍保护、抢救、收集、整理、翻译、出版、研究工作,特别是推出了以《中国少数民族古籍总目提要》为代表的一批整理成果。2005年,少数民族古籍保护工作被列入《国务院实施〈中华人民共和国民族区域自治法〉若干规定》(国发〔2005〕435号)和《中共中央、国务院关于加强民族工作加快少数民族和民族地区经济社会发展的决定》(中发〔2005〕10号)中。

二、"中华古籍保护计划"实施以来少数民族古籍保护工作进展

(一)加强制度设计,坚持民族团结带动事业发展

2007年,国务院办公厅下发《关于进一步加强古籍保护工作的意见》(国办发〔2007〕6号),"中华古籍保护计划"正式实施,其中提出加强少数民族古籍翻译、整理、出版与研究人才的培养;2008年,《国家民委、文化部关于进一步加强少数民族古籍保护工作的实施意见》(民委发〔2008〕33号)发布,进一步强调了少数民族古籍工作的重要性和迫切性,提出了明确的任务、指导方针和有关政策;2009年,文化部(今文化和旅游部)等八部委联合下发《关于支持西藏古籍保护工作的通知》(文社文发〔2009〕44号),2011年又联合印发《关于支持新疆维吾

尔自治区古籍保护工作的通知》(文社文发〔2011〕3号);2017年,《文化部关于印发〈"十三五"时期全国古籍保护工作规划〉的通知》(文公共发〔2017〕24号)发布,在全国古籍保护"一盘棋"的基础上,再次从整理、研究、定级标准、珍贵古籍申报评审、修复、人才培养等诸多方面对少数民族古籍工作提出要求。随着国家对少数民族古籍保护的顶层设计不断加强和完善,2018年9月17日,我国第一个关于少数民族文字古籍保护定级的国家标准《中国少数民族文字古籍定级》正式发布,2019年4月1日正式实施,成为我国进一步加强少数民族文字古籍保护工作的重要科学依据。

"中华古籍保护计划"实施过程中,国家图书馆(国家古籍保护中心)在各省级古籍保护中心的共同支持与努力下,在项目设立和实施等层面对少数民族地区古籍收藏单位和少数民族文字古籍的保存保护予以重点帮扶,多次在贵州、云南等少数民族地区召开少数民族古籍保护研讨会等,中国古籍保护协会专门成立"少数民族古籍保护专业委员会"。在工作中,大家充分听取少数民族专家和基层单位意见,为少数民族古籍保护政策制定提供决策支持,让各民族人民在工作上参与、情感上认同古籍保护事业,凝聚力量,形成团结奋斗、共同传承华夏文脉的良好局面。

(二)实施古籍普查,摸清少数民族文字古籍家底

截至2020年底,全国古籍普查登记工作累计完成270余万条数据(含部分少数民族文字古籍和民国线装书数据)。从实际开展情况看,各少数民族地区的汉文古籍普查完成情况较好,内蒙古、青海、贵州、新疆、广西、宁夏等6省区的汉文古籍普查已全部完成,总量约11万部。中国民族图书馆及上述6省区的合计12家单位汉文古籍的《全国古籍普查登记目录》出版完成。

面对机制、经费、语言、人才、地理等方面的诸多困难,少数民族文字古籍亟待摸清家底、分类整理、登记编目,普查工作在艰难中有序展开。西藏的藏文古籍存藏总量占全国藏文古籍的三分之二,又主要分布在寺庙中,西藏自治区古籍保护中心的工作人员克服青藏高原恶劣的自然条件,完成千余家单位和寺庙的18000余函藏文古籍普查工作,布达拉宫、罗布林卡、大昭寺、哲蚌寺、萨迦寺、色拉寺等著名宗教场所古籍普查登记工作全面启动。甘肃甘南藏族自治州古籍保护中心对全区11座藏传佛教寺院和民间个人所藏古籍进行摸底调查,为全面开展普查登记工作奠定了基础。此外,蒙古文、水文、彝文、傣文等少数民族文字古籍普查工作也有序开展。在水文古籍普查方面,国家古籍保护中心与中国民族图书馆采取项目合作的方式,完成11000余部古籍普查和5万余拍书影采集工

作。贵州省完成水文、彝文等少数民族文字古籍普查近15000部。云南西双版纳傣族自治州图书馆积极协调寺庙参与傣文文献普查,设立专项经费抢救收购傣文文献,同时积极改善古籍库房条件,成效斐然。

依托"中华古籍普查文化志愿服务行动",中国古籍保护协会调动社会力量,先后组织志愿者奔赴四川、云南、新疆、西藏等少数民族地区和基层公藏单位开展普查。新疆、云南、西藏的活动还纳入"春雨工程"——全国文化志愿者边疆行活动,"云南省古籍普查登记"项目入选文化部"2016年基层文化志愿服务活动典型案例"。

(三)评选珍贵古籍,挖掘少数民族文字古籍价值

在国务院公布的六批《国家珍贵古籍名录》中,收录少数民族文字古籍1133部,占总数的8.69%。随着古籍普查的深入展开,一批有重要价值的少数民族文字古籍不断被发现。入选第四批《国家珍贵古籍名录》的元刻本《释量论》(西藏博物馆藏),元至元年间刊刻于大都,历史上从无元代刊印藏文文献的记录及明代以前无藏文印刷实物的说法就此推翻。更为重要的是,作为13世纪藏文刊印本,《释量论》比永乐版藏文大藏经早一个世纪,成为当时藏汉文化交流、雕版印刷品引入西藏的有力证据。在第五批《国家珍贵古籍名录》申报时,普查员们发现拉萨市尼木县切嘎曲德寺藏有上千种珍贵古籍,其中元刻本超过7部。这些各具特色、异彩纷呈的藏文典籍,为古籍版本研究和西藏历史文化研究提供了丰富资料。

《蒙古秘史》是一部记述蒙古民族形成、发展、壮大之历程的历史典籍,是蒙古族现存最早的历史文学长卷。2009—2012年,国家图书馆研究馆员萨仁高娃作为援藏干部支援西藏古籍保护和普查工作,对西藏阿里地区托林寺发现的《蒙古秘史》蒙古文散页进行了深入的整理、研究和考证,明确其为17世纪抄写的《蒙古秘史》在西藏流传的异本,为其入选第五批《国家珍贵古籍名录》提供了扎实的理论研究基础。正如时任西藏自治区图书馆馆长努木在为萨仁高娃研究专著所撰序中所言:"一部蒙古文历史文献,能够传入西藏,并在本地得到抄写,本是一段传奇的佳话。而作者在古籍普查中能够发现它,又能够围绕它进行研究,揭示其历史谜底,无论从古籍普查角度,还是从学术研究角度讲,均实现了我们古籍工作者将珍贵资料公布于世,为学界服务的理想和初衷。"[2]

在《国家珍贵古籍名录》收录的少数民族珍贵古籍中,还有藏文清抄本《药物图释白银镜》(青海藏医药文化博物馆藏)、西夏泥活字印本《妙法莲华经集要义镜注》(宁夏文物考古研究所藏)、满文清抄本《劝善经》(新疆伊犁哈萨克自治州

文物局藏)等重要的民族文献,不禁让人感慨中华民族大家庭多姿多彩的文字和文化。《雪域宝典:西藏自治区入选一、二、三批国家珍贵古籍名录古籍图录》《新疆维吾尔自治区入选国家珍贵古籍名录图录》《第一(二、三)批广西壮族自治区珍贵古籍名录图录》《宁夏回族自治区珍贵古籍名录图录》等珍贵古籍图录的编纂出版,也以更加多样的方式再现多彩的民族之光。

(四)推进分级保护,"以评带促"改善古籍存藏环境

从整体来看,少数民族地区古籍收藏单位的古籍保存条件参差不齐,省级图书馆、博物馆、高校系统图书馆情况较好,能够满足古籍保存的基本要求。但由于基层古籍收藏单位分布较为分散,部分文献的收藏又以寺庙为主,或大量散藏民间,古籍保存条件达不到古籍存放的标准要求,现状堪忧,亟须进行抢救性保护。通过十余年"中华古籍保护计划"的实施,"以评带促"带动改善古籍存藏环境的效果十分明显。在国务院命名的六批203家"全国古籍重点保护单位"中,内蒙古自治区图书馆、贵州省图书馆、西藏自治区布达拉宫、新疆维吾尔自治区图书馆、云南省图书馆、青海省图书馆、甘肃省图书馆等20余家民族自治和多民族聚集地区古籍收藏机构入选。新疆维吾尔自治区少数民族古籍搜集整理出版规划领导小组办公室,藏有大量珍贵新疆历史文献,曾连续申报"全国古籍重点保护单位",在完成了库房条件的改善后,最终在第五批评审时成功入选,成为"以评带促"的典范。内蒙古巴彦淖尔图书馆、云南楚雄彝族文化研究院、云南西双版纳傣族自治州图书馆等单位,多方筹措资金,积极改善古籍存藏环境,入选第六批"全国古籍重点保护单位",为保存保护民族典籍发挥了重要的作用。

在古籍保护工作开展过程中,各少数民族地区古籍保护中心克服诸多困难,积极协助基层单位通过各种方式进一步改善古籍存藏环境。例如,2013年2月,西藏自治区古籍保护中心赴山南市加查县达拉岗布寺,对该寺在废墟中挖掘的1500多张古籍木刻板进行抢救性清洁、整理、制作书柜;贵州黎平县图书馆在省古籍保护中心的指导下,对古籍书库进行密闭改造,安装空调、除湿机,更换实木书柜,加装防盗门;甘肃西北师范大学、西北民族大学等古籍收藏单位积极筹措专项经费,新建标准化古籍书库;贵州毕节彝文翻译研究中心专门采购了古籍装具;等等。这些措施都在一定程度上改善了古籍保存环境。

(五)开展保护修复,抢救民族文献助推精准扶贫

"不遇良工,宁存故物"。古籍修复作为一门技艺,是对古籍实体进行抢救性保护的重要措施。少数民族文字古籍修复始终是"中华古籍保护计划"实施的一项重要内容。2015年,国家图书馆抢救性购藏一批珍贵的西夏文献。经过古籍

修复人员的悉心修复，残碎书页完整拼合，粘连书页渐次打开，最终修复完成。国家图书馆古籍馆编纂的《国家图书馆藏西域文献的修复与保护》，是"国家图书馆古籍修复案例丛书"之一。在西域文献修复过程中，修复人员利用古籍修复档案管理系统，有意识地留下了数量可观的档案资料，内容涵盖文献调查、残片修复、纸张检测、装具制作等方方面面，全面总结了西域文献修复项目的经验教训，是一份基于实践和理论的少数民族古籍保护重要案例。

国家古籍保护中心先后为新疆、西藏等9个少数民族地区的15家单位配发除尘修复工作台、纸浆补书机、手动型压平机等设备；在四川、重庆、云南建立"国家级古籍修复技艺传习所"，通过传习所建设、导师传承、培训班学习，集中完成一批珍贵古籍修复工作。凭借着杰出的修复技艺，云南省图书馆、甘肃省图书馆等获得国家可移动文物修复资质。广西组织评选出广西壮族自治区图书馆、桂林图书馆、广西师范大学图书馆、广西壮族自治区博物馆4家"自治区级古籍修复中心"，充分发挥其在全区古籍修复工作中的引领和示范作用。

云南省图书馆作为全国12家"国家级古籍修复中心"之一，近些年抢救性修复了《猜考书》《金银的起源》等彝文古籍250册、傣文古籍9册、东巴经古籍40册、藏文古籍2285页、拓片441张，奠定了云南省少数民族古籍修复在全国的优势地位。其中，"纳格拉洞藏经"是在云南迪庆藏族自治州的陡峭崖洞中偶然发现的一批藏文古籍。2014年至2018年，国家古籍保护中心以培训班的形式，依托云南省图书馆古籍修复技艺传习所，连续举办4期修复培训班，最终完成藏经修复，成为藏文古籍普查、培训、修复相结合的典范。随后，国家古籍保护中心又在云南举办傣文、彝文、东巴文古籍修复培训班，基层图书馆馆长、各民族同仁积极参与，修复了一批西南地区民族典籍，在修复故物中回顾和交流了民族文化，进一步促进了民族融合。

在各省级古籍保护中心的带领下，其他少数民族地区的原生性保护和修复工作也在积极推进中。2016年，西藏自治区古籍保护中心组织一行五人赴昌都市对类乌齐县查杰玛大殿出土的400余编织袋糟朽古籍进行分类、整理、除尘等抢救性保护工作，完成版本鉴定报告与病害鉴定和修复报告，并完成拉萨市墨竹工卡县芒热寺248页、山南市隆子县加玉乡强庆村白嘎寺2000页等破损古籍的修复工作。2014年10月26日，新疆古籍修复中心由新疆古籍保护中心筹建成立，投入大量经费用于古籍修复人才的培训、修复设备及修复材料的购置，古籍修复工作有序推进。

同时，国家古籍保护中心还通过建立帮扶机制推进少数民族文字古籍修复工作,委托国家级古籍修复中心中山大学图书馆对口支援新疆地区开展民族文字古籍修复工作,云南省图书馆对口支援西藏地区开展藏文古籍修复工作。

国家古籍保护中心大力支持新疆古籍修复用纸——和田地区墨玉县桑皮纸技艺的抢救和传承,通过购买桑皮纸配送新疆古籍修复单位,既保护修复了新疆民族古籍,也有效传承了新疆桑皮纸制作技艺,实现了文化精准扶贫。除桑皮纸外,西藏的狼毒草纸、云南的傣纸和东巴纸也经过科学的纸张检测,可用作少数民族古籍修复材料。

(六)数字化与出版并重,珍贵典籍化身千百服务社会

古籍数字化是古籍再生性保护的重要手段,可以在保护古籍实体的同时,不断满足社会对少数民族文字古籍的阅览需要,使更多的珍稀古籍得以化身千百,服务社会。

在国家珍贵古籍数字化项目中,西藏、新疆、广西、云南等民族地区完成约3万拍珍贵古籍数字化。2017年,"国家图书馆藏少数民族文字古籍数字化"项目正式启动,选取国家图书馆具有代表性的藏文、蒙古文、满文、东巴文、哥巴文、彝文等19个文种的珍贵古籍进行数字化,目前已完成约33万拍的古籍数字化工作。

云南省图书馆现已将馆藏的2000余种4600余册地方文献进行扫描加工,发布古籍数字化资源1054种2214册,其中拓片744种(册);积极参加国家古籍保护中心组织的古籍数字资源联合发布活动,累计在线发布馆藏古籍影像619种,包括大理国写本文献《护国司南钞》、元官刻大藏经《大宝积经》等;丽江云龙县图书馆数字化东巴文古籍3900册。广西壮族自治区图书馆完成《重解棺木科》等38部2500余拍少数民族古籍和32部汉文古籍书影扫描工作。西藏自治区图书馆开展入选《国家珍贵古籍名录》的35函(近5000页)珍贵古籍文献的数字化、再造善本工作,2019年又完成了馆藏文集部分167函的数字化工作。贵州完成包括汉义、彝义、水义等义种的76000页古籍数字化扫描工作。新疆完成11127拍古籍数字化工作。内蒙古大学图书馆建立了5个多文种古籍目录数据库以及蒙古文古籍全文数据库等。

影印出版是少数民族文字古籍再生性保护的传统手段。《中华再造善本》(续编)设立"少数民族文字文献编",首次收入13个文种的29部少数民族文字古籍[3]。在选目原则上,首先遵循整体的"继绝存真、传本扬学"原则,同时按照文种尽量求全,传本最早、最佳或最具价值,突出文献和学术价值的标准来进行遴选。如最早的西夏文泥活字印本《吉祥遍至口和本续》、汉满合璧的元刻本《孝

经》、藏文《四部医典·后续医典部注释》等。将这些少数民族文字古籍收入《中华再造善本》(续编),更加完整地保护了各民族历史文献和优秀传统文化,体现了我国"民族平等、团结和繁荣"的民族政策。

近年来,还有"中国少数民族文字珍稀典籍汇编""北京地区少数民族古籍珍本丛书"等大型影印出版项目,以及中国民族图书馆所藏《西南彝志》等珍贵典籍影印出版。《西南彝志》以彝族历史为线索,记述了西南地区彝族古代生产、生活、风俗、物产情况,被誉为"彝族古代百科全书",2008年入选第一批《国家珍贵古籍名录》,纳入"中华古籍保护计划"出版项目,具有重要史料价值和文化价值。

(七)助力人才培养,建立民族古籍保护专业队伍

人才培养是各项事业发展的关键因素。"中华古籍保护计划"实施以来,通过培训基地、传习所、高校三位一体的人才培养模式,不断加强和完善相关制度建设,保障古籍保护人才队伍。截至2020年12月,国家图书馆(国家古籍保护中心)举办全国性的古籍保护培训班223期,共计培养古籍保护专业人才1万余人次。其中西藏、新疆、云南、贵州、广西等少数民族地区共计3000余人次参加培训,占总人次数的30%;在西藏、新疆、云南、贵州、广西、内蒙古等民族地区举办培训班50余期,培训学员2500余人次,占总人次数的25%;面向全国举办藏文、东巴文、彝文等少数民族古籍普查、鉴定、修复类培训班20余期,培养专门人才近900人次,为民族地区培养了一批具有较高水平的古籍保护专业人员。同时,还在贵州、甘肃建立"国家古籍保护人才培训基地",在甘肃、云南、四川建立国家级古籍修复技艺传习所。在高校合作方面,广西壮族自治区图书馆与广西大学文学院合作建设"古籍实践研究基地",贵州省古籍保护中心与贵州民族大学图书馆联合申报入选"国家古籍保护人才培训基地"。高校与公共图书馆通过合作共建,共同推动了古籍保护工作,培养了民族古籍保护人才,为少数民族古籍保护事业的开展集聚了力量。

(八)弘扬民族文化,民族团结多元一体

"中华古籍保护计划"实施以来,各民族地区通过举办专题展览、名家讲座、特色活动等,以群众喜闻乐见的形式弘扬优秀典籍文化。2011年前后,先后在新疆、北京举办"西域遗珍——新疆历史文献暨古籍保护成果展";2016年以来,在内蒙古、广西、贵州、云南、宁夏、青海等省区多次举办"册府千华"系列国家珍贵古籍特展,特别展出了当地入选《国家珍贵古籍名录》的民族文字古籍和具有地方特色的民族文献,充分展示了历史上中华民族的交流融合和团结共进,受到社会各界的热烈欢迎和广泛好评。《西域回响——新疆历史文献与古籍保护》《妙

手续就的生命——古籍修复那些活儿》等宣传片很好地记录了古籍保护工作,传承了民族文脉。国家图书馆(国家古籍保护中心)响应中宣部号召,专门赴湖南省湘西土家族苗族自治州凤凰县以及云南大理白族自治州和怒江傈僳族自治州开展文化文艺小分队下基层活动。

在庆祝国家图书馆建馆110周年的"中华传统文化典籍保护传承大展"中,"汲古润今"展厅单辟"民族交融 多元一体"专区。展览得到了少数民族地区古籍存藏单位的大力支持,西藏自治区图书馆、色拉寺与内蒙古自治区图书馆等单位积极行动,展出了藏文、蒙古文、西夏文、东巴文、彝文、水文、傣文等文种的20余部少数民族文字古籍,通过藏满蒙汉合璧的《御译救度佛母赞》《御制大乘首楞严经十卷》等珍贵典籍,彰显并见证了我国古代历史上的民族融合发展。古籍普查新发现的《蒙古秘史》、国家图书馆少数民族古籍修复成果《金光明最胜王经诸天药叉护持品》、云南纳格拉洞藏经古籍修复成果等,也在展览上一并展出,使全社会得以共同见证少数民族古籍的修复奇迹。

近年来,由国家民委牵头举办的"民族遗珍 书香中国——中国少数民族古籍珍品暨保护成果展"全国巡展,陆续在北京与贵州、云南等多个少数民族地区举办。展览精选了现存少数民族古籍中具有代表性的珍贵原件,涵盖多个少数民族文种,展现了我国少数民族历史文化的独特魅力,是弘扬民族优秀传统文化的良好范例[4]。

(九)少数民族古籍研究成效显著

少数民族古籍的保护研究工作也在同步蓬勃发展,笔者以"十三五"为限对少数民族古籍整理研究情况进行简要梳理。有关少数民族古籍保护的著作,有朱崇先《中国少数民族古籍学》、中国民族图书馆编《中国少数民族文字古籍版本研究》等。在目录方面,有黄建明、马兰编纂《中央民族大学馆藏少数民族文字古籍名录》、陈建华主编《中国少数民族家谱总目》等。

"十三五"期间,国家社科基金对少数民族古籍保护立项较多,计有16项,涉及藏文、托忒文、蒙古文、侗文、多文种等;研究内容包括保障体系建设、保护传承研究、专题文献研究(如藏文传统科技文献、藏医药文献、侗医药文献、家谱等);地域文献的研究中,关于"一带一路"的多民族文献研究与国家当前的战略方向相符合;研究的方式基本是以目录为抓手,从收集整理的角度,配合数字化的利用,从而建立有关该主题的保护体系。

国家社科基金重大项目,如武汉大学承担的"边疆民族地区濒危少数民族档案文献遗产保护及数据库建设"(17ZDA294)从保护现状、保护需求、历史研究的角度,通过知识图谱[5]构建文献关联,提炼出少数民族文献多元化收集、科学化整理、抢救性保护、共建共享服务、可持续性利用、保障体系建设等6个研究主题,并在此基础上提出保护管理视角下的档案文献遗产目录数据库概念模型设计[6]。西北民族大学和云南大学共同承担的重大项目"藏族传统科技文献收集整理研究"(19ZDA175、19ZDA176),有《藏族传统科技古籍文献的挖掘整理与保护研究》[7]作为成果刊出,文章调查分析了现存藏文科技文献的分布和收藏情况、保存现状,提出对藏族传统科技文献进行深度挖掘、整理、修复、研究和数字化保护,在大数据时代构建藏族传统科技文献数据库,有效保护文献,实现资源共享。

国家社科基金一般项目有"民族记忆传承视阈下的西部国家综合档案馆民族档案文献遗产资源共建研究"(16BTQ092)、"面向全信息检索的藏文古籍数据库建设研究"(16BTQ037)、"青海地区藏医药古籍文献收集、整理与数字化研究"(16BTQ051)、"中国少数民族文献目录研究"(17BTQ021)、"伊犁河流域民间所藏托忒文古籍总目"(17BTQ049)、"新时代少数民族民间档案文化遗产保护传承研究"(18BTQ101)、"'一带一路'沿线国家蒙古文古籍数字化回归与开发利用研究"(19BMZ029),西部项目有"汉、蒙、藏、满、英、梵、新蒙文七种文字合璧《大藏经》目录编制与比较研究"(17XTQ002)、"'一带一路'中国—东盟传统医药文献资源战略保障体系研究"(18XTQ002)等,青年项目有"湘黔桂边区侗医药古籍文献收集、整理及数字化研究"(17CTQ017)、"仡佬族家谱抢救性搜集与整理研究"(18CTQ009)等。

在中国知网(CNKI)中以"少数民族+古籍保护/文献保护"为主题检索,"十三五"期间相关研究文章有88篇,内容主要集中在全国少数民族古籍研究及保护现状、某区域某文种古籍保护研究现状、少数民族古籍展览、少数民族文字古籍数字化、少数民族古籍整理及翻译、医药类少数民族文字古籍、少数民族文字古籍政策法规和标准等方面。

三、少数民族古籍保护工作面临的困难

在看到成绩的同时,我们也应该清醒地面对这样的现实:经济欠发达的边远地区所存藏的少数民族文字古籍资源分散、文种多样、形制复杂,流传过程中的损毁情况令人担忧。同时,它们也面临着保管机构众多、损毁统计不详、普查征集困难、信息难以读解、库房条件不足、社会意识不强、修复技艺稀缺、方法难以突破、政策标准缺乏、组织管理不力等方面的问题[8]。因为环境条件、经济条件、

民族习俗等原因,古籍保护工作开展的进度和成效并不均衡,和新时代新任务新要求差距较大,仍然面临着许多困难和问题。

当前,"救书、救人、救学科"依然是刻不容缓的首要任务。从实体保存保护角度看,少数民族古籍主要集中在各地图书馆、档案馆、博物馆以及民委办公室等机构。很多收藏机构保护设施和设备十分匮乏,不具备恒温恒湿等古籍保护条件,特别是边远地区的寺庙,很多依然保持原始状态。即便部分单位有恒温恒湿设施,也存在缺乏必要运行经费的问题,面临"买得起,用不起"的困境。而存藏于基层、民间、寺庙的古籍,保护需求更为迫切。很多少数民族文字古籍散藏民间,掌握在民间艺人或宗教职业者手中,古籍上的文字需要靠他们识别和传承,然而随着他们的离去,部分语言文字和文化的传承会渐渐中断,甚至由于习俗或缺乏保护意识等原因,古籍实体也会遭到严重的破坏甚至消失,遑论保护。

从研究情况看,虽然现有少数民族文献保护的相关成果较多,但多集中在档案领域,且分布在不同的语种当中,研究内容多集中于古籍的搜集和利用方面。相对于本身综合性、交叉性已经很强的汉文古籍保护学研究,专门性的少数民族文字古籍保护学基础理论研究更为薄弱,符合少数民族古籍文献特点的具体保护手段、保护方法和技术研究还有待进一步加强。

四、有关少数民族古籍保护工作的建议

面对时代赋予少数民族古籍保护的新任务,要始终坚持"救书、救人、救学科"的原则,充分考虑各民族在文化上的相互尊重、相互欣赏、相互学习、相互借鉴,在中华文明的发展中推动各民族文化的传承保护和交融创新。

(一)完善协调机制,实现优势互补

从保护主体看,少数民族古籍保护工作主要涉及各级民委古籍办、公共图书馆、博物馆、档案馆,此外还有大量古籍保存在寺庙或散藏民间。不同部门和机构在工作重点、经费投入上都有所差别。因此,有必要理顺机制,加强国家层面的统筹协调,加大部际联席会议和地方层面的厅际联席会议各成员单位之间的沟通合作力度,发挥各自的机构优势、人才优势、技术优势和成果优势,做好对接,成果共享,实现工作、科研、人才和经费的投入产出比最大化。

(二)制定相关规范,加快普查进度

充分利用《中国少数民族古籍总目提要》等已有成果,进一步建立完善的、有针对性的少数民族文字古籍著录、分类、标引等标准、规范,从版本学、民族学、文字学等角度研究少数民族古籍文献版本鉴定方法和理论,并尽快推进古籍普查

工作,摸清少数民族文字古籍存藏家底。

(三)改善保管条件,加强原生性保护

改善少数民族文字古籍存藏环境,实施专库或专架管理,多渠道筹措资金,逐步为入选《国家珍贵古籍名录》的少数民族珍贵古籍配置装具,确保实体安全。以项目带动开展少数民族珍贵古籍修复工作,加强与修复技术条件成熟地区的古籍保护机构开展修复合作,提升修复水平。推动建设少数民族古籍修复基地和传习所,促进修复技艺传承发展和骨干人才培养。从装帧、材料、修复等角度研究少数民族古籍的纸张、装具、书写材料特征,建立科学有效的对应保护原则和方法,如重点开展狼毒草纸、东巴纸、傣纸等少数民族修复用纸研究。

(四)多渠道推动再生性保护工作

加快开展少数民族文字国家珍贵古籍数字化工作。少数民族地区古籍收藏单位可结合自身情况,研究制定少数民族文字古籍数字化目录,分步骤、有重点地开展数字化工作,展示古籍原貌,逐步建立互联互通的少数民族文字古籍数据库。加大科技手段在少数民族文字古籍保护中的应用研究,包括知识库、数字人文等,并在全文影像的基础上加强文字互译,推进专题揭示。

影印整理出版少数民族文字古籍中的历史著述、文学作品和反映少数民族生产生活的重要典籍。提升挖掘少数民族文字古籍保护传承的现实意义,从民族文献典籍中汲取智慧,服务当今社会。

(五)分步骤、有重点地开展少数民族专业人才培养工作

借鉴汉文古籍保护经验,重点加强少数民族语言文字人才和古籍保护专业人才的结合,培养既懂汉语又懂少数民族语言的专业人才,推动少数民族文字古籍普查和保护工作。探索少数民族文字古籍保护高层次人才的有效培养模式,研究构建少数民族古籍保护研究理论体系、课程体系和教材体系。充分发挥少数民族地区的国家古籍保护人才培训基地和古籍修复技艺传习所的作用,培养少数民族古籍保护修复骨干,建设过硬队伍,提升少数民族地区古籍保护人才在本地区本民族的归属感和自豪感,形成传承发展民族文化的内驱动力。

(六)加强宣传推广,挖掘少数民族古籍价值

充分运用现代技术手段,线上与线下相结合,加强对少数民族文字古籍多媒体、多渠道、多终端传播。依托各级公共文化机构组织经常性的讲座、展览、互动体验等活动,通过中华传统晒书活动、"册府千华"展览等平台展示光辉灿烂的少数民族文字古籍,推广保护成果,以实际行动探索少数民族文字古籍在中华优秀传统文化传承推广中的"活化"传承推广机制。

2019年，在全国各少数民族地区和古籍收藏单位同仁的共同努力和支持下，国家古籍保护中心办公室荣获"全国民族团结进步模范集体"荣誉称号。这是全国各民族古籍保护工作者认真落实习近平总书记关于民族工作的重要论述精神，紧紧围绕"中华民族一家亲，同心共筑中国梦"总目标，以铸牢中华民族共同体意识为主线，手挽手、肩并肩共护民族瑰宝、共同团结奋斗的结果，是全国古籍保护工作者的共同荣誉。所有艰苦的努力都值得留下浓墨重彩的一笔，谨以此文记录在"中华古籍保护计划"实施过程中有关少数民族古籍保护工作的点滴。

（王沛，国家图书馆副研究馆员，国家古籍保护中心办公室综合组组长）

参考文献：

[1] 中华人民共和国国家民族事务委员会,中华人民共和国文化和旅游部.中国少数民族文字古籍定级:GB/T 36748—2018[S].北京:中国标准出版社,2018.

[2] 萨仁高娃.西藏阿里地区发现蒙古文散叶研究[M].北京:国家图书馆出版社,2013:序2.

[3] 郭晶.《中华再造善本》(续编)少数民族文字古籍的甄选[J].国家图书馆学刊,2016(3):89-94.

[4] 李晓东.保护少数民族古籍遗珍 弘扬优秀民族传统文化[N].中国民族报,2018 08 18(9).

[5] 李姗姗,邱智燕.基于CiteSpace的我国少数民族档案文献遗产保护研究述评与展望[J].档案学研究,2020(1):91-96.

[6] 孙晶琼,周耀林.保护管理视角下我国档案文献遗产目录数据库概念模型设计[J].中国档案研究,2018(2):3-21.

[7] 高慧芳,拉毛尚.藏族传统科技古籍文献的挖掘整理与保护研究[J].西北民族大学学报(自然科学版),2020,41(1):89-94.

[8] 周耀林,刘晗,陈晋雯.云贵地区少数民族档案文献遗产保护现状调查与推进策略[C]//中国档案学会.2019年海峡两岸档案暨缩微学术交流会论文集,2019:25-37.

国家古籍保护中心古籍书目数据库建设实践与思考

Practice and Thoughts of the Construction of Ancient Book Catalogue Database Built by National Center for Preservation and Conservation of Ancient Books

包菊香

摘　要:"中华古籍保护计划"启动后,国家古籍保护中心建设了一系列古籍书目数据库,如"全国古籍普查登记平台""全国古籍普查登记基本数据库""国家珍贵古籍名录数据库""海外中华古籍书目数据库""中华历代古籍书目数据库"等。本文就这些古籍书目数据库的建设实践展开论述,并指出下一步努力的方向。

关键词:全国古籍普查登记平台;全国古籍普查登记基本数据库;国家珍贵古籍名录数据库;海外中华古籍书目数据库;中华历代古籍书目数据库

"中华古籍保护计划"启动后,国家古籍保护中心[1]作为全国古籍保护工作的业务组织机构,在文化行政部门领导下,组织开展全国古籍普查登记工作,同时负责汇总古籍普查成果,建立中华古籍综合信息数据库,形成全国统一的中华古籍目录;协助部际联席会议办公室建立《国家珍贵古籍名录》;有步骤地开展海外古籍调查工作等。从国家古籍保护中心的职能范围,可见其工作内容与古籍书目数据关系密切。随着工作的展开,出于及时汇总成果并服务业界和公众的需要,国家古籍保护中心建设了一系列古籍书目数据库,如"全国古籍普查登记平台""全国古籍普查登记基本数据库""国家珍贵古籍名录数据库""海外中华古

---

[1] 2007年5月15日中央机构编制委员会办公室批准国家图书馆加挂"国家古籍保护中心"牌子(中央编办复字〔2007〕53号),5月25日国家古籍保护中心正式挂牌成立。

籍书目数据库""中华历代古籍书目数据库"等。本文就这些古籍书目数据库的建设实践展开论述,并就下一步如何改进完善展开思考。

一、古籍普查相关数据库

全国古籍普查登记工作是"中华古籍保护计划"的首要任务,是全面了解全国古籍存藏情况、建立古籍总台账、开展全国古籍保护的基础性工作,其中心任务是通过每部古籍的身份证——"古籍普查登记编号"和相关信息,建立国家古籍登记制度,加强各级政府对古籍的管理、保护和利用[1]。全国古籍普查登记工作将全国古籍收藏单位分为基层古籍收藏单位、各省级古籍保护中心、国家古籍保护中心三级,采用"分级负责,逐级提交"的方式进行普查:各古籍收藏单位对馆藏古籍进行详细清点和编目整理,通过在"全国古籍普查登记平台"上登记古籍普查数据并导出为Excel文件,或者直接在Excel文件中录入古籍普查数据,并按国家古籍保护中心规定的著录规则、格式规范整理为Excel格式的古籍普查登记表格,提交所属省级古籍保护中心;各省级古籍保护中心负责对本地区古籍普查登记数据进行汇总并审核,提交国家古籍保护中心。各收藏单位古籍普查登记表格经省级古籍保护中心审核、出版社编辑审校后,编纂出版为各收藏单位的《古籍普查登记目录》[2]。

自全国古籍普查登记工作启动以来,在国家古籍保护中心的统筹安排下,在各省级古籍保护中心的有效组织和各古籍收藏单位的大力支持下,全国古籍普查登记工作取得了令人瞩目的成绩,距离达成"基本完成全国古籍普查登记工作"这一在《"十三五"时期全国古籍保护工作规划》中明确提出的要求已十分接近。截至2020年底,全国古籍普查完成总量为汉文古籍270余万部(另藏文古籍18000函),占预计汉文古籍总量的94%以上;全国29个省份基本完成汉文古籍普查工作,共2830家古籍收藏单位完成古籍普查登记工作,占预计单位总数的96%以上;累计出版376家收藏单位的《古籍普查登记目录》共计104种158册,收录109万余条数据。

(一)全国古籍普查登记平台

为利用现代信息技术更迅速更规范地开展古籍普查登记工作,国家古籍保护中心开发研制了"全国古籍普查登记平台"(以下简称"普查平台")。普查平台是全国古籍普查登记工作的基础业务平台,于2008年初开始建设,2009年9月正式投入使用。普查平台采用分布式架构,在国家古籍保护中心及各省级古籍保护中心均设有服务器。全国2000余家古籍收藏单位可通过互联网访问所属省级古籍保护中心的普查平台，开展古籍普查在线登记工作。普查平台实现了汉文古籍、简帛、碑帖拓本、少数民族文字古籍①的普查登记，可以为每一部古籍自动生成唯一标识号——"古籍普查登记编号"。普查平台提供古籍普查登记、数据导入、数据导出、数据审核、数据同步、数据发布、数据维护、数据检索、统计分析、参考工具、单位管理、用户管理、个人空间、数据分配等一系列功能，实现了从古籍登记、本单位审核、省级古籍保护中心审核、国家古籍保护中心审核到数据发布这一普查工作流程②。

普查平台的建设有如下特点：

1. 字段设置和界面设计上充分考虑古籍的复杂多样性，尽量尊重古籍编目的传统和习惯。字段设置上，著录字段尽可能求全，因而多达上百项，包括普查编号、索书号、分类、题名卷数、著者、版本、版式、装帧、装具、序跋、刻工、批校题跋、钤印、附件、文献来源、修复历史、丛书子目、定级、定损、定级书影、定损书影等，用以尽可能完备地著录一部古籍的各方面信息。界面设计上，尽可能贴近古籍编目的传统和习惯，实现界面排布的灵活性，如考虑到多著者、多题名著者的情况，允许著者块、题名著者块整体增加、插入、删除；对于丛书子目的著录，可以灵活地增加或插入同级子目或子级子目，并根据子目层级自动赋予相应子目编号。

2. 检索功能较为完备。为了尽可能多地检索普查平台上的著录内容，普查平台的"古籍信息检索"功能支持对题名、著者、版本、收藏单位、索书号、正式普查编号、旧普查编号③、文献类型、分类、装帧形式、古籍定级、全书破损级别、版本年代、版本类型、批校题跋者、序跋著者、刻工姓名、印章释文、附注、操作时间、操作方式、用户、数据状态等字段进行检索，既可以检索古籍的主要著录内容，也可以检索数据的操作历史，检索功能相对来说较为完备。另外，因普查平台采取分布式架构，全国古籍普查登记数据分布在各服务器上，因而普查平台近年来研发了"集成检索"功能，可以实时在线检索各服务器上的数据，可查看数据详情及书影图片，并可套录相应数据。目前④"集成检索"功能支持对国家古籍保护中心普

---

① 其中藏文古籍著录界面支持藏文、汉文双语著录，其他少数民族文字古籍采用汉文著录。

② 普查平台原设有发布子系统，发布的数据为普查平台上经国家古籍保护中心审核通过的数据。2012年初全国古籍普查登记工作进行了调整，普查平台上，国家古籍保护中心不再审核并发布数据，发布子系统不再使用。

③ "正式普查编号"字段用以著录正式出版的《古籍普查登记目录》中的普查登记编号，"旧普查编号"为普查平台著录数据时自动生成的普查登记编号。在普查平台数据修改成与已出版数据一致之前，二者相同。

④ "目前"指2021年3月初，下同。

查平台服务器及浙江、陕西、甘肃、云南、黑龙江、河北、江苏、福建、宁夏、海南等省级普查平台服务器进行检索,随着其他省级普查平台更新到最新版,将可以支持对更多省级普查平台服务器进行检索,最终实现对全国所有普查平台服务器进行检索。

3. 重视对以往古籍编目数据的继承。普查平台的"数据导入"功能支持将MARC[①]、Access或古籍目录(Excel)[②]等格式的馆藏编目数据及古籍档案(Excel)[③]、国家珍贵古籍名录申报书(Word)等多种格式的文件导入普查平台,从而避免数据的重复录入,减少普查人员工作量,提高工作效率。

4. 重视古籍普查数据的共建共享。普查平台的"数据套录"功能支持套录本地服务器上及国家古籍保护中心普查平台服务器上的数据。"集成检索"功能可以检索并套录其他省级普查平台服务器上的数据。套录数据仅仅套录古籍的共性信息(如分类、题名卷数、著者、版本、版式等),普查人员可以在此基础上,根据本馆藏书的实际情况,完善这些共性信息,补充个性信息,从而提高著录效率和数据规范性。

5. 重视古籍普查成果的转换。普查平台的"数据导出"功能支持将普查数据按当前页面上的选中范围或当前检索结果的序号范围或所有数据导出为古籍目录(Excel)或古籍全字段表格(Excel)、古籍档案(Excel)、国家珍贵古籍名录申报书(Word)等多种格式的文件。在《国家珍贵古籍名录》的评审工作中,部分单位的国家珍贵古籍名录申报书就是在普查平台导出文件的基础上补充申报原因等信息而成的。

目前普查平台各服务器上的普查数据共计150余万条,其中浙江、江苏、安徽、河南、陕西、甘肃、北京等省级普查平台上的数据做得较多较好。普查平台今后还可以在以下方面进一步完善:(1)与"全国古籍普查登记基本数据库""国家珍贵古籍名录数据库""中华历代古籍书目数据库"互联互通;(2)已出版《古籍普查登记目录》的古籍收藏单位,在条件允许的情况下,在普查平台中通过"数据导入"功能上传已出版的普查登记数据(Excel格式的古籍普查登记表格[④]),或将普查平台上原有数据改成与已出版数据一致,并进一步补充完善各项著录内容,上传定级书影和定损书影,最后予以发布,向公众提供服务。

---

① 导入前,可以在MARC与普查平台默认对应关系的基础上自行配置适配本单位的对应关系。
② 导入前需要调整为普查平台支持的标准表格。
③ 古籍档案俗称"十六表",是普查平台投入使用前用以临时过渡的古籍登记表格。
④ 目前由国家古籍保护中心提供技术支持和协助,将《古籍普查登记目录》排版时的fbd文件转换成Excel表格。

（二）全国古籍普查登记基本数据库（中华古籍索引库）

在普查平台投入使用后，经过几年的实践探索，各级古籍收藏单位普遍反映古籍普查著录项目过多过细，十分影响普查登记效率和普查成果揭示速度。国家古籍保护中心在广泛听取古籍普查一线人员及相关管理人员意见的基础上，经充分探讨，对之前的古籍普查工作方案进行了调整，于2012年初发布了《全国古籍普查登记工作方案》，确立了开展古籍普查登记、出版《全国古籍普查登记目录》、编纂《中华古籍总目》三步走的方式，并开始全面推进古籍普查登记工作。《全国古籍普查登记工作方案》从工作实际出发，避繁就简，遵循简明扼要、客观著录原则，对古籍普查著录项目大大加以简化，将原来的上百项简化为13项基本项目，其中必登项目更是减为6项（索书号、题名卷数、著者、版本、册数、存缺卷），而分类、批校题跋、版式、装帧形式、丛书子目、书影、破损状况则列为选登项目[3]。是否登记选登项目，选登项目的多少，将由各单位在保证必登项目的前提下量力而行。《全国古籍普查登记工作方案》还调整了普查登记工作流程，开始推行Excel格式的古籍普查登记表格，与普查平台并行使用。随着各古籍收藏单位的普查数据不断出版为《古籍普查登记目录》，国家古籍保护中心需要一个新的平台向公众及时发布古籍普查数据，"全国古籍普查登记基本数据库"（以下简称"普查基本库"）①随之应运而生。

为了将Excel格式的古籍普查登记表格按照统一的样式排版为Word格式的《古籍普查登记目录》，并为之自动编制题名和著者的拼音索引、部首笔画索引、四角号码索引，国家古籍保护中心开发研制了"中华古籍索引库"系统[2]。因种种原因，在《古籍普查登记目录》正式出版工作中，并未利用"中华古籍索引库"排版和编制索引，但出于实际工作需要，国家古籍保护中心利用"中华古籍索引库"发布子系统以发布全国古籍普查登记数据，从而形成了普查基本库。普查基本库是全国古籍普查登记工作的重要成果之一，于2014年10月正式开通并对外提供服务。普查基本库发布的内容为各古籍收藏单位正式出版的《古籍普查登记目录》数据，每条数据主要包括普查编号、索书号、题名卷数、著者、版本、册数、存缺卷、收藏单位等内容。普查基本库支持用户按照题名著者、版本、收藏单位、普查编号、索书号、批校题跋、名录编号、分类、装帧形式、所属丛书题名、子目、附注等字段进行简单检索（不限字段的检索）和高级检索（字段间的组合检索，支持"与、或、非"逻辑运算），支持繁简通检。检索结果实现了对检索词的高亮显示，

---

① 访问网址：http://202.96.31.78/xlsworkbench/publish（国家图书馆馆内访问网址：http://192.168.42.12/xlsworkbench/publish）。

并支持按照普查编号和题名拼音进行排序。用户可在检索结果中按照单位进行导航，从而对被检索古籍在全国的收藏分布情况一目了然。

目前普查基本库累计发布264家单位（涉及28个省份及中直系统）的古籍普查数据825362条7973050册。这些数据来源于正式出版的《古籍普查登记目录》，是经过各古籍收藏单位目验原书、省级古籍保护中心组织专家审核、出版社审校后的精数据，数据质量相对较高。普查基本库是全国各古籍收藏单位首次按照统一的古籍著录规则完成的普查工作成果，有效履行了"中华古籍保护计划"要求的摸清古籍家底的任务，实现了全国现藏古籍的统一检索。随着古籍普查登记工作的不断推进，随着各古籍收藏单位的《古籍普查登记目录》不断出版，将有更多的古籍普查数据在普查基本库中发布，全国古籍存藏情况将越来越清晰地呈现在公众面前。

目前普查基本库仅揭示古籍的基本信息，类似于古籍的财产账，今后可以在以下方面进一步改进完善：(1)与普查平台、"国家珍贵古籍名录数据库""中华历代古籍书目数据库"互联互通；(2)尽量增加发布频次和发布数量，尽早发布最新数据；(3)如果条件允许，依托已有工具书和信息技术，对普查基本库的数据进行自动切分和智能挖掘，如提取责任者（包括著者、序跋著者、出版者、批校题跋者等）姓名、责任方式、版本年代、版本类型、出版地等信息，用以丰富数据导航的展示内容，又有助于实现更多角度的统计分析；(4)如果条件允许，利用已有古籍编目成果，开展数据统校工作，将同书同版本的古籍著录信息尽量规范统一起来，为以后开展《中华古籍总目》编纂工作打下基础；(5)尽可能挂接各古籍收藏单位的OPAC（联机公共目录查询系统）链接和互联网上已发布的全文影像链接，尽可能补充古籍影印、整理等相关参考信息。

一、国家珍贵古籍名录数据库

《国家珍贵古籍名录》是由国务院及文化和旅游部[①]公布的我国现存珍贵古籍目录，旨在集中人力、财力，对浩瀚古籍中具有特别重要文献价值、文物价值、艺术价值的古籍予以重点保护。截至目前，共公布六批《国家珍贵古籍名录》，全国487家机构或个人收藏的13026部古籍入选，其中，汉文文献11855部（含甲骨4条共11家单位，简帛187种，敦煌遗书405件，碑帖拓本207件，古地图149件，汉文古籍10903部），少数民族文字古籍1133部，其他文字古籍38部。

---

① 第一批至第五批《国家珍贵古籍名录》由国务院公布，第六批《国家珍贵古籍名录》经国务院批准同意，由文化和旅游部公布。

"国家珍贵古籍名录数据库"(下文简称"名录库")①于2018年9月28日上线,首次以数据库的形式公开发布第一批至第五批《国家珍贵古籍名录》收录的古籍信息。2021年3月2日,国家古籍保护中心更新发布第六批《国家珍贵古籍名录》收录的古籍信息。名录库发布的入选古籍信息,在名录公布的古籍题名卷数、著者、版本(含补配信息)、批校题跋、存缺卷、收藏单位等信息基础上,依据申报资料增加了索书号、册/件数等信息,并进一步对著录信息进行细化切分,增加了文献类型、文种、分类②、版本年代、版本类型等信息。如果入选古籍在互联网上已发布全文影像,名录库还将附上全文影像链接以便用户访问阅读。目前名录库内已标明国家图书馆278部古籍在"中华古籍资源库"中的全文影像链接。名录库支持用户按照入选古籍的名录编号、名录内容③、名录公布批次、名录公布时间、文献类型、文种、分类、省份、收藏单位、索书号、题名著者、版本(含补配信息)、批校题跋、版本年代、版本类型、是否有全文影像等字段进行检索,支持用户自行选择是否开启繁简共检功能。检索结果默认按名录编号排序。

古籍在流传过程中存在同一部书最终分藏多家机构的现象,名录中合并著录为一个编号(如名录编号00940、00982、09905)用以体现合璧关系,加之出土地相同但多家机构分藏的甲骨也合并著录为一个编号(如名录编号09860、11376),因此,第一批至第六批《国家珍贵古籍名录》虽然为13026个编号,但按收藏机构分拆统计则收录了13036部古籍。名录库为了统计方便,收录的是按收藏机构分拆后的名录条目,但会在"名录内容"字段显示名录公布时的完整著录内容,同时会在检索结果页面底部显示当前名录条数,即当前检索结果对应的名录编号数。

《国家珍贵古籍名录》的评审时间较为仓促,错误也在所难免。随着学术界研究的深入和相关古籍保护工作(如"《国家珍贵古籍名录》中古籍题跋整理与研究"项目)的开展,我们陆续发现名录中存在著录不统一、著者姓名错误、著者朝代错误、公元纪年错误、批校题跋信息遗漏、版本著录不准确等方面的问题。为此,名录库在"名录内容"中维持公布时文字原貌的同时,另外在"名录附注"字段中对已发现的名录问题加以说明,供用户参考。

目前的名录库仅为初期试运行版本,今后还可以在以下方面进一步改进:

---

① 访问网址:http://202.96.31.79/nlcab/public! mlSearch.action(国家图书馆馆内访问网址:http://192.168.42.10/nlcab/public! mlSearch.action)。
② 仅汉文古籍有,分类仅限经、史、子、集、丛一级分类。
③ 除名录编号外的名录完整著录内容。

(1)界面改成简体版,并开发移动端界面;(2)继续补充入选古籍的全文影像链接;(3)在征求各古籍收藏单位授权的基础上发布入选古籍的书影;(4)在版式、牌记、刻工、装帧、钤印、递藏关系等方面进行更详细的著录;(5)吸收"《国家珍贵古籍名录》中古籍题跋整理与研究"项目成果,增加批校题跋释文内容;(6)增加书志、提要等内容;(7)与普查平台、普查基本库、"中华历代古籍书目数据库"互联互通;(8)随着今后几批《国家珍贵古籍名录》的评审及公布,名录库应及时跟进并更新相应数据。

另外,目前已有20个省份评审并公布了省级珍贵古籍名录,合计收录古籍24790部。国家古籍保护中心将参照名录库的建设模式和实践经验,建设"省级珍贵古籍名录数据库",最终将二库合一,形成"中华珍贵古籍名录库"。

三、海外中华古籍书目数据库

"海外中华古籍调查暨数字化合作项目"是"中华古籍保护计划"的重要组成部分。由于历史和社会的原因,有数以百万册计的中华古籍(含民国线装书)存藏于海外各类公私机构。这些海外存藏的中华古籍数量众多,是我国古代典籍的重要组成部分,也是反映中华文明在世界文明中流传发展脉络的重要明证。

建设"海外中华古籍书目数据库"(下文简称"海外库")是"海外中华古籍调查暨数字化合作项目"的重要内容,是实施海外中华古籍调查工作、逐步摸清海外中华古籍存藏分布情况的重要途径。海外库收录海外所藏中华古籍的相关信息,著录内容主要包括收藏机构、索书号、分类、题名卷数、著者、版本(含补配信息)、版本年代、版本类型、版式、装帧形式、册数、存缺卷、批校题跋、所属丛书题名、子目、旧藏信息、数据来源、原书页码等。信息主要来源于目前已出版的海外机构所藏古籍书目,少部分来源于国际交换所得的古籍编目数据。目前已累计完成包括美国、加拿大、西班牙、法国、英国、新西兰、日本等7个国家近百家机构的百万余条(含子目条数)书目数据的建设工作。

海外库目前处于数据积累阶段,数据尚未正式发布,今后将进一步完善以下方面:(1)进一步加快数据的挑选整理进度,并尽快发布。海外机构所藏古籍书目收录范围一般较为宽泛,并非严格意义上的中华古籍概念,古籍书目中往往混杂着不少域外翻刻本(如和刻本、高丽本等)和民国线装书,甚至还有1949年后的古籍影印本,因此给数据的挑选整理带来了不少麻烦。在数据挑选整理完毕后,国家古籍保护中心将尽快择期发布数据。(2)海外库与"中华历代古籍书目数据库"进行互联互通。(3)挂接互联网上已发布的全文影像链接,尽可能补充古籍影印、整理等相关参考信息。

四、中华历代古籍书目数据库

建立"中华历代古籍书目数据库"（下文简称"历代库"），收集整理中国历史上曾经出现过的典籍文献信息，与全国古籍普查登记工作和海外中华古籍调查工作一脉相承，互为补充，有助于摸清我国历代典籍流散史和古代学术流变史。

历代库先从目前已有整理或影印的历代古籍书目文献做起，著录内容主要包括分类、题名卷数、著者、版本、批校题跋、版式、装帧形式、存缺卷、册数、函数、部数、牌记、刻工、避讳字、钤印、旧藏信息、存佚情况、数据来源、原书页码、原书卷次等。目前已累计完成近60万条（含子目条数）书目数据的建设工作。

历代库目前处于草创阶段，其发布系统正在研发调试。历代库今后将在以下方面改进：（1）尽快完成调试工作并上线服务，发布数据；（2）与普查平台、普查基本库、名录库、海外库互联互通；（3）加快数据的加工和审核进度，提高数据的质量。

五、结语

普查平台、普查基本库、名录库、海外库、历代库的建设均立足于国家古籍保护中心的工作实际。普查平台、普查基本库分别是全国古籍普查登记工作的工作平台和发布平台，有效保障了全国古籍普查登记工作的开展及其成果的及时展示，切实履行了摸清古籍家底的任务，最终将形成中国境内现藏古籍的统一联合目录，将完整揭示中国境内古籍的存藏情况。海外库的建设服务于海外中华古籍调查工作，旨在尽快摸清海外中华古籍的存藏情况，但受限于目前条件，只能先从汇集整理目录做起。普查平台、普查基本库和海外库是从空间维度出发完成古籍的调查工作，如果全部建设完成，将中国境内外的古籍收藏机构尽行掌握，中华古籍在全球的存藏分布情况将一目了然。历代库则是从时间维度出发完成古籍的调查工作，从而摸清我国历代典籍的流散历史和相关学术的演变脉络，为现藏古籍提供历史上的佐证，便于摸清具体古籍的递藏关系。普查平台、普查基本库、海外库、历代库互相配合，互相补充，就能充分揭示古籍在古今中外的分布情况。名录库所收古籍是从中国境内一、二级古籍中遴选的具有重要文物、文献、艺术价值的珍贵古籍，有利于古籍的分级管理和保护，更应该重点建设、充分展示，这也有助于提高全社会关心古籍、保护古籍的意识，从而在增进文化认同中坚定文化自信。

当然，这些古籍书目数据库的建设也有很多不足之处，除上文提到的各数据库需要进一步改进完善的方面外，还有以下方面可以努力：(1)切实加强这些古籍书目数据库之间的互联互通，并研发一个一站式的检索发布平台，以便用户使用；(2)这些古籍书目数据库都是账簿式的目录形式，一条古籍数据对应一个古籍藏本，且同书同版本著录不尽相同，需要进一步对数据进行规范统一，且在展现方式上可参照FRBR(Functional Requirements for Bibliographic Records,书目记录功能需求)等编目理念，分作品、品种、版本、藏本四层来展现，从而更好地揭示这四层之间的关系，也方便统计全国现藏古籍的品种数、版本数；(3)这些古籍书目数据库采用的是基于DC元数据自定义的元数据标准，对于国际编目界的先进编目理念、编目技术关注不够，且著录方式过于偏向传统编目习惯，虽然便利了古籍编目人员，但不利于数据的国际交换，需要对数据进行进一步切分和挖掘；(4)这些古籍书目数据库缺乏分类和主题标引，缺乏规范控制，没能充分揭示书目之间的内在关系，目前只能作为一个古籍书目检索工具使用。这些方面都需要在今后的建设过程中进一步完善改进，最终朝着建立一个涵盖古今中外古籍并充分揭示书与书、书与人、人与人之间复杂关系的古籍书目知识库而努力。

(包菊香，国家图书馆国家古籍保护中心办公室馆员)

参考文献：
[1]国家古籍保护中心.全国古籍普查登记工作方案[EB/OL].[2021-03-02]. http://www.nlc.cn/pcab/gjpc/gjpp_pcjs/.
[2]包菊香.古籍目录索引的自动编制：以"中华古籍索引库"为例[J].中国索引，2013,11(1):25-29.
[3]洪琰,王沛.全国古籍普查登记工作实践与思考[J].国家图书馆学刊,2014,23(5):12-17.

普查与编目

美国华盛顿大学图书馆存藏易学类古籍考略[*]

A Study on Ancient Books Related to *Zhouyi* Conserved in the Library of the University of Washington

周余姣　沈志佳

摘　要：美国华盛顿大学图书馆存藏的易学类古籍较为丰富，其部分来源于卫德明的捐赠。按照《中华古籍总目分类表》，可从书名、卷数、索书号、撰人、版本、册函数、版式、版心、序跋、内封、藏书来源等对该馆存藏46种47部324册易学类古籍进行揭示。通过与《中国古籍善本书目》、山东省图书馆所编《易学书目》及"全国古籍普查登记基本数据库"进行比对，可以总结出该馆易学类古籍的存藏特点：门类较为完备，不乏稀见版本。目前，《美国华盛顿大学图书馆中文古籍目录》正在加紧编撰，该书目的编制有利于了解中文古籍在华盛顿大学的存藏情况，促进中西学术的交流。

关键词：易学；华盛顿大学；中文古籍；学术交流

美国华盛顿大学（以下简称"华大"）图书馆所藏易学类古籍较为丰富，部分源于卫德明（Hellmut Wilhelm, 1905—1990）先生的捐赠。卫德明之父卫礼贤（Richard Wilhelm, 1873—1930），又名尉礼贤，德国汉学家。1897年，卫礼贤以传教士的身份来到中国，在华20余年，深研中国传统文化，被视为中西文化交流史上一位大功臣。其突出的学术贡献是将《论语》《道德经》《列子》《庄子》《孟子》

---

[*] 本文系国家社会科学基金重大项目"古籍保护学科建设与基础理论研究"（项目编号：19ZDA343）研究成果之一。

《易经》《吕氏春秋》《礼记》等中国古代经典译成德文,推动了中国传统文化在西方世界的传播。其著述宏富,据称"已出版的作品有二十四种,译品十四种,主编及合编的书与杂志八种。至于在各种书报登载的零星文章,其多更是惊人。据佛郎克府中国学院报告(见 Sinica 五卷二期,一九三〇年四月),已有二百四十七篇"[1]。经其所存藏的古籍有"尉礼贤希圣印 R. Wilhelm"藏书票。卫德明生于青岛,曾于 1933 年至 1937 年在北京大学教德语,抗日战争期间主持中德学会的工作。1948 年,卫德明赴美任华盛顿大学东方学院教授。著有《中国思想史和社会史》(1942)、《中国的社会和国家:一个帝国的历史》(1944)等。受父亲的影响,卫德明参与父亲翻译《易经》的工作,并以讲授《易经》而闻名于欧美,在易学研究和传播上产生了重大的影响。卫德明逝世后,其藏书捐赠给了华盛顿大学图书馆。从一些古籍函套上的标识上看,其所购图书多来源于北平法文图书馆①。

一、华大存藏易学类古籍概况

《周易》一书有"大道之源""群经之首"之誉。郑樵言:"《易》虽一书,而有十六种学,有传学,有注学,有章句学,有图学,有数学,有谶纬学,安得总言《易》类乎?"[2]加强对易学类古籍的研究有着重要意义。本文所指的易学类古籍,并非仅限于经部易类的古籍。为更好地让易学研究者了解整体的学术概貌,本文将与《易经》研究相关的经部谶纬类、子部术数类等古籍也列入考察的对象。据笔者逐一目验后的统计,该馆所藏易学类古籍有 46 种 47 部 324 册。

现按照《中华古籍总目分类表》[3],从书名、卷数、索书号、撰人、版本、册函数、版式、版心、序跋、内封、藏书来源等对华大存藏的具有独立索书号的易学类古籍进行揭示,并与《中国古籍善本书目》、山东省图书馆所编《易学书目》[4]、"全国古籍普查登记基本数据库"中著录的相关古籍比对,参照《汉文古籍特藏藏品定级 第 1 部分:古籍》(GB/T 31076.1—2014)[5](以下简称"汉文古籍特藏定级国标")对善本进行尝试性定级,按类介绍如下:

---

① 北平法文图书馆是由法国商人魏池(Francis Vetch,1862—1944)创立的,这是一家销售兼出版的机构。魏池早年是一名贩卖华工的不法分子,失败后于 1919 年重返中国,成为一名书商。经其子魏智(Henri Georges Archibald Vetch,1898—1978)的发展,北平法文图书馆一度成为北平当时西方人文化圈子的中心。该馆原名"北京法文售书处",后改名"北平法文图书馆",在天津也设有"天津法文图书馆"。1930 年魏智同时拥有北京、天津两家法文图书馆。1930 年至 1951 年间,该馆出版了 127 种图书,其中就有卫德明的三种德文书。魏智还热衷于搜集和出售中国古籍善本给来华的西方人,其所售的图书每册尾页左上角有"French Bookstore Peiping (China)北平法文图书馆"中英文深蓝底白字印。1949 年该馆的图书与原孔德学校的藏书一起归藏至现在的北京首都图书馆。

(一)经部易类的古籍(33 种)

1. 经部—易类—正文之属(2 种)

(1)周易汇统四卷图一卷　PL2464.Z7 Z685 1703

(清)佟国维汇集。清康熙壬午(1702)刻本,四册一函。框 21×15 厘米,九行二十字,小字双行同。白口,单黑鱼尾,四周双边。版心上刻"周易汇统"或"公易",中镌卷次、页码。前有《周易程子传序》,康熙壬午(1702)佟国维序。纸白墨洁,开本宽大,印制精美。为卫德明教授藏书。《中国古籍善本书目》[6]著录清康熙刻本,序号 653,仅辽宁省图书馆有藏。《易学书目》著录此书,书名索引号 0425(清刻本,二册一函,易庐 62)。据"汉文古籍特藏定级国标"4.3.2 第一条定为"三级乙等"。

(2)翻译易经四卷　PL2489.6.M3 F36 1644zv.1-v.4

(清)弘历敕译。清乾隆三十年(1765)刻本,四册一函。框 18.5×13.9 厘米,满汉文合璧,行款不一。白口,单黑鱼尾,四周单边。版心上镌"周易",中镌卷次、页码。前有乾隆三十年(1765)《御制翻译易经序》。版刻年据序而定。《易学书目》著录此书,书名索引号 1755(清乾隆武英殿刻满汉文合璧五经八书本)。据"汉文古籍特藏定级国标"4.3.2 第一条定为"三级乙等"。

2. 经部—易类—传说之属(22 种)

(1)周易兼义九卷附经典释文(周易音义)周易略例　PL2464.D6

(魏)王弼等注,(唐)孔颖达正义。明万历十四年(1586)北京国子监刻本(崇祯递修),八册一函。框 23.2×15 厘米,九行二十一字,小字双行同。白口,单黑鱼尾,左右双边。版心上镌"万历十四年刊",中镌书名、卷次和页码。前有《周易正义序》。卷端上题"周易兼义",下题"皇明朝列大夫国子监祭酒臣李长春等奉敕重校刊/皇明朝列大夫国子监祭酒臣吴士元承德郎司业加俸一级臣黄锦等奉旨重修"。印刷质量差,应为后印本。卫德明教授藏书。唐宸《〈华盛顿大学远东图书馆藏明板书录〉补正》[7]一文对该书版刻曾加以考证。《中国古籍善本书目》著录本有傅增湘校并跋,序号 127。《易学书目》著录此书,书名索引号 0088,山东省图书馆善本编号"善 2355",五册一函。据"汉文古籍特藏定级国标"4.3.1 第一条定为"三级甲等"。

(2)[御纂]周易折中二十二卷首一卷　PL2464.Z6 L5 1715

(清)李光地等奉敕撰。清康熙五十四年(1715)武英殿刻本,十册二函。框 22.1×16.2 厘米,十六行二十二字。白口,单黑鱼尾,四周双边。版心上镌书名,中镌卷次、页码。前有康熙五十四年(1715)《御制周易折中序》。有"体元主人"

"稽古右文之章"。每册尾页左上角有"French Bookstore Peiping (China)北平法文图书馆"中英文深蓝底白字印。卫德明教授藏书。《中国古籍善本书目》著录本有清陈介祺批校,序号625。《易学书目》著录此书,书名索引号0440(易庐19)。据"汉文古籍特藏定级国标"4.3.2第一条定为"三级乙等"。

(3) 周易传义大全二十四卷首一卷　　PL2464.Z6 H8

(明)胡广等奉敕撰,(明)徐九一订。清初古吴菊仙书屋刻本,二十五册二函。框19.5×14.3厘米,八行二十一字,小字双行同。白口,无鱼尾,左右双边。版心上镌"周易大全",中镌卷次。有《周易传义大全序》《周易程子传序》。有"尾崎图书之印"。内封题"徐九一先生订/易经大全/古吴菊仙书屋藏板"。卷端题"周易传义大全"。每册末有"French Bookstore Peiping (China)北平法文图书馆"中英文深蓝底白字印。《易学书目》著录此书,书名索引号0279-2,清刻本,十四册二函。据"汉文古籍特藏定级国标"4.3.2第一条定为"三级乙等"。

(4) 李氏易传十七卷易释文(周易音义)一卷　　PL2464.H4 1756

(唐)李鼎祚集解,(唐)陆德明撰。清乾隆二十一年(1756)德州卢氏雅雨堂刻本,六册一函。框18.6×14.5厘米,十行二十一字,小字双行同。白口,单黑鱼尾,四周单边。版心上镌"李氏易传"或"易释文",中镌卷次、页码,下镌"雅雨堂"。《李氏易传》有乾隆丙子(1756)卢见曾序,李鼎祚《周易集解序》,宋庆历甲申(1044)计用章《李氏易传后序》。内封题"乾隆丙子镌/宋本校刊/李氏易传/附郑氏周易　易释文/雅雨堂藏板"。题名取自内封。《易学书目》著录此书,书名索引号0177(易庐392)。据"汉文古籍特藏定级国标"4.3.2第一条定为"三级乙等"。

(5) 周易集解十卷　　PL2464.Z6 S86 1798

(清)孙星衍撰。清嘉庆三年(1798)兰陵孙氏刻本,十册一函。框9.6×8厘米,九行十八字,小字双行同。白口,单黑鱼尾,左右双边。版心镌书名、卷次、页码。前有嘉庆三年(1798)孙星衍序。内封题"嘉庆二年夏刊于沇州/周易集解/兰陵孙氏藏板"。《岱南阁丛书》零本,巾箱本。书末有"French Bookstore Peiping (China)北平法文图书馆"中英文深蓝底白字印。函套上有英文笔记。《中国古籍善本书目》著录本有清陶方琦批校,序号745。《易学书目》著录此书,书名索引号0576。

(6) 孙氏周易集解十卷周易口诀义六卷末一卷备考一卷　　PL2464.Z6 S78 1876 v.1-v.6

(清)孙星衍辑;(唐)史徵撰,(清)孙星衍校。清光绪二年(1876)广陵双梧书屋重刻岱南阁本,六册一夹。《孙氏周易集解》框18.9×12.1厘米,九行二十一字,小字双行同,白口,单黑鱼尾,左右双边;《周易口诀义》,框19.5×12.9厘米,九行十八字,白口,单黑鱼尾,四周单边。版心均上镌书名,中镌卷次、页码。有同治二年(1863)潘泉《周易经传集解序》,嘉庆二年(1797)孙星衍《周易口诀义序》,同治元年(1862)潘泉识记。钤"蜕庐所藏"印。内封题"孙氏周易集解 岱南阁原本/附周易口诀义"。牌记题"光绪二年孟春重刊于广陵双梧书屋"。《易学书目》著录此书,书名索引号0576-2(清咸丰五年南海伍氏刻本,粤雅堂丛书),0179(清乾隆四十二年福建刻道光同治递修本,武英殿聚珍版书)。

(7)周易口诀义六卷末一卷备考一卷　PL2464. Z6 S52 1797

(唐)史徵撰,(清)孙星衍校。清同治元年(1862)刻本,二册一函。框19.5×12.9厘米,九行十八字。白口,单黑鱼尾,四周单边。版心均上镌书名,中镌卷次、页码。有嘉庆二年(1797)孙星衍《周易口诀义序》,同治元年(1862)潘泉识记。该本版本较多,《易学书目》著录此书6种古籍版本,书名索引号0179(清乾隆四十二年福建刻道光同治递修本,武英殿聚珍版书)等。

(8)易象意言一卷易学滥觞一卷　PL2464. Z7 T77 1875

(宋)蔡渊撰,(元)黄泽撰。清乾隆三十九年(1774)武英殿聚珍版活字本,一册一函。框18.4×12.4厘米,九行二十一字。白口,单黑鱼尾,四周双边。版心上镌"御制武英殿聚珍版"或书名,中镌页码,下镌"缪晋校/于鼎校/王朝梧校"。有乾隆甲午(1774)《御制题武英殿聚珍版十韵有序》。封面签题为"武英殿聚珍版书"。《易学书目》著录此二书,书名索引号0233(海2030),0262-2(清乾隆四十二年福建刻道光同治递修本)。据"汉文古籍特藏定级国标"4.2.2第三条定为"二级乙等"。

(9)易说十二卷附易说便录一卷　PL2464. Z7 H36 1882v.1-v.4

(清)郝懿行撰。清光绪八年(1882)东路厅署刻本,四册一函。框17.6×13厘米,九行二十一字,小字双行同。黑口,单黑鱼尾,左右双边。版心中镌书名、卷次、篇名、页码。前有壬子(1792)郝懿行序。前有粉红龙纹图以及"光绪八年十二月由顺天府进呈御览/易说/东路厅同知郝联薇恭缮"及上谕"郝懿行所著易说书说郑氏礼记笺王照圆所著诗说诗问列女传补注均著留览"。内封题"易说十三卷",牌记题"光绪八年岁在壬午东路厅署开雕"。《易说》目录部分有"栖霞郝懿行兰皋学　孙男联茹、联苏、联薇、联芬校字/曾孙国斌、国忠、国贤、国瑞、国镇、国珍同校字"。《易说便录》卷终有"宛邑毓文斋　景春融手刊"。每卷之末有"French Bookstore Peiping(China)北平法文图书馆"中英文深蓝底白字印。函套上有钢笔所写的该书书名和作者信息。《郝氏遗书》之一。《易学书目》著录此书,书名索引号0557。

(10)三易注略读法一卷羲易注略三卷孔易注略十二卷周易注略四卷附周易参断二卷　PL2464.Z7 L583 1822v.1-v.20

(清)刘一明撰。清嘉庆庚申(1800)榆中栖云山刻本,二十册二函。框19.4×13.5厘米,九行二十二字。白口,单黑鱼尾,四周双边。版心镌书名、卷次、页码。前有大清嘉庆七年(1802)苏宁阿《悟元子三易注略序》,嘉庆庚申(1800)杨芳灿《三易注略序》,嘉庆己未(1799)卦台逸人序等。各书前有作者自序。内封题"嘉庆四年镌/素朴山人注/三易注略/榆中栖云山藏板"。卷端题"栖云山素朴山人刘一明著/门人洮阳光斋张篝/湟中通候张志远校阅/门人萧关瑞英谢祥刊梓"。版刻年据序定。《易学书目》未著录《三易注略读法一卷》,著录其他书名索引号分别是1016(易庐655)、0592(易庐525)、0591(易庐454)、0593(易庐746)。

(11)易汉学八卷　PL2464.Z7 Y5 1744

(清)惠栋辑。清嘉庆元年至宣统三年(1796—1911)清柏筠堂刻本,二册一函。框18.6×14.6厘米,十一行二十二字。上下黑口,对黑鱼尾,四周单边。版心中镌书名、卷次、页码。前有惠栋自序。内封题"惠松崖先生辑/易汉学/柏筠堂藏板"。卷端题"东吴征士惠栋学"。卫德明教授藏书。《易学书目》著录此书,书名索引号0483(清乾隆中毕沅刻本,经训堂丛书),0483-2(清光绪十四年南菁书院刻本,皇清经解续编)。

(12)周易本义四卷筮仪一卷图说一卷　PL2464.Z6 C567 1871v.1-v.2

(宋)朱熹注。清同治十年(1871)刻本,二册一函。框20.1×14.8厘米,九行十七字,小字双行同。白口,无鱼尾,四周双边。版心镌"周易"及卷次、页码。未署名序。内封题"周易"。牌记题"同治十年夏月重雕"。原题"周易四十卷"。据目录改。《易学书目》著录此书,书名索引号0216-31(周易本义十二卷,1976年台北成文出版社据清光绪九年影宋咸淳刻本影印)。

(13)周易本义补四卷　PL2464.Z6 S83 1600

(明)苏文韩撰。清抄本,三册一函。框20.1×13.7厘米,前有序(未署名),后有墨笔跋语(未署名)。钤印"梅花书屋""千古斯文""玉茗珍藏"。内封题"苏了心先生著/周易本义补/掬星堂藏书"。"掬星堂"为南唐殷崇义(又名汤悦)及其后裔的堂号。玉茗堂为明汤显祖的堂号,也被用作汤氏后裔的堂号。据此可知其为汤氏存藏之书。有朱笔批点。"玄"缺末笔。卫德明教授藏书。经查询

"全国古籍普查登记基本数据库"(2020年6月28日查),《周易本义补四卷》的存藏情况如下:国家图书馆存藏有明万历红兰馆刻本二册,明刻本(存三卷,一、二、四)二册;齐齐哈尔市图书馆存藏有清末刻本四册;重庆图书馆存藏有清英德堂刻本二册。据"汉文古籍特藏定级国标"4.3.2第一条定为"三级乙等"。

(14)周易孔义集说二十卷　PL2464.Z6 S43 1882v.1-v.8

(清)沈起元[撰]。清光绪八年(1882)江苏书局刻本,八册一函。框19.9×14.1厘米,十行二十二字。白口,单黑鱼尾,四周双边。版心上镌书名,中镌卷次、页码。前有乾隆癸酉(1753)孙嘉淦序,乾隆甲戌(1754)卢见曾序,乾隆癸酉(1753)秦蕙田序,乾隆十九年(1754)陈世倌序。内封题"周易孔义集说",牌记题"光绪壬午冬月江苏书局开雕"。有图、凡例、传义源流、总论等,参订参校姓氏众多。《易学书目》著录此书,书名索引号0475(清乾隆十九年学易堂刻本,六册一函,存卷一至十一,易庐516)。

(15)易经诠义十四卷首一卷　PL2464.Z6 W38 1873

(清)汪烜撰,(清)李承超重订。清同治十二年(1873)西江曲水书局木活字本,十五册二函。框23.4×15.7厘米,九行二十五字。白口,单黑鱼尾,四周单边。版心上为"重订汪子遗书",中为书名、卷次、页码,下为"曲水书局"。前有曲水书局李振英识记,同治十二年(1873)李宗义《重订汪子遗书序》,同治十二年(1873)余丽元识,雍正甲寅(1734)、乾隆丙子(1756)汪烜序。另有曾文正公复余黼山明府书(附余黼山明府献书于曾文正公原书)。有"柏堂藏书""柏堂第二男守彝字伦叔桐城方氏读书应事之章"。另有一书坊广告印"常郡韩文焕斋承刻聚珍排印并用上白连纸及写校之费每篇本价银三厘　装潢每帙本价银一分"。丛书内封题"重订汪子遗书六　婺源振儒社藏本",本书内封题"湘乡太傅毅勇侯曾文正公鉴定/易经诠义十五卷"。卷之末有"后学李承超重订,后学李启泮、李振秀、余龙光、余丽元、李际唐校正,后学李振莹校录"字样。《重订汪子遗书》之一。《易学书目》著录此书,书名索引号0489-2(七册一函,存六卷:卷一至三,卷五至七)。

(16)易经如话十二卷首一卷　PL2464.Z6 W38 1873b

(清)汪烜撰。清同治十二年(1873)西江曲水书局木活字本,六册一函。框23.4×15.7厘米,九行二十五字。白口,单黑鱼尾,四周单边。版心上镌"重订汪子遗书",中镌书名、卷次、页码,下镌"曲水书局"。前有曲水书局李振英识记,乾隆乙亥(1755)汪烜《易经如话小序》。有一书坊广告印"常郡韩文焕斋承刻聚珍排印并用上白连纸及写校之费每篇本价银三厘　装潢每帙本价银一分"。丛书内封题"重订汪子遗书十　婺源振儒社藏本"。本书内封题"易经如话十三卷"。

卷之末有"后学李承超重订,后学李启泮、李振秀、余龙光、余丽元、李际唐校正,后学李振玱、潘鸿仪校录"字样。《重订汪子遗书》之一。《易学书目》著录此书,书名索引号0490(易庐79)。

(17)重刊宋本周易注疏十卷附校勘记　PL2461.Z6 S66 1873v.1-v.172

(清)阮元审定,(清)卢宣旬校。清同治十二年(1873)江西书局重修本,八册一函。框17.8×12.9厘米,行款不一。上下黑口,双黑鱼尾,左右双边。版心中镌篇次、页码。内封题"重刊宋本十三经注疏附校勘记/用文选楼藏本校定",背面牌记题"同治十二年江西书局重修"。次内封正面题"重刊宋本周易注疏附校勘记/嘉庆二十年江西南昌府学开雕",背面题"太子少保江西巡抚兼提督扬州阮元审定　武宁县贡生卢宣旬校/道光丙戌南昌府学重校正木"。为《重刊宋本十三经注疏附校勘记》之一。

(18)郑氏周易注三卷补遗一卷　PL2464.Z6 Z44 1873

(汉)郑玄撰,(宋)王应麟撰集,(清)惠栋增补,(清)孙堂重校。清同治十二年(1873)广州粤东书局刻古经解汇函本,三册　夹。框18.2×13.9厘米,十行二十一字,小字双行同。白口,单黑鱼尾,左右双边。版心中镌书名、卷次、页码。前有孙堂识语,王应麟序,德州卢见曾序。有藏印,卷端题"王应麟撰集　惠栋增补　平湖孙堂重校"。卷末有"番禺陶福祥陈庆修校字"字样。书末有"French Bookstore Peiping (China)北平法文图书馆"中英文深蓝底白字印。书上有英文笔记。《中国古籍善本书目》著录本有许克勤校,序号113。《易学书目》著录此书,书名索引号0075-2。

(19)明道易经十二集　PL2464.Z6 D86 1895

(清)敦厚老人注。清光绪乙未(1895)重刊本,十二册。框22.3×15.8厘米,九行二十四字。白口,单黑鱼尾,四周双边。版心镌"明道易经",中镌集次和页码。前有敦厚老人自序。内封题"光绪乙未年重刊/明道易经/板藏云厂"。全书按子丑寅卯等十二支为集命名。卷端题"堃圃敦厚老人敬注"。第一册书后有售书标记"琳琅阁　香港中环威灵顿街11号(娱乐戏院后面),定价21,数量12"等信息。亥集后页极为残破,侍修复。《易学书目》著录此书,书名索引号0605(易庐482)。

(20)诚斋易传二十卷　PL2464.Z6 Y24 1895v.1-v.8

(宋)杨万里著。清光绪二十一年(1895)湖北官书处刻本,八册。框18.2×13.5厘米,九行二十一字。白口,对黑鱼尾,左右双边。版心镌书名、卷次、页码。前有清道光十一年(1831)慈溪叶元墀序,宋淳熙戊申(1188)庐陵杨万里自序,后有宋嘉泰甲子(1204)杨万里后序。"山阴孙世伟藏"印。内封题"诚斋易传"。牌记题"清光绪二十一年湖北官书处重刻"。卷端题"宋宝谟阁学士杨万里廷秀著"。《易学书目》著录此书,书名索引号0215-5(清乾隆四十二年福建刻道光同治递修本,武英殿聚珍版书,八册一函)。

(21)周易说略四卷　PL2464.Z6 Z35 1909 v.1-v.4

(清)张尔岐撰。清宣统元年(1909)善成堂刻本,四册一函。框17.5×11.7厘米,行款不一。白口,单黑鱼尾,四周单边。版心上镌书名,中镌卷次、页码,下镌"善成堂"或"奎文"或空白。可知其部分雕版来自清嘉庆年间奎文堂。前有康熙己亥(1719)泰山徐志定序,康熙六年(1667)济阳张尔岐序。内封题"宣统元年重镌/济阳张稷若著/周易说略/言简意该　理真词确/善成堂板"。卷端题"周易说略/济阳张尔岐稷若氏手著/男孝宽栗伯/侄孝通文淹/门人营发瑞辑五　崔文炳人虎　吴孔嘉令仪　仝校"。函套上题签为"善成集记　京都琉璃厂中间路南善成东记发兑"。《易学书目》著录此书,书名索引号0372-4(易庐106)。

(22)[绘图监本]易经四卷　PL2464.P8 1910

不著撰人。清宣统二年(1910)上海会文堂粹记石印本,一册。改西式装订。有《周易序》。封面题"精校绘图监本易经"。内封题"宣统二年季冬/绘图监本易经/上海会文堂粹记印行"。背面有"据崇道堂本校正"字样。

3. 经部—易类—图说之属(3种)

(1)大易则通十五卷闰一卷　PL2464.Z7 H8 1661

(清)胡世安述。清顺治十八年(1661)胡蔚先家刻本,八册一函。框18.9×14.4厘米,十行二十一字。白口,无鱼尾,左右双边。版心上镌书名,中镌卷次、页码。前有顺治戊戌(1658)汾人朱之俊序,顺治庚子(1660)高阳李霨序,顺治辛丑(1661)北平孙承泽序,顺治辛丑(1661)姚江马晋允跋,雅安穆贞胤、西蜀胡世安识。有"龙山憨庐藏书之章""古莘陈氏子子孙孙永宝用"印。每卷末有"孙蔚先敬刊"字样。内封有"井研胡少师著/大易则通/本府藏板"。卷端题"仙井胡世安处静述"。据李文炳、王洪生《孤本古籍〈大易则通〉整理纪要》一文分析,此书极为稀见[8]。卫德明教授藏书。《中国古籍善本书目》著录,序号666。《易学书目》著录此书,书名索引号0992(易庐574)。据"汉文古籍特藏定级国标"4.3.1第一条定为"三级甲等"。

(2)周易清本图说不分卷　BF1770.C5 L536 1689

(清)梁夫汉撰。清康熙二十八年(1689)刻本,二册一函。框20.2×14.6厘米,九行二十字。白口,无鱼尾,四周双边。版心刻"周易清本图说"及页码。部分版心下刻"此幅割开粘规/矩/准/绳图于中"。前有康熙辛酉(1681)济南唐梦赉序,康熙辛酉(1681)会稽谢天涛《刻周易清本图说序》,康熙庚申(1680)山阴梁夫汉自序,康熙二十八年(1689)梁夫汉《轩亭上书记言附诗一首》。黄周礼《焚香读引》。钤印"仪征吴丙湘印""次潇氏""见山"。第二册卷末有"是书上下经系辞及坐致编六卷全刻计费尚需六十金俟有捐资续刻"字样。中间缺第16页。《易学书目》著录此书,书名索引号1935(周易清本三卷,旧抄本)。据"汉文古籍特藏定级国标"4.3.2第一条定为"三级乙等"。

(3)周易图说述四卷卷首　PL2464.Z7 W34 1687v.1-v.4

(清)王弘撰学。清康熙二十六年(1687)刻本,四册一函。框21.5×20.9厘米,十五行二十二字,小字双行同。白口,单黑鱼尾,左右双边。版心镌书名、卷次、页码。前有金明马如龙序,康熙二十六年(1687)(佟)毓秀序,王弘撰自序。卷端题"云台后学王弘撰学"。内标诸多刊刻存藏信息,如"华山王弘撰无异著,同学马如龙见五、佟毓秀钟山订梓,弟……从子……从孙……从曾孙……子……孙……曾孙……藏"①等。有作者像。《易学书目》著录此书,书名索引号0995(清乾隆四十四年赵振铎、于光华刻本,先生堂藏板,易庐204)。据"汉文古籍特藏定级国标"4.3.2第一条定为"三级乙等"。

4.经部—易类—专著之属(5种)

(1)先天易贯三卷　PL2464.Z6 L594 1714

(清)刘元龙著。清康熙五十三年(1714)刊本,三册一函。框18.2×13.2厘米,九行十七字。白口,单黑鱼尾,左右双边。版心上镌书名,中镌卷次、页码,下镌"浣易斋"。前有康熙五十三年(1714)毗陵岳宏誉序,毗陵恽鹤生跋,姚江谷音跋,毗陵恽德柄跋,康熙壬辰(1712)恒山刘元龙自序。后有门人骥沙郑熊、骥沙张恒易、晋陵黄其龙、乙未(1715)晋陵叶桢、骥沙鞠复跋。洒金瓷青色封面,金镶玉装。卷端题"恒山后学刘元龙凝焉氏著"。参订、校阅门人众多,子玉麟、含书同校。卫德明教授藏书。《易学书目》著录此书,书名索引号0427(清居易斋刻道光二十年常凤翔等增修本,五册一函)。据"汉文古籍特藏定级国标"4.3.2第一条定为"三级乙等"。

(2)周易函书约存十五卷卷首三卷周易函书约注十八卷周易函书别集十六卷　PL2464.Z6 H82 1794

(清)胡煦撰,(清)胡季堂重校。清乾隆五十九年(1794)胡氏葆璞堂刊本,

---

① 此处列名较多,从略。

三十册二函。框18.6×14厘米,十行二十四字。白口,单黑鱼尾,四周双边。版心镌书名、卷次、页码,下镌"葆璞堂"。每卷末有"男季堂重校/孙钰、鳞正字"。前有恩荣、奏折三通,胡季堂征书谢折等。有康熙辛卯(1711)李去侈《周易函书序》,康熙四十九年(1710)胡煦序。该书为四库采进书之一种。《易学书目》著录此书,书名索引号0430(易庐739)、0431(易庐91)、0432(易庐8)。据"汉文古籍特藏定级国标"4.3.2第一条定为"三级乙等"。

(3)周易通论四卷　PL2464.Z6 L4838 1796v.1-v.2

(清)李光地撰。清道光九年(1829)安溪李维迪刻榕村全书本,二册一函。框17.5×13.2厘米,九行十九字。白口,单黑鱼尾,四周单边。版心镌书名、卷次、页码。卷端题"元孙维迪　昱孙师洛　仍孙治澧　重梓"。版本据比对而定。《榕村全书》之一。《易学书目》著录此书,书名索引号0404-2(易庐189)。

(4)周易通论四卷周易观象十二卷　PL2464.Z7 L53

(清)李光地撰。清刻本,四册一函。《周易通论》框18×13厘米,九行十九字,白口,单黑鱼尾,左右双边,版心上镌"周易通论",中镌卷次、页码。《周易观象》框16.3×13厘米,十一行二十字,白口,对黑鱼尾,四周单边,版心上镌"周易观象"及卷次、页码。"周易观象"下题"安溪李光地注"。经版本比对,似应属于《李文贞公集》之二种。《易学书目》著录《周易观象》十二卷,书名索引号0405(清乾隆元年李清植刻嘉庆六年补刻本,李文贞公全集,易庐269)。

(5)周易遵程不分卷　PL2464.Z6 Z4 1875zv.1-v.6

不著撰人。清光绪十六年(1890)石印本,六册一函。卫礼贤所藏中文图书目录①著录此书。

5.经部—易类—古易之属(1种)

(1)费氏古易订文十二卷　PL2464.Z6 W36 1891v.1-v.4

(清)王树柟撰。清光绪辛卯(1891)青神文莫室刻本,四册一函。框18.1×14.5厘米,十行二十一字。上下黑口,无鱼尾,左右双边。版心中镌书名、页码,下镌"文莫室"。前有光绪十五年(1889)王树柟序,后有光绪辛卯(1891)刘樾刻书跋。每卷之末有"镇南刘樾正字/华阳冯廉覆刊/资阳伍鎏斠刻"字样。他馆同种版本内封有"光绪辛卯季冬刻于青神"字样,该馆此本缺。卷一封面破损严重。《易学书目》著录此书,书名索引号0769(易庐378)。

---

① 据该馆前人编目信息所示。笔者未能见到该目录。

(二)经部谶纬类的古籍(1种)

1.经部—谶纬类—易纬之属(1种)

(1)易纬八种十二卷　PL2464.Z6 Y54 1899v.1-v.2

(汉)郑玄注。清乾隆、道光间福建翻武英殿聚珍本,二册一函。框19×12.5厘米或18.7×12.7厘米,九行二十一字,小字双行同。白口,单黑鱼尾,四周双边。版心镌书名、卷次、页码。前有乾隆甲午(1774)仲夏《御制题武英殿珍版十韵有序》,乾隆癸巳(1773)《御制题乾坤凿度》。各书均有四库提要。此书由八种书合成:《易纬乾坤凿度》二卷,《易纬乾凿度》二卷,《易纬稽览图》二卷,《易纬辨终备》一卷,《易纬通卦验》二卷,《易纬乾元序制记》一卷,《易纬是类谋》一卷,《易纬坤灵图》一卷。《易纬乾坤凿度》《易纬乾凿度》《易纬通卦验》卷末有"道光八年五月福建布政使南海吴荣光重修"字样。《易纬通卦验》《易纬是类谋》版心上有"道光二十七年修""道光十年修"字样。书根"上""下"顺序题错。《易学书目》著录此书,书名索引号1175(清同治十三年江西书局刻本,三册,武英殿聚珍版书,易庐396)。

(三)子部术数类的古籍(11种)

1.子部—术数类—阴阳五行之属(1种)

(1)[参订大字三篇]通书不分卷　AY1144.D36 1874

(清)丹柱堂纂。清同治十三年(1874)丹柱堂刻本,一册。改西式装订。框16.3×11.2厘米或17.5×10.8厘米,版式多样。白口,单黑鱼尾,四周单边。版心镌"廿四孝""五行星宿""参订大字三篇通书"等。中镌篇目,下镌"丹柱堂真本"。前有丹柱堂介绍木堂印书事并敬告"假冒本堂定必追究"等语。内封题"同治十三年新通书/长寿多福/省城丹柱堂真本"。

2.子部—术数类—数学之属(2种)

(1)皇极经世四编　BF1770.C5 S53 1851v.1-v.16

(宋)邵雍撰,(清)俞长赞鉴定,(清)王宗峰校订。清咸丰元年(1851)刻光绪十九年(1893)补刻本,十六册二函。框21.5×15.5厘米,十行二十字。白口,单黑鱼尾,左右双边。版式多样。前有咸丰元年(1851)俞长赞序。后有曹肃、王宗峰、王炳元书后。内封题"咸丰元年新镌/俞大宗师鉴定/皇极经世/洛阳安乐窝藏板"。《观物篇解》后署"光绪十九年　三十六代孙　博士邵毓嵩敬刻"。光绪十九年为1893年。有前编、正编(六十卷)、附编、补编四编。《易学书目》著录此书,书名索引号1285(十二册三函)。

(2)桐城先生点勘太玄读本十卷　BF1770.C5 Y3683 1910

(清)吴汝纶撰。清宣统二年(1910)衍星社石印本,一册一函。有"日知斋印"。

内封题"桐城先生点勘太玄读本　门人邓毓怡敬题"。书名取自内封。为《桐城吴先生点勘诸子读本》七种之一种。《太玄》《潜虚》均为仿《易》之作，故也收在此处。

3. 子部—术数类—占候之属(1种)

(1)大唐开元占经一二〇卷　BF1714.C5 C446 1786

(唐)瞿昙悉达等奉敕修撰。清乾隆间恒德堂刻本，十六册二函。框13.1×9.8厘米，十行二十字。白口，单黑鱼尾，四周双边。版心上镌"开元占经"，中镌卷次、页码。前有明万历丁巳(1617)一熙明哲识语。内封题"重刊大唐开元占经百廿卷/谨遵钦定四库全书校本/恒德堂藏板"。卷端题"银青光禄大夫太史监事门下同三品臣瞿昙悉达等奉敕修撰"。卫德明教授藏书。巾箱本。据"汉文古籍特藏定级国标"4.3.2第一条定为"三级乙等"。

4. 子部—术数类—命书相书之属(1种)

(1)五行大义五卷　BF1770.C5 H75 1804v.1-v.2

(隋)萧吉撰。清嘉庆九年(1804)德清许氏刊本，二册一函。框17.7×13.8厘米，十行二十字。上下黑口，无鱼尾，左右双边。前有萧吉自序，嘉庆九年(1804)德清许宗彦叙录。后有己未(1799)竹醉日天瀑识《题五行大义后》。有"日知斋"印。卷端题"上仪同三司城阳郡开国公萧吉撰"。

5. 子部—术数类—相宅相墓之属(1种)

(1)钦定罗经解定四卷　BF1779.F4 H77 1910v.1-v.4

(清)胡国桢著。清上海萃英书局石印本，四册一函。内封题"前溪胡国桢慎庵父著/钦定罗经解定/上海萃英书局印行"。卷端题"前溪胡国桢慎庵父著/同学徐用霖时望　丁汝彪虎臣　郑虞麒尹谐　骆含曙寅凤　卓长龄九如　卓龄/弟鼎梅元调/侄煜聪舜达　校订"。

6. 子部—术数类—占卜之属(5种6部)

(1)风角书八卷　BF1714.C5 Z45 1834

(清)张尔岐著。清道光甲午(1834)重刊本，二册一函。框19.9×13.5厘米，九行二十四字，无界格。白口，单黑鱼尾，左右双边。版心镌书名、卷次、页码。前有明崇祯十二年己卯(1639)济阳张尔岐自序。内封题"道光甲午重刊/济阳张稷若先生辑/风角书/来鹿堂藏板/校正无讹　翻刻必究"。卷端题"济阳张尔岐蒿菴著/开州李若琳淇贺甫校订/安康张鹏蚡补山氏重刊"。函套上有完整签条，题"风角书　凡一函二册"。卫德明教授藏书。

(2)御定六壬直指二卷　BF1868.C5 Y82 1662

(清)李峰注解。清抄本，七册一函。框21.1×14.7厘米，十行二十四字，小字双行同。白口,单黑鱼尾,四周双边。版心上写"御定六壬直指",下写篇名、页码。有"宁邸珍藏图书""雨丝风片""显亲王府图书之印"等藏书印。青蓝色封面,金线装订,较为精致。从藏印看,该书曾为乾隆时显亲王府以及宁郡王府中故物。经查询"全国古籍普查登记基本数据库"(2020年6月28日查),有《六壬直指八卷》(清徐端撰)清光绪二十七年(1901)刻本,国家图书馆存四卷(卷一至四)四册(另清光绪刻本一册),湖南图书馆存十四册,广汉图书馆存清刻本一册;此外有《六壬直指二卷六壬直指析义六卷》(清徐端撰)清抄本,吉林省图书馆有藏。据"汉文古籍特藏定级国标"4.3.2第一条定为"三级乙等"。

(3) 易隐八卷首一卷　BF1868.T85v.1-v.4

(清)曹九锡辑。上海千顷堂刻本,四册。框19.4×12厘米,十行二十二字。白口,单黑鱼尾,四周双边。版心镌书名、卷次、页码。前有句章老氏谢三宾撰《易隐序》。有"研易楼藏书印""沈仲涛读书记"印。内封题"曹九锡辑/易隐/本堂梓行/上海千顷堂发兑"。卷端题"东粤游南子曹九锡辑,男横琴居士璿演"。沈仲涛(1892—1981),号研易楼主人,为藏书家沈复灿之后人。因喜读《周易》,将其藏书楼命名为"研易楼"。沈氏着意收集宋元明三代古本,其藏书大部分来自杨氏海源阁、瞿氏铁琴铜剑楼、傅氏双鉴楼。1980年他将全部藏书捐赠给台北"故宫博物院",获颁"名留宛委"牌匾。其藏书由台北"故宫博物院"编成《沈氏研易楼善本书目图录》,收录宋元明善本90余种。《易学书目》著录此书,书名索引号1238(清刻本,二册一函,易庐102)。

(4) 易冒十卷　PL2464.Z6 C43 1906v.1-v.4

(清)程良玉著,(清)胡介定。清光绪丙戌(1886)上海刻本,四册。框19.7×14.2厘米,九行二十字。白口,单黑鱼尾,四周双边。版心镌书名、卷次、页码。前有康熙三年(1664)王泽弘序,康熙甲辰(1664)顾豹文序,康熙甲辰(1664)陆尽序,康熙甲辰(1664)程良玉自序。有程元如先生遗像及像赞。有"佛陀长寿""仓弥"印。内封题"新安瞽目程元如先生著/钱塘旅堂胡彦远先生定/重刊易冒/香草词人书眉"。牌记题"光绪丙戌年仲秋重镌于沪"。《易学书目》著录此书,书名索引号1254(易庐266)。

(5) 焦氏易林四卷　PL2464.Z7 J54 1600

(汉)焦赣著。明末清初汲古阁刻本,八册一函。框18.9×14.3厘米,九行十九字。白口,无鱼尾,左右双边。版心上镌"焦氏易林",中镌卷次,下镌"汲古阁",金镶玉装。前有云溪汉王俞序,黄伯思《较定焦赣易林序》。另有杂识、纪验。有"五知斋"印。卷端题"汉小黄令焦赣延寿著"。该书版本较多,《易学书目》著录此书,版本较为接近的书名索引号是1206-2(明崇祯中毛氏汲古阁刻本,四册一函,津逮秘书,善199,海2031)。据"汉文古籍特藏定级国标"4.3.1第一条定为"三级甲等"。

焦氏易林四卷(又一部)　PL2464.Z7 J54 1600b

(汉)焦赣著。明末清初汲古阁刻本,六册一函。版式等信息同上,有"泰和姚雪门鉴藏""种德堂"印。据"汉文古籍特藏定级国标"4.3.1第一条定为"三级甲等"。

(四)类丛部丛书类的古籍(1种)

1. 类丛部—丛书类—自著之属(1种)

(1)张皋文笺易注全集十五种①　PL2464.C6 C34 1803v.1-v.16

(清)张惠言撰。清嘉庆道光间(1796—1850)刻本,十六册一函。子目:周易虞氏义九卷、周易虞氏消息二卷、易义别录十四卷、周易郑氏注三卷、周易荀氏九家三卷、周易郑荀义三卷、虞氏易礼二卷、虞氏易候一卷、虞氏易言二卷、易纬略义三卷、易图条辨一卷、读仪礼记二卷、茗柯文初编一卷二编二卷三编一卷四编一卷、茗柯词一卷、拟名家制艺一卷。内封题"张皋文笺易注全集",背面附子目。第一种《周易虞氏义》前有嘉庆八年(1803)阮元《周易虞氏义序》,道光元年(1821)康绍镛序。《中国丛书综录》第1册第614页著录。版刻据比对《中国丛书综录》及子目版刻而定。

二、华大存藏易学类古籍之特点

(一)类别完备

从华大存藏易学类古籍概况可知,该馆所存藏的古籍在类别上是较为完备的。按照《中华古籍总目分类表》,该馆所存藏易学类古籍分类情况如表1所示:

表1　华大存藏易学类古籍分类及数量统计表

分类名称	数量(种)	备注
经部—易类—正文之属	2	
经部—易类—传说之属	22	
经部—易类—图说之属	3	
经部—易类—专著之属	5	

---

① 该丛书常见的著录名为《张皋文笺易诠全集》,本次目验所见丛书名为《张皋文笺易注全集》,是否有两种不同版本,待考。

(续表)

分类名称	数量(种)	备注
经部—易类—古易之属	1	
经部—谶纬类—易纬之属	1	
子部—术数类—阴阳五行之属	1	
子部—术数类—数学之属	2	
子部—术数类—占候之属	1	
子部—术数类—命书相书之属	1	
子部—术数类—相宅相墓之属	1	
子部—术数类—占卜之属	5	《焦氏易林四卷》有两部
类丛部—丛书类—自著之属	1	子目15种全
总计	46	共47部

从上表可知,经部—易类—传说之属有22种,是易学类古籍中最多的一个细类。其次经部—易类—专著之属、子部—术数类—占卜之属各占5种,其他类别虽数量较少,但大体均有分布。从类别分布来说,还是较为完备的。

我们可以与我国山东省图书馆所建的易学专藏做一对比。1977年易学文献收藏家卢松安老人将其毕生收藏的易学书籍捐赠给山东省图书馆,随即山东省图书馆设立"易庐专藏"。根据卢松安所编的《易庐易学书目》,共计1064部3534册。经山东省图书馆工作人员整理,剔除非易学类的书籍,"易庐"中之易学藏书实为935种,包括复本在内共993部3144册。而由山东省图书馆所编的《易学书目》(含知见书目)中,共计2810种[4]前言3。虽然华大存藏的易学类古籍数量远远不及山东省图书馆的存藏量,但其为1912年前的易学古籍存藏数量。明确标识"卫德明教授藏书"的有9种,也可从一定程度上说明卫德明父子对易学类古籍的收藏状况。

(二)版本稀见

华大所存藏的这46种易学类古籍中,只有2种(3部)明刻本。在这些清刻本、抄本中,也不乏一些价值较高的版本。经与《中国古籍善本书目》比对,华大存藏的古籍有7种可等同视为"善本"。其中明刻本有1种,清刻本有6种。如《周易汇统四卷图一卷》,《中国古籍善本书目》著录仅辽宁省图书馆一家有藏。《大易则通十五卷闰一卷》,《中国古籍善本书目》著录仅齐齐哈尔市图书馆有藏。据李文炳、王洪生《孤本古籍〈大易则通〉整理纪要》[8]一文分析,《大易则通》极为稀见。今查"全国古籍普查登记基本数据库",国家图书馆存藏有一部。

《易学书目》著录该书为"易庐574",说明山东省图书馆现也存有一部。但目前看,国内存藏3部,华大存藏1部,还是较为稀见的。

另有两种清抄本,也较为稀见。一为《周易本义补四卷》。该本钤印有"玉茗珍藏",内封题有"掬星堂藏书"。前已说明,"掬星堂"为南唐殷崇义(又名汤悦)及其后裔的堂号。"玉茗堂"为明汤显祖的堂号,也被用作汤氏后裔的堂号,据此可知其为汤氏存藏之书。二为《御定六壬直指二卷》。从藏印看,该书曾为乾隆时显亲王府以及宁郡王府中故物。"显亲王"之封号,起于皇太极之长子豪格,其于1636年被封为肃亲王。豪格传富绶,改号显亲王。富绶传丹臻,丹臻传衍璜,衍璜传蕴著。蕴著于乾隆四十三年(1778)复号肃亲王[9]。宁郡王,为弘晈(1713—1764),酷爱赏菊,并倩人撰著《菊谱》,其藏书钤"宁邸珍藏图书"印。从一般钤印顺序自下而上看,此书应先在显亲王府,后传至宁邸。

笔者还按照《汉文古籍特藏藏品定级 第1部分:古籍》(GB/T 31076.1—2014)对这些古籍进行初步定级,定为"二级乙等"的为1部,"三级甲等"的为4部,"三级乙等"的为12部。三级以上的古籍善本共17部,在47部古籍中占比36%,善本还是较多的。

三、结语

自2007年实施"中华古籍保护计划"以来,古籍保护事业得到了飞跃式的发展。了解和摸清海外中华古籍的存藏情况,有利于推动我国古籍保护事业范围的进一步拓展,促进我国优秀传统文化在更广泛领域内的传播。易学类古籍是我国古籍的一个重要门类,加强对易学文献的整理研究有着重要的意义,此前已有学者为揭示海外存藏的易学类古籍做了部分工作[10]。本文所揭示的华大图书馆存藏易学类古籍,仅是《美国华盛顿大学图书馆中文古籍目录》的一部分,且多具有独立索书号(索书号中的版刻年为原编目时所定,此次目验,部分古籍的出版年与原定不一致),未再对丛编、综合性的丛书中的易学古籍进行进一步的析出揭示(如《钦定篆文六经四书》,存三种,册一至二为《周易》),也或有部分遗漏,有待将来更为深入的研究。《美国华盛顿大学图书馆中文古籍目录》是中华书局所主持的《海外中文古籍总目》之一,目前正加紧编撰。该书目的编制有利于我们了解中文古籍在华盛顿大学的存藏情况,以更好地促进中西学术的交流。

(周余姣,天津师范大学古籍保护研究院副教授,天津师范大学历史文化学院博士后;沈志佳,美国华盛顿大学东亚图书馆馆长)

参考文献：

[1] 郑寿麟. 尉礼贤的生平和著作[J]. 国立北平图书馆读书月刊,1932(6):15-23.

[2] 郑樵. 通志二十略[M]. 王树民,点校. 北京:中华书局,1995:总序8.

[3] 国家古籍保护中心. 中华古籍总目编目规则[M]. 北京:国家古籍保护中心,2009:24-43.

[4] 山东省图书馆. 易学书目[M]. 济南:齐鲁书社,1993.

[5] 中华人民共和国文化部. 汉文古籍特藏藏品定级:第1部分 古籍:GB/T 31076.1—2014[S]. 北京:中国标准出版社,2015.

[6] 中国古籍善本书目编辑委员会. 中国古籍善本书目:经部[M]. 上海:上海古籍出版社,1989.

[7] 唐宸.《华盛顿大学远东图书馆藏明板书录》补正[J]. 古籍整理研究学刊,2017(4):46-49.

[8] 李文炳,王洪生. 孤本古籍《大易则通》整理纪要[J]. 齐齐哈尔师范学院学报(哲学社会科学版),1993(4):66-67,99.

[9] 沈乃文. 雁痕万里觅书踪:《斯坦福大学图书馆中文古籍善本书志》序言[G]//沈乃文. 版本目录学研究:第5辑. 北京:北京大学出版社,2014:629-646.

[10] 谢辉. 梵蒂冈图书馆藏明清刻本易学典籍叙录[G]//国家古籍保护中心. 古籍保护研究:第2辑. 郑州:大象出版社,2016:106-112.

思路、方法与类型

——对《全国古籍普查登记图录》编纂的几点思考[*]

On the Compilation and Publication of *The Pictorial Catalogue of National Survey and Registry of Ancient Books*

胡艳杰

摘　要：自2007年我国开始实施"中华古籍保护计划"起,一系列的古籍保护工作得以全面铺开。作为"中华古籍保护计划"基本工作之一,全国古籍普查登记工作在2020年底基本完成。为推进全国古籍普查工作的深入发展,笔者提出编纂出版《全国古籍普查登记图录》的建议。《全国古籍普查登记图录》的编纂出版将是深入推进全国古籍普查工作的重要举措,有着重要的实践意义。作者对编纂思路、工作方法、编纂类型等做了分析,期待此项工作早日提上古籍保护工作的正式日程。

关键词：古籍普查；目录；图录

2007年是古籍保护工作标志性的一年,"中华古籍保护计划"在这一年正式启动。在国家古籍保护中心的推动下,在全国古籍保护工作者的努力下,经过十余年的时间,2020年"基本完成全国古籍普查登记工作"[1]。普查登记工作的完成,意味着每家藏书单位对自己收藏古籍数量、品种、存藏情况等基本信息有了一个较为完整的账册信息记录,可以说已基本摸清家底。与普查工作并肩而行的,是古籍整理出版和数字化建设工作的稳步发展。《中华再造善本》(三编)、《中国古籍珍本丛刊》、地方文献集成,以及《儒藏》《医藏》等专题丛刊的陆续出

---

[*] 本文系国家社会科学基金重大项目"古籍保护学科建设与基础理论研究"(项目编号：19ZDA343)研究成果之一。

版,推动了古籍数字化工作的积极迈进。以"中华古籍资源库"为代表的古籍全文图像数据的免费开放,使古籍图像数据以一种清晰可见的姿态,逐渐走入大众视野,从而在很大程度上满足了研究者的需求。在已取得的诸多古籍保护成果的有利基础上,我们有能力也有必要开展一项可将普查工作拓深的项目,即《全国古籍普查登记图录》(以下简称《图录》)编纂出版工作。

一、《图录》编纂的时代价值与意义

(一)《图录》的编纂是深化古籍普查工作的需要

《全国古籍普查登记目录》(以下简称《目录》)是全国古籍普查登记工作的成果。2007年1月,国务院办公厅下发《关于进一步加强古籍保护工作的意见》(国办发〔2007〕6号),明确指出:"从2007年开始,用3到5年时间,在全国范围内组织开展古籍普查登记工作,全面了解和掌握各级图书馆、博物馆等单位及民间所藏古籍情况。对登记的古籍进行详细清点和编目整理,并依据有关标准进行定级。"《目录》记录了现存古籍收藏单位、普查登记号、馆藏索书号、题名卷数、著者、版本、册数、存缺卷数等信息,以文字的形式登记、记录古籍的现存基本情况。

《图录》在《目录》的功用基础上,可记录现存古籍的保存情况,为古籍保藏、修复提供图档资料。《"十三五"时期全国古籍保护工作规划》指出,要"依托全国古籍普查登记平台,建立古籍普查登记编号及信息库,形成全国收藏单位古籍普查登记目录档案"。与之相配合,也应建立全国收藏单位古籍普查登记图录档案。在《图录》编纂过程中,图像采集可为古籍建立一份历史图像档案。可采集图像之书,一般保存情况较为良好;不可采集图像之书,或暂且搁置,或进入修复环节,视具体情况而定。采集之图像,如虫蛀之书,可记录当前虫蛀之情形,日后可用于检查是否有新虫蛀;老化之图书,图像采集后,有实验室的单位可利用现代技术手段,持续监测其变化,为古籍保藏环境方面的研究提供可靠数据。

《目录》与《图录》,是普查工作的两翼。目前,国家古籍保护中心已在普查登记目录基础上,建立了目录检索平台;亦可在普查图录的基础上,建立图像检索平台。《图录》的编制,是普查登记工作的延伸,这是一项由易而难、由浅而深的工作,可将古籍普查工作持续推进。

(二)《图录》的编纂是加强古籍数字化建设的有益实践

近年来,在国家古籍保护中心的倡导下,各地联合在线发布了图像全文数据,一定程度上满足了研究者及古籍保护工作者的学习、研究需要。尽管如此,目前所发布的图像全文数据的数量,与我们普查数据的总量相比还有较大差距,那是因为图像全文数字化建设需要大量的人力、资金投入,是一项长期的、持续的历史工程、民族工程。与之相比,图录数字化建设,可在一个工程、项目的周期内完成,用时相对较短,成果可见。同时还可为图像全文数字化工作、数据库建设探索新的方式方法,建立一套自适模式,推进古籍保护工作的有序开展。

(三)《图录》的编纂可为古籍保护专业学科建设、人才培养提供新资源

传统文献学中,目录学、版本学是两大基础科目。通过《图录》编纂出版工作,为古籍保护专业学生开设一门类似的实践类必修课,可改善人才培养过程中实践经验不足的问题,有效地促进目录学、版本学理论知识与实践的结合。学生们先掌握目录之学,熟悉一书之版本,然后在图像采集过程中翻阅部分古籍,在实践中提升解决问题的能力,以加强对古籍保护的直观认识。一般而言,古籍保护专业的研究生对于古籍保护工作的认识,可以通过教师课件与各种图录上的彩色、灰度、黑白图片及文字说明而获得。但如果面对的是一部部真实的古籍,或装帧精美、纸白墨漆,或满目疮痍、虫蛀满眼,或板结如砖、触之即碎,则会有不同的效果。看到鲜活、生动的古籍,还有利于提升古籍保护工作者和学习者的古籍保护意识,坚定古籍保护从业者的职业信心。

(四)《图录》的编纂可促进文献学、古籍保护学理论的发展

随着西方摄影、印刷技术的传入,即有各类书影图录出版,如《留真谱》《盋山书影》《中国版刻图录》《明代版本图录初编》《清代版刻图录》《清代版刻一隅》《天津图书馆藏古籍善本图录》《国家珍贵古籍名录图录》,此外还有各类拍卖图录等。这些图录在版本鉴定方面起到了重要的作用。《图录》的编纂将形成一批质量较高的目录成果,促进目录学理论和实践知识的发展,同时为文献学、古籍保护学的理论研究打下一定的文献基础。

二、《图录》编纂思路及工作方法

从顶层设计的角度看,编撰出版《图录》需要一个有力的总推动力。国家古籍保护中心一直在积极推进古籍的普查工作,《图录》的编纂出版即为一重要举措。从基层藏书单位来讲,各单位也已经具备编纂《图录》的基本条件:一是通过完成普查登记工作,编纂出版了本单位藏书目录,打下了坚实的目录基础;二是开始从思想认识的角度重视数字化工作,将其作为古籍保护的一项日常业务工作,且具备一定的数字化建设能力。从出版层面来讲,国家图书馆出版社相继出

版《目录》一百余册,编辑人员已对《目录》的出版流程较为熟悉。同时,国家图书馆出版社在影印古籍出版方面积累的丰富经验,也有助于《图录》的出版。《图录》与《目录》的编纂在时间节点上前后衔接,可顺利将古籍普查工作推进到第二阶段,可以说,《图录》的编纂时机已非常成熟。

(一)《图录》编纂基本思路——要以《目录》为基础

1. 收录范围:建议《图录》以《目录》为基础,并进行调整与加工。一是对《目录》进行校订。《目录》出版之后,各藏书单位在进行分省卷编纂等工作中,发现了《目录》著录中的一些问题,在《图录》编纂过程中可加以修订,并编写刊误表。如"天津图书馆藏《欣赏集》十种"的著录中就存在版本考订有误的问题。该书责任者为(清)温忠翰,索书号为S3670,《天津图书馆古籍普查登记目录》[2]著录为清嘉庆温氏双青藤馆抄本。经研究发现,此书为光绪时所抄,应著录为"清光绪温忠翰双青藤馆抄本"。二是与时俱进,新增品种。新增的情况主要有四个方面:(1)《书目》中遗漏的数据,如《留春草堂诗抄》七卷,(清)伊秉绶撰,清嘉庆十九年(1814)广州秋水园刻本,二册,天津图书馆藏有三部,其中S6357、S7358已见于《天津图书馆古籍普查登记目录》,但S6903未见著录;(2)《目录》出版后新入藏的古籍;(3)历史遗留古籍的编目;(4)《目录》暂未收入之碑帖、拓片等。可在《图录》末附录《新增古籍普查登记目录》,在《图录》出版之际反映当时馆藏的情况。

2. 编排次序:建议《图录》与《目录》一致,使《图录》与《目录》可对照阅读使用。这主要有两个方面的考虑:一是《图录》在出版时,因版式设计、篇幅、印刷数量、经费等方面的原因,在著录信息方面会受到一定的限制,可以仅著录索书号、题名卷数、著者、版本四个基本项,而《目录》所著录的普查登记号、册数、行款、钤印等信息可以不著录。一是编制《图录》时,逐部采集图像可能会遇到个别特殊情况甚至极端情况,如书砖、絮化、脆化、烬余、粘连等,需要经过修复才能进行图像扫描,而此类修复不是短时间内可以完成的。为保证《图录》工作的顺利开展,按期结项,这部分图书可暂时阙如。因此《图录》中会缺少《目录》中的部分书影,在《图录》后可增加附录加以说明。

(二)《图录》编纂基本方法——充分利用已有资源,避免重复劳动

1.《目录》准备与图像筛选

《图录》的编纂,可以充分利用已有数字化成果,避免重复采集。首先,以《目录》为基础,将已有数字资源进行标注,形成一份《〈图录〉待采目录》。其次,整理多年积累的数字资源,对数字资源中的图像进行采择。以天津图书馆为例,

2007年以来数字化资源主要有六类：馆藏一、二级品图像，馆藏珍贵古籍丛刊全文图像，珍贵古籍名录图像，周叔弢捐赠图书图像，影印出版、缩微等相关数字化图像，中华字库项目全文图像。这些数据，时间跨度较长，且在数字化过程中出于不同的使用目的，而采用了不同的图像技术标准，致使这些图像资源在分辨率、色彩、扫描质量上均存在不同程度的差异。因此，从中筛选出符合《图录》出版标准的图像，就变得极为必要。笔者认为，《图录》所收图像的基本要求应为：分辨率不低于300dpi，TIFF格式，色彩黑白二值、灰度、彩色均可，进行集中存储、管理。根据《〈图录〉待采目录》进行图像采集时，数字化工作基础薄弱的单位可以进行简单的硬件准备（一台电脑、一台扫描仪、几块移动硬盘），再选择一位年轻工作人员，将图像采集作为一项相对固定的日常工作，按部就班地完成。硬件设备、人员、资金、管理条件允许的单位，也可以考虑以统一的标准进行全面的图像采集工作。

2.图像采集技术标准及管理规范

根据《〈图录〉待采目录》采集图像时，应按相应的标准执行，具体如下：

(1)采集部位应根据采集的对象而定：

完整本采集：一卷端(卷一首页，半页，含书名、著者题名信息)，二钤印，三牌记，四序跋，五全书图像采集。卷端半页是必备项，有条件的可根据实际情况完成后面四种图像采集。

残本采集：扫存本首页；抄配本：卷一卷端抄配，选其后刻本首页。

丛书采集：丛书比较复杂，品种数量存藏不一，建议选择每种卷端书影。

(2)图像技术指标：分辨率按300～600dpi，格式为TIFF格式，压缩方式为无损压缩(LZW)，色彩按24位真彩。

(3)图像命名：根据自身情况采用唯一标识。可据《目录》的索书号、普查登记号来命名。若为多张图片，则可加后缀序号。

(4)图像采集设备：日常古籍数字化工作，选择冷光源、零边距、平板扫描仪，幅面在A3、A4即可。这类扫描仪器，基本可以满足日常古籍数字化工作要求，具有易学、操作简单、方便快捷、图像质量可达到目前图像应用需要的优点。经过实践，对于幅面在A4~A3大小的古籍，这类扫描仪的平整度要比其他扫描仪好。若是珍本、孤本高仿或字画等大幅面图像采集，还可采用其他专业设备来完成。

(5)存储方法：双备份，若能云存储更好。

(6)数据管理：当日数据，当日存储，当日验收(检查色条、色块、遮挡、异物、折角等)。

(三)《图录》基本类型

《图录》可参考《目录》与《中华古籍总目》分省卷的编纂方法,结合藏书数量及实际情况,采用不同类型。各类型《图录》也可为后期图像数据库的建立奠定基础。

1. 大中型收藏单位古籍普查图录

编纂与《目录》相匹配的馆藏图录。此类图录以藏书单位为中心,特别是大中型藏书单位。形成的《图录》特点为:规模最大,收录范围最广,出版成本最高。可以不用考虑所谓"重复"问题。通常情况下,重复主要是指同一版本古籍馆藏多个副本,因卷端书影相同而形成的重复。但从一个藏书单位保藏管理角度来讲,每一部古籍都应拥有一个唯一的身份标识,或是一个索书号,或是一个登录号,或是一个分类号。每一部都是独一无二的,不存在重复问题。从收藏单位之间而言,同一版本古籍因其流传经过不同,钤印、题识、书品、保存状况等方面都会有些许差异。即使完全相同,因藏于不同单位,后出版的藏书单位也可以不用考虑版本重复的问题,同时收录,各成一家。这样可为后期出版分类版本图录提供更多的选择,以便届时择优而用。

2. 小型收藏单位古籍普查图目

在笔者所见《目录》中,有两种普查登记图目让人眼前一亮。其一是《三明学院图书馆古籍普查登记图目》[3]。书前是图录,其版式上为图像,下有著录信息(包括顺序号、书名卷数、著者、版本、板框尺寸、版式行款、钤印信息)。书后附录《三明学院图书馆古籍普查登记目录》,翻阅顺序由右及左。其二是《云和县图书馆古籍普查登记图目》[4]。书前是书名目录,其后是书影及著录信息,后附录《云和县图书馆古籍普查登记目录》。翻阅方式:图录部分由左及右,目录部分由右及左。设计独特,使用方便。目录与图录相结合,较为完整地体现了古籍普查成果。这种形式的图目,一是由于馆藏数量有限,仅书目数据难以成册。二是以藏书单位为中心,符合"一单位一普查"的普查思想,能独立而完整地呈现藏书单位收藏情况。对于一些小型收藏单位,这是一种比较理想的普查成果出版形式。

3. 分类版本图录

借鉴《中华古籍总目》分省卷的编纂方法,先分后总。据分类,可有经、史、子、集、类丛、新学图录,亦可有小类特色专题图录,如方志、小说、宝卷图录等。各地区也可依据朝代编纂,如宋代、明代、清代版刻图录等。中山大学图书馆已于2019年出版了《清代版刻图录》。此类版本图录对于"版本数据库"的建设极有助益。在版本图录出版后,可将图像数据集中,进而类聚,先建立"版本图像数据库",在此基础上经文献研究整理分析,进一步建立"全文版本数据库"。研究者可借助数字化辅助技术,进行版本学、校勘学的研究,进而从事文献学的理论与实践研究。

三、结语

《图录》的编纂出版不仅在时机上已经成熟,而且在人员、技术、图像资源准备上都已初具规模。如天津图书馆在2014年完成古籍普查工作,成为《全国古籍普查登记目录》首家出版单位。目前,天津图书馆基本完成了《天津图书馆古籍普查登记图录》的编纂工作,已符合出版条件。《首都师范大学图书馆古籍普查登记目录》刚刚出版,在编目过程中,也已经完成两万余种图像采集。根据《目录》编纂提供书影要求,已有不少的藏书单位完成了书影图像的采集工作。今后,可将此项工作作为推进古籍普查工作的日常工作,提上古籍保护工作日程。经过一段时间的整理、编纂,可以预见将产生一批高质量的《图录》成果,为古籍保护事业再添光彩。

(胡艳杰,中国科学院大学[中国科学院文献情报中心]博士研究生,天津图书馆副研究馆员)

参考文献:

[1]文化部关于印发《"十三五"时期全国古籍保护工作规划》的通知[A/OL](2017-08-07)[2020-7-16]. http://www.gov.cn/xinwen/2017-09/06/content_5223039.htm.

[2]天津图书馆.天津图书馆古籍普查登记目录[M].北京:国家图书馆出版社,2014.

[3]三明学院图书馆.三明学院图书馆古籍普查登记图目[M].北京:国家图书馆出版社,2016.

[4]云和县图书馆.云和县图书馆古籍普查登记图目[M].北京:国家图书馆出版社,2015.

首都师范大学图书馆古籍普查工作实践与思考

Practice and Reflection on the Survey of Ancient Books in the Capital Normal University Library

吴雪梅　芦婷婷

摘　要：首都师范大学图书馆古籍普查工作是"中华古籍保护计划"的一个重要组成部分，也是首都师范大学图书馆的一项重要古籍保护成果。本文概述了首都师范大学图书馆历时十年的古籍普查工作过程，总结了古籍普查工作的重要意义，并对古籍普查工作做了深入思考。

关键词：高校图书馆；古籍普查；古籍保护

2007年，国务院办公厅下发《关于进一步加强古籍保护工作的意见》（国办发〔2007〕6号），提出在"十一五"期间推行"中华古籍保护计划"。由文化部领导、国家古籍保护中心全面负责的"中华古籍保护计划"正式启动，全国古籍普查是其中一项重要内容。首都师范大学图书馆自2011年开始参加全国古籍普查，至2019年10月，在全国古籍普查登记平台共登记5290部古籍编目数据，上传21540张古籍书影，完成了《首都师范大学图书馆古籍普查登记目录》的编纂和审校，并于2020年5月由国家图书馆出版社出版。古籍普查数据也即将发布在"全国古籍普查登记基本数据库"。首都师范大学图书馆古籍普查工作历时十年，在面临经费匮乏、人员不足、任务繁重等各种困难的情况下，古籍工作人员勇于担当，不断改进工作方法，顺利地完成了这项艰巨的任务，探寻出一条适合本馆的古籍保护之路。

一、本馆古籍普查工作概况

(一)古籍普查之前的古籍工作

首都师范大学图书馆于1954年建馆,前身是北京师范学院图书馆。1984年单独设立古旧书查阅室,1988年成立古籍组,后与参考咨询部合并,成立古籍参考部,人员最多时达9人,负责古籍采访、编目和阅览流通。至20世纪90年代末,古籍参考部完成了当时全部馆藏古籍未编书的编目。首都师范大学图书馆的古籍按刘国钧分类法分类著录,除两套卡片目录外,还有编写于1994年10月的《首都师范大学图书馆普通古籍书目》及编写于1999年5月的《首都师范大学图书馆善本书目》。2000年,不再单独设立古籍部门,人员归入流通阅览部,设古旧文献阅览室,岗位定员2人,负责阅览室读者服务和书库管理,古籍编目工作暂时停滞。2007年,本馆开始筹备古籍书目数据库建库工作。由于本馆仅有一名古籍编目人员,于是通过社会招标,以编目外包形式与数据公司合作完成该项工作。2010年1月,数据公司编目员入驻本馆,经过短期培训后,与本馆古籍编目人员一起对馆藏古籍(含1912—1999年印制的线装书)开展回溯建库工作。

(二)古籍普查登记与古籍编目建库相结合

2011年,受北京市古籍保护中心(首都图书馆)召集,本馆开始参加全国古籍普查工作的会议和培训。全国古籍普查是2007年启动的"中华古籍保护计划"的主要任务,已先期在各省公共图书馆展开。古籍普查的具体要求是将馆藏1912年以前印刷或抄写的古籍索书号、题名卷数、作者、版本、册数、存卷等六项目录信息登记在全国古籍普查登记平台上,并为每一部古籍获得全国唯一的古籍编号,目的就是摸清全国范围的古籍存藏和保护情况。

本馆的古籍普查登记工作与古籍编目建库工作同步进行,而完成古籍编目是古籍普查工作的前提。本馆的编目工作是由数据公司编目员进行原编,本馆古籍编目人员进行审校。为便于日常管理,并保证编目建库的井然有序,减少编目时的著录错误,本馆在编目建库前做了充分准备:一是将本馆20世纪90年代编的纸本古籍目录录入Excel电子表格,建立古籍目录总账,再按实际馆藏进行清点分库(以1912年为界分藏两个书库);二是为每部古籍添加四部分类标引;三是修改索书号,保证一书一号。编目时数据公司编目员对照实体古籍进行编目加工,参照本馆古籍目录电子总表,严格按照CALIS古籍联机合作编目规则,在ALEPH编目系统上做详细著录,本馆古籍编目人员对照原书逐条逐字段地进行检查和修改。初期编目工作难度大,返工多,进展慢,两名数据公司编目员先后离开,只有一名编目员坚持到最后,与本馆古籍工作人员一起完成了这项工作。

到2011年11月,本馆已完成1912年以后大部分线装书(仅余丛书部分)古籍编目建库工作。为了响应全国古籍普查工作的要求,本馆将工作重点转向古籍普查,即古籍普查与古籍编目建库同步进行,以提高工作效率。古籍普查的工作流程是:在完成一批古籍编目并进行初审后,本馆编目人员从ALEPH编目系统中导出MARC数据,用登记员账号批量导入全国古籍普查登记平台,由本馆古籍普查登记人员(由阅览室的工作人员担任)进行若干格式的手工修改,之后提交到一审,再由本馆编目人员进行审核修改。由于本馆ALEPH编目系统中的编目字段较为详尽,在全国古籍普查登记平台上保留了四部法分类、行款、钤印、开本和定级等著录项。至2015年初,古籍编目建库与古籍普查登记同步完成,共完成5200余部(后续因有少量古籍入藏,又略有补充)计6.9万册古籍的编目和普查登记。

(三)采集书影与普查审校

完成古籍普查登记后,按北京市古籍保护中心(首都图书馆)指示,需要给每部古籍上传四五张书影,揭示其特征和版本依据,以备北京市古籍保护中心二审和国家古籍保护中心(国家图书馆)三审。因工作量大,本馆聘请本校学生(主要是研究生)以学生馆员身份协助普查工作。学生馆员的主要工作内容是采集书影并上传到全国古籍普查登记平台。学生馆员在本馆工作人员带领下,将每部古籍的首、末函提出古籍书库,使用书刊扫描仪扫描卷端、题名页、目录页、牌记、序跋等书影,编辑图片并上传至全国古籍普查登记平台相应数据下。本馆编目人员再审校平台的编目数据和书影,这也是本馆对古籍编目数据的第二次全面审校。修改每部书的每一处编目数据,要同时修改全国古籍普查登记平台、本馆ALEPH编目系统及古籍目录电子总表,以保证每一条编目数据的更新保持一致。审校完成后提交到北京市古籍保护中心进行二审。对于不合格的古籍普查登记数据,北京市古籍保护中心二审时会将其退回,要求本馆重新查考或补图。后来由于二审时退回的数据较多,本馆暂时不再提交,待全部审校完成后再统一提交。采集书影与平台编目数据审校工作持续了将近四年。本馆先后补充、调入两名专业人员加入该项工作,并于2019年成立古籍部,全力以赴推进该项工程。至2019年10月,古籍部通力完成全部古籍书影的上传和审校,总计普查古籍5290部6.9万册,在全国古籍普查登记平台上传书影21540张,每张书影为彩色TIFF格式,分辨率为300~400dpi,全面反映了本馆每部古籍的原貌特征及版本著录依据。

(四)《首都师范大学图书馆古籍普查登记目录》审校出版

2018年,本馆开始筹备古籍普查登记目录出版事宜,主要任务是将本馆全部古籍普查数据从古籍普查登记平台导出,按照古籍普查登记目录出版要求进行审校。这也是本馆第三次全面审校古籍普查数据,而其复杂程度远超预想,尤以题名、版本、卷数(种数)及存缺卷问题最为突出。

1. 题名问题

诗文集类部分书籍题名是据内封题名著录为某某全集,而没有按分集卷端和卷数依次著录。如:出版年代相同的两部书均依内封题名著录为"三鱼堂全集三种",经详细查证,其中一部题名改为"三鱼堂文集十二卷外集六卷胜言十二卷附录一卷",另一部题名改为"三鱼堂文集十二卷首一卷外集六卷胜言十二卷"。两部书虽然内封题名、总卷数均相同,但内容却小有差别,详细列出分集题名和卷数,则严格区分出了同一种书的不同版本。

方志类部分书籍题名前所加年号是依刻书时间著录,而没有依纂修时间著录。如:"[道光]泰州志三十六卷首一卷",原著录为"[光绪]泰州志三十六卷首一卷"。这是没有详细考察志书纂修时间,而误将刻书时间作为纂修时间的典型例子。

日记类部分书籍题名后没有加圆括号附注日记起讫年代,如:"三洲日记八卷(清光绪十二年至十五年)",原著录为"三洲日记八卷";年谱类部分书籍题名中未含谱主姓、名者,没有加方括号附注谱主姓、名于题名中,如:"高阳太傅孙文正公[承宗]年谱五卷",原著录为"高阳太傅孙文正公年谱五卷"。此类著录不规范的问题特别多,在审校中突出体现出来。

丛书题名没有著录源的通常自拟题名,而没有参考《中国丛书综录》进行著录。如:"德州田氏丛书十三种",原来参考子目书名自拟丛书题名为"古欢堂全集",后据《中国丛书综录》改为今题名。

2. 版本问题

一是大量清刻本没有细致考证出相对具体的版本年代。在此次审校过程中,本馆对每一部著录为"清刻本"的书籍进行了详考,根据书籍的序跋、避讳字、题跋、内容,参考"全国古籍普查登记基本数据库""学苑汲古——高校古文献资源库",查找相关的学术论文,对大部分著录为"清刻本"的书籍考证出了一个比较具体的版本年代。如:清康熙五十九年(1720)刻《画禅室随笔》、清嘉庆刻本《施案奇闻》原著录均为"清刻本",后经考证改之。

二是部分增刻、补刻本,增刻或补刻年代不够准确。如:清乾隆三十五年(1770)刻五十二年(1787)、嘉庆四年(1799)递刻本《容斋诗集》,原著录为清嘉庆刻本。经详查序跋,该书卷二十一前有清嘉庆四年茹纶常自序称"容斋主人之诗初刊于庚寅,再刊于丁未",卷十一前有茹纶常自识称"己未复刊续集",因此订正为今版本。

3. 卷数(种数)及存缺卷问题

部分书籍卷数著录不准确,丛书种数未著录,存缺卷著录不规范。本馆编目人员通过核对原书,参考"全国古籍普查登记基本数据库"及《中国丛书综录》等工具书,对卷数(种数)及存缺卷的著录进行了大量修改和补充。如:《小石山房印谱》原著录为"小石山房印谱三卷归去来辞一卷",后经仔细核查原书和相关著录,改为"小石山房印谱四卷归去来辞一卷集名刻一卷",存缺卷补为"缺一卷(四)";又如:"全唐诗九白卷目录十二卷",存缺卷原著录为"缺一册(第二函第三册)",后改为"缺十一卷(一百九十六至二百一、二百十一至二百十五)";再如:"诗词杂俎十二种",存缺卷原著录为"缺四种(五、六、八、九)",后据《中国丛书综录》子目改为"存八种(众妙集一卷、剪绡集二卷、石湖诗集一卷、月泉吟社一卷、河汾诸老诗集八卷、漱玉词一卷、断肠词一卷、龙辅女红余志二卷)"。

其他如著者朝代、姓名问题,繁简字问题,著作方式问题,同一种书部分著录项不统一等细节问题,则不胜枚举。令人欣慰的是,在古籍普查登记目录审校阶段,北京市古籍保护中心专家为本馆古籍普查数据的审校提出了大量修改意见,本馆古籍工作人员与北京市古籍保护中心专家反复交流,对保证普查数据的质量起到了关键作用。如:清咸丰八年(1858)刻本《两当轩集》原著录为"十六卷",北京市古籍保护中心专家在查考李国章撰《〈两当轩集〉版本源流简述》(《图书馆杂志》1985年第2期)一文后,敏锐地意识到此本《两当轩集》原为二十卷,卷十七至二十的目录部分被撕下,存在不良书商裁撤后四卷以冒充清嘉庆四年(1799)赵希璜刻十六卷本《两当轩诗钞》的可能,建议仔细核查此本《两当轩集》的刊刻年代,确保著录稳妥。经本馆工作人员仔细翻检原书,发现原书目录部分有割补痕迹,卷十七至二十的部分已被撕下,补以无字书页,书籍内容亦缺卷十七至二十,于是将此书卷数改为"二十卷",存缺卷著录为"缺四卷(十七至二十)"。通过第三次审校,本馆编目人员从北京市古籍保护中心专家那里学习到宝贵的审校经验,提高了古籍编目与审校水平。

2019年10月,本馆将《首都师范大学图书馆古籍普查登记目录》电子版定稿交付国家图书馆出版社,2020年5月顺利出版。

二、古籍普查工作的重要意义

(一)对馆藏古籍进行全面摸底,有利于古籍保护工作的开展

本馆虽然古籍藏量规模不算很大,但不乏珍稀善本。20世纪末,本馆编制的善本目录著录善本近500种。在古籍普查过程中,本馆从普通古籍中提善400余种,申报并成功入选《国家珍贵古籍名录》的古籍有17部,其中包括《西山读书记乙集下》(名录号07131)、《通鉴纪事本末》(名录号02814)两部宋刻本。这些都为本馆未来进一步开展古籍数字化、古籍整理和出版提供了依据。

在古籍普查过程中,本馆建立并完善了馆藏古籍档案。这个档案就是本馆在筹备古籍编目建库时的电子目录。起初,电子目录主要是给数据公司编目员做参考用,随着普查工作进展日日更新,电子目录也不断完善,最终形成一份馆藏古籍总目录,相当于给每部古籍建立了一条档案。结合本馆古籍分库管理的特点,目录按分藏书库和古籍版本分编两个子表,项目除古籍普查六大项著录内容外,还有条码号(每部书一个条码,粘贴于函套内壳,以关联古籍馆藏地)、函数、破损及修复记录、钤印、来源、定级、提善时间、善本鉴定、个别珍贵古籍的备注说明等内容,甚至在审校中重要内容的修改,也在此电子表中以不同颜色加以显示。而不同时期的目录也都存档备份,以备日后查询。另外,根据不同的工作需求编制某项专类记录或目录,如破损记录、鉴定记录、点库记录、拓片目录、捐赠目录等。电子表不仅便于查检,免去了翻阅纸本档案的烦琐,最重要的是可以及时更新,便于统计,在日常古籍管理和业务研究中不可或缺。

(二)对古籍编目数据全面再审校,保证了本馆古籍编目的质量

由于客观条件所限,本馆古籍编目数据的初审较为仓促而粗略,而在后续采集书影及出版审校过程中进行了多次全面的详尽审校,最大可能保证了本馆古籍编目的质量。

《全国古籍普查登记手册》规定,古籍普查以"分级负责、逐级提交"的方式进行。即各古籍收藏单位负责登记、修改本单位数据并审核、提交到所属省级古籍保护中心,省级古籍保护中心审核、提交数据到国家古籍保护中心。这种层层审校的制度也保证了古籍编目数据的质量。因为一位古籍编目人员无论如何专业,如何有经验,都可能存在某个知识点的不足,失误、遗漏更是在所难免。一条数据必然要通过不同专业人士的多次审校,才能更趋于完善。

(三)有利于本馆古籍工作人员积累经验,在实践中提高业务水平

古籍普查登记目录和平时古籍编目的要求有很大不同。在审校古籍普查登记目录时,也发现本馆编目及古籍普查工作的不足。一是对古籍普查登记规则掌握不透,二是对古籍著录格式掌握不精,三是对版本考证钻研不够。尤其是古籍版本鉴定,涉及的知识方方面面。每解决一个版本问题,对古籍工作人员而言都是对新知识的获取。在古籍普查工作开展以前,本馆古籍工作人员因平时任务繁重,很难对每一部古籍进行深入钻研。通过古籍普查,古籍工作人员积累了丰富的工作经验。这个经验不仅指在不同的古籍中所得到的版本知识,还包括工作中运用不同的方法和途径,提高古籍普查的质量。如,借助"全国古籍普查登记基本数据库""学苑汲古——高校古文献资源库"等网络上的古籍目录数据库,参考前辈、同仁的古籍普查和编目成果,既有助于保证本馆古籍普查数据的质量,也节省了大量时间,提高了古籍普查工作的效率。

(四)培养学生馆员参与古籍保护工作,形成一套行之有效的模式

在古籍普查过程中,本馆先后招聘12名学生馆员。就培养层次而言,研究生11名,本科生1名;就专业背景而言,文学专业7人,历史学专业2人,其他专业3人。本馆在招聘时会优先录用文史专业研究生,他们具备一定文献学知识,在工作上能做得更深入细致,有时还能拾遗补阙。他们在采集书影过程中,细心地查看书中各部分内容,有时会发现晚于目录表格中所著录的版本时间的序跋、题记,从而提醒本馆编目人员予以关注。除两名历史学专业学生馆员参加过其他馆的古籍普查工作外,另外10名学生馆员基本是第一次接触古籍,且为短期(通常是一两个学期)兼职。因此,本馆制定了采集书影工作流程,规范了操作的具体步骤、图片和文件的命名规则等。在教授学生馆员时先示范,再观摩,指导学生馆员实际操作。学生馆员基本能在两三天以后独立工作。学生馆员加入古籍普查工作,分担了采集书影环节的工作内容,对顺利完成古籍普查工作起到了非常重要的作用。学生馆员通过实际接触古籍,掌握了一些基本的版本目录知识,初步培养成严谨认真的工作习惯,对他们而言也是一段宝贵的学习、工作经历。

三、对本馆古籍普查工作的思考

(一)加强对古籍保护工作的宣传和重视

本馆的古籍编目建库及普查工作最初由流通阅览部负责,整个工作在图书馆整体环境下显得低调而保守。工作初期图书馆对古籍普查工作重视不够,在

人员配置、专项经费等方面投入不足。自2007年开始,古籍工作人员一直是定岗两人,人员不足是整个普查工作进展缓慢的主要原因。直到2017年以后,这种情况才逐渐得以改善。馆里成立了跨部门的古籍工作小组,后又成立古籍部,在各个方面加大了对古籍工作的投入,积极推动古籍普查、古籍保护、古籍宣传、业内交流等各项工作。

(二)严格把好古籍普查数据初审关,尽量避免日后烦琐的重复劳动

古籍编目建库和古籍普查登记同步进行,利用数据公司承担编目,一方面在人员不足的情况下缓解了本馆由于工作人员不足造成的困难,提高了工作效率,使这项大工程能在五年之内完成;另一方面,也存在一些不足。数据公司编目员古籍版本知识不足,MARC编目数据错误较多,这些错误甚至包括书标、文字、函册、卷次等琐碎的细节。另外,数据公司对这一项目有期限规定,编目员的工资也是按件计酬,编目的速度尽可能求快,古籍工作人员的审校速度也不得不随之加快,以至于错误繁多。这导致在后来古籍普查数据审校过程中,每一处修改都要同步修改全国古籍普查登记平台、本馆ALEPH编目系统及古籍目录电子总表,增加了重复劳动。这个不足在本馆近期碑帖拓片编目时得以改进,编目人员力争在电子表中著录的各字段准确无误之后,再录入本馆ALEPH编目系统中。

(三)加强对普通古籍破损情况的普查力度

由于本次全国古籍普查工作的重点是古籍编目,并未要求对古籍破损情况进行登记,因此,本馆在全国古籍普查登记平台上没有记录古籍的破损和定级。普查工作后期(2018年),在北京市古籍保护中心的建议下登记了少量古籍的破损和定级。而为了全面掌握本馆古籍的破损情况,在古籍编目建库工作开始时,本馆编目人员在古籍目录电子总表上对古籍破损情况做了一些简单记录,如断线、残页、发霉、虫蛀、粘连等,破损特别严重的着重说明,尤其是善本。这些记录也为日后古籍修复提供了重要依据。但由于审校时查看的字段较多,工作繁杂,对轻微破损如断线等情况的登记偶有遗漏,记录也不够详细,有待日后逐渐完善。要在对古籍进行全面的破损记录、定级基础上,开展古籍修复,进一步深化古籍保护工作。

四、结语

目前,全国古籍普查工作已接近尾声。作为高校图书馆,首都师范大学图书馆古籍普查工作是全国高校古籍普查工作的一个重要部分。希望本文对古籍普

查工作的总结和思考,能够为后续全国各地开展《中华古籍总目》编纂、民国文献普查、碑帖拓片普查等工作提供些许借鉴,为古籍保护事业贡献一份力量。

（吴雪梅,首都师范大学图书馆副研究馆员;芦婷婷,首都师范大学图书馆馆员）

参考文献：
[1]国家古籍保护中心.全国古籍普查登记手册[Z].北京:国家古籍保护中心,2012:65.
[2]洪琰,王沛.全国古籍普查登记工作实践与思考[J].国家图书馆学刊,2014(5):12-17.
[3]国家古籍保护中心办公室."中华古籍保护计划"大事记[J].国家图书馆学刊,2014(5):104-113.
[4]王小芳.全国古籍普查登记工作实践与探索:以陕西省古籍普查登记目录审校为例[J].图书馆界,2019(2):52-55,74.
[5]庄秀芬.古籍保护人才培养模式研究[J].国家图书馆学刊,2014(5):18-24.

修复与装潢

修复与重现
——从学术研究角度看敦煌文献修复的贡献*

Restoration and Representation: On the Contribution of Dunhuang Document Restoration from the Perspective of Academic Research

陈丽萍

摘 要：本文以研究过程中接触到的三类敦煌文书为例，借以说明敦煌文书的修复工作对文书内容的研究以及判定不同藏地文书的缀合关系所起到的重要推进作用。

关键词：敦煌文书；修复；再现

自 20 世纪初敦煌藏经洞文书面世以后，即被各国探险家瓜分劫掠，最终形成英国大英图书馆、法国国家图书馆、中国国家图书馆、俄国科学院东方研究所四处国家级图书馆主体收藏，中、日、美、印等国百余家公私机构或个人散藏的收藏格局。目前各国各机构所藏敦煌文书的数量和概况已基本为世人所知，大多数收藏机构也都刊布了形式各异的图版或目录册，以供学界所用。敦煌文书的内容特质是以佛教经籍为主，其他宗教、儒家经籍和社会文书（本文统称"其他文书"）为辅。在纸张异常珍贵的古代社会里，人们往往会重复充分利用纸张，以达到纸张使用上的效益最大化，这在敦煌文书上表现得异常明显。有相当一部分敦煌文书利用其他文书背面抄写佛典，或者以其他文书作为修补、装裱的原材料。然而在很长一段时间内，无论是卷数统计还是内容研究，这些零碎的补纸都容易被忽略掉；一些收藏机构在早年整理文书的过程中，也因为经验不足，将一

---

* 本文是 2014 年度国家社科基金重大项目"中国古文书学研究"（项目编号：14ZDB024）子课题"隋唐五代古文书研究"的阶段性成果。

些品相接近和破损严重的文书直接托裱在硬纸上,这样不仅导致原始卷数统计的误差,也使我们难以窥知文书背面的内容;此外,在敦煌文书的流散过程中,还存在着人为的撕裂损坏行为,使一些比较完整的文书分隔各处。当然,以上三种遗憾,随着学界对敦煌文书特质认知的加强和修复缀合技术的进步,得以弥补并改善,对敦煌文书全貌再现起到了重要作用。

各收藏机构对敦煌文书的整理和修复是同期进行的,但早期各机构的各种修复方法多有不尽如人意之处,经历了长期的摸索阶段,各收藏机构间的修复经验交流才日益增多,如中国国家图书馆与大英图书馆在20世纪90年代初期的交流,加快了英藏敦煌文书修复工作的进度[1]。同时,学界也一直期盼各收藏机构的敦煌文书可以实现一定范围内的资源共享,因此将敦煌文书的修复与保护成果通过数字化的形式为学界共享,是国际敦煌项目(International Dunhuang Project,简称IDP)1994年创立以来一直遵行的宗旨和既定的目标①。IDP数据库实现了免费共享大量敦煌文书的高清彩色图版,尤其关于一些文书修复后的状态也通过IDP得以展示,可谓惠泽学界。笔者未参与过敦煌文书的修复工作,仅以敦煌文书研究者的角度出发,用笔者在研究过程中的三个实例,说明艰难的修复工作对敦煌文书研究的推进和重要意义②。

---

① 有关IDP项目的成立及进展,可参看林世田、孙利平《IDP项目与中国国家图书馆敦煌文献数字化》(《国家图书馆学刊》2003年第1期,第26~31页)、高奕睿、林世田《国际敦煌项目新进展:敦煌文字数据库》(《国家图书馆学刊》2005年第2期,第39~41页)、《中国国家图书馆国际敦煌项目的创立与前景》(收入林世田、蒙安泰主编《融摄与创新:国际敦煌项目第六次会议论文集》,北京图书馆出版社,2007年,第230~243页),刘波《国际敦煌项目(IDP)与敦煌西域文献数字化国际合作》(《数字图书馆论坛》2010年第1期,第42~49页),魏泓《国际敦煌项目(IDP)——敦煌与新疆的古文献及文物的数字化储存与访问》(《敦煌研究》2014年第3期,第51~55页)。

② 有关敦煌文书的修复经验,可分为概论性和具体操作性两种。前者可参看杜伟生《谈敦煌遗书修复》(《北京图书馆刊》1993年第3、4期合刊,第146~149页,收入《敦煌吐鲁番学研究论集》,书目文献出版社,1996年,第550~557页)、《古籍修复中的"整旧如旧"与"整旧如新"》(《北京图书馆刊》1999年第4期,第99~102页),张平《对于敦煌遗书修复工作规范化问题的思考》(《融摄与创新:国际敦煌项目第六次会议论文集》,第87~98页),胡玉清《敦煌遗书中常见破损及其修复琐谈》(同上书,第112~122页),周苏阳《浅谈对敦煌遗书修复的认识》(同上书,第129~138页),张志清《敦煌遗书保护与"中华古籍特藏保护计划"》(《古籍保护新探索》,浙江古籍出版社,2008年,第15~21页),方广锠《关于敦煌遗书的流散、回归、保护与编目》(收入氏著《方广锠敦煌遗书散论》,上海古籍出版社,2010年,第77~97页),林世田、赵洪雅《敦煌遗书对"中华古籍保护计划"的启示》(《文献》2019年第3期,第29~39页)。后者可参看王冀青《英国图书馆藏〈备急单验药方卷〉(S.9987)的整理复原》(《敦煌研究》1991年第4期,第103~106页),杜伟生《中国古籍修复与装裱技术图解》(北京图书馆出版社,2003年),林世田、萨仁高娃《国家图书馆藏敦煌写本〈金光明最胜王经〉古代修复简论》(《敦煌研究》2006年第6期,第183~191页),胡玉清《敦煌遗书"为86"号的特点与修复》(《文津流觞》第18辑,2006年,第38~40页)、《敦煌遗书修复例说》(《全国图书馆古籍工作会议论文集(2008·天津)》,2009年,第170~176页),林世田、张平、赵大莹《国家图书馆所藏与道真有关写卷古代修复浅析》(《中国典籍与文化》2007年第3期,第25~31页),邱晓刚《保护敦煌残片的根在中国——手工纸浆修补与保护敦煌残片之研究》(《版本目录学研究》,国家图书馆出版社,2009年,第323~331页)。

一、谱牒文书的修复与缀合

有关中古士族和谱牒的研究,长期所依据的主要有《元和姓纂》《新唐书·宰相世系表》《通志·氏族略》《唐会要·氏族》等为数不多的传世谱牒类著作或典籍中的部分记载,辅以碑志中的一些家族谱系。所幸敦煌文书中保存了 10 多号中古时期的谱牒抄本,其中有 9 号为天下郡姓氏族谱,但分藏于法国国家图书馆、英国大英图书馆、中国国家图书馆、日本杏雨书屋(私人收藏机构)四国图书收藏机构。其中法藏 P.3191 号[2]、英藏 S.5861 与 S.9951 号[3-4]、中藏 BD10076 与 BD10613 号[5-6]①、日本杏雨书屋藏羽 59R 号[7]6 号实本出自一卷,但它们间的缀合关系很长一段时间才得以确定[8],除各国所藏敦煌文书刊布时间的差距影响了学界的认知外,主要还有一些物质形态方面的细节,如文书的尺寸、字迹、正背面信息等,长期以来并未完全公布。再就是文书在整理修复过程中的一些问题,也影响到了学者们的判断。

因为 S.5861 与 P.3191 号(图 1)相对刊布最早,它们之间的关系也最早引起了学界的关注。P.3191 号是单件文书,可能因为有多处破损,法图早年整理时即将其托裱在一张硬衬纸上(这也是敦煌文书早期修复阶段常用到的手法之一),背面的信息就无法得知了。

图 1　P.3191 号

---

①　国家图书馆藏敦煌文书因整理和入藏来源、时间的不同,以及一些内部管理或文书分类的规则变动,文书的编号有千字文、临、简、登、善、残、探、新等多种前缀形式,因与本文主题无关且为便于论述,本文所用皆以现通行的"BD"编号为准。

更加特殊的是 S.5861 号,它其实是由 4 块(依次为 A、B、C、D)残片组成的,而且也在早年被托裱在一张硬衬纸上。按照刊布图版的排列次序,其中 B 片无论从内容上还是书写格式上,都与其他 3 片无关,结合其他 3 片间的次序也被错乱排列(其衔接关系是 D-C-A,图 2),颇令人怀疑这是被误当作一件的两件文书①,即使它们本为一件,也应该是两种形式的谱牒综合抄本。

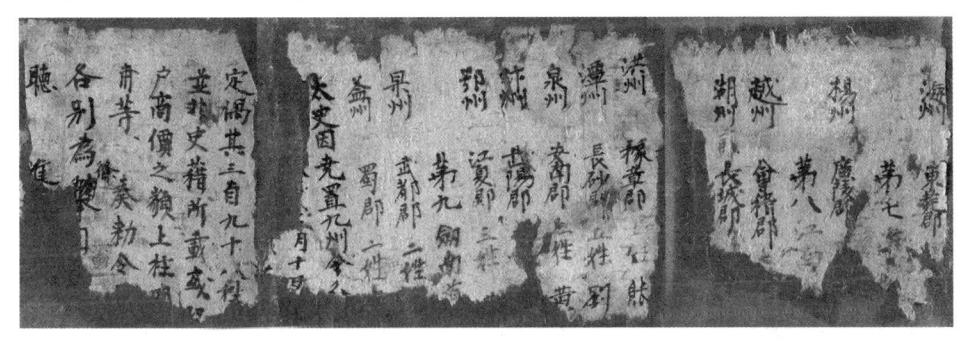

图 2　S.5861D、C、A 号

池田温先生最早指出 P.3191 可置于 S.5861D 号前缀合,唐耕耦认同并做了示意图,但其他学者并不认同。为进一步求证,唐先生还曾拜托 1982 年访学法国的陈智超先生代为查阅 P.3191 号原卷,但用 S.5861 号照片与 P.3191 号原卷作比对后,陈先生和法国国家图书馆的工作人员对两卷的缀合同样不认可。唐先生却依然坚持己见,还提出"两者不仅内容同一,而且确为同一人手笔,只是字体有大小。其原因可能是洗照片时放的大小不一,或者抄录时字体本来有大小……以待他日据原件核实"[9]。唐先生和其他学者的困惑,源自研究者很少能见到文书原件,而当时依赖的几乎都是缩微胶卷,连翻洗的文书照片都很难得,更何况比对原卷、了解每件文书的物质

图 3　S.9951 号

形态了。何况 P.3191 和 S.5861 号更特殊的情况是因为托裱导致背面信息的缺失和文书图版的变形,这都影响到了学者们的研究结论。尽管在唐先生之

---

① 如唐耕耦《敦煌四件唐写本姓望氏族谱(?)残卷研究》(《敦煌吐鲁番文献研究论集》第 2 辑,北京大学出版社,1983 年,第 211~280 页)、王仲荦《敦煌石室出残姓氏书五种考释》(《敦煌吐鲁番文献研究论集》第 3 辑,北京大学出版社,1986 年,第 8~19 页)、郑炳林《敦煌地理文书汇辑校注》(甘肃教育出版社,1989 年,第 357~360 页)皆持此说。

后，又有荣新江先生认为可以将 S.9951 号（图 3）衔接于 S.5861D 号之后[10]，但并未引起学界注意。

可喜的是，随着 IDP 项目的进行，其网站上陆续公布了各国所藏敦煌文书的高清彩色图版，并附有每件文书的研究状况以及尺寸等物质形态介绍，这成为最便捷高效研究文书的路径之一。笔者即充分利用 IDP 网站上的各种信息，结合前人成果，不仅清理了上述文书间的缀合关系（图 4），还另外缀合了日藏和中藏的 3 件文书，尤其是 P.3191 号和 S.5861D 号的缀合严丝合缝，以及 S.9951 号所在的位置判断，皆印证了唐耕耦和荣新江先生当年的高明解读。这些残件文书的缀合，不仅解决了长期以来学界对它们定名、归属、定性、时代的争论，进而还解决了另一件敦煌天下郡姓氏族谱 BD08679 号真伪的判断。作为罕见的存世谱牒文书抄本，BD08679 号因为卷末署有贞观八年（634）高士廉奉敕作的题记，百余年来一直被学界当作著名的《贞观氏族志》抄本对待，并据此进一步研究中古时期的士族、谱牒等问题，而缀合本的完成反证了 BD08679 号其实正是以此为底本的民间抄本而已，与《贞观氏族志》毫无关系。因此，有关以 BD08679 号为基础的一些士族、谱牒学研究的结论，应该有所更改。

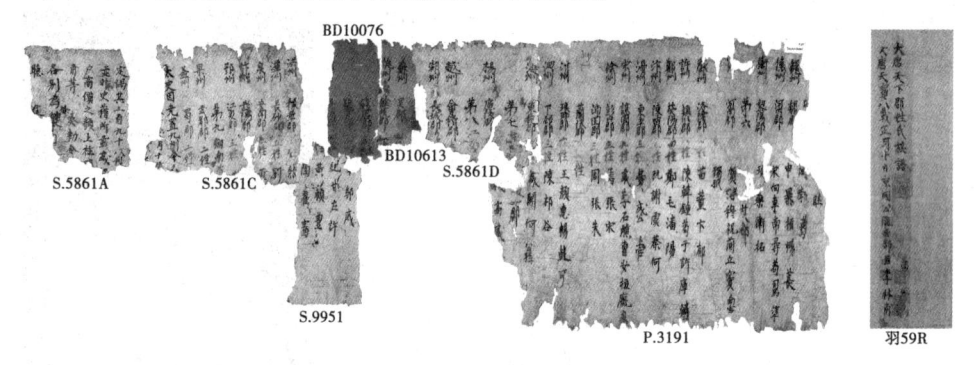

图 4　8 件敦煌本天下郡姓氏族谱的缀合示意图

还值得提及的是，笔者 2012 年开始研究敦煌本氏族谱时，曾拜托中国国家图书馆的刘波研究员协调大英图书馆将 S.5861 号的彩色图版（因为各国收藏机构的评估和上传规则不同，IDP 网站上的图版没有按照卷号次序上传，也没有实现将各机构的藏品全部上传）优先上传后，看到的彩色图版如上文图 2 所列，其实与《英藏敦煌文献》刊布的是同一套照片，文书底衬的轮廓以及因为托裱导致文书略微变形的状况也很清晰明显。2019 年笔者又在 IDP 网站上无意看到，大英图书馆的工作人员已经将 S.5861 号成功从衬纸上剥离出来（图 5），虽然文书的背面并无文字（笔者曾期望诸件文书的背面能有相关文字以证明它们间的缀合关系），但这一工作已经体现了他们高超的文书修复水平和为研究者提供最大便利的服务意识。

图 5　S.5861A 号正、背面

二、佛经补纸修复与缀合的契约文书

中国国家图书馆藏敦煌文书的整理与编号是分多次进行的①,此处不赘述。与本文相关者为1910、1927年的第一和第二次编号,工作人员挑选了品相相对完整的长卷文书分批进行,两次编号从地1延续至朝92(即现编号BD00001至BD09871号)。第二次编号所余的两箱文书20世纪80年代末才被重新发现,至1990年才又顺延编为BD09872至BD13750号。又,国家图书馆历年来修复敦煌文书剥离下来的补纸残片则编为BD15996至BD16445号。由此看出,国家图书馆藏敦煌文书的整理与编号方式,与文书入藏时的初始面貌有所不同,尤其在剥离残片之后,很多本属于同一件文书的部分可能因此也被分离了。在这种情况下,要全面了解一件文书的全貌,须对其正背面文书的不同编号都予以关注。

笔者近年致力于整理新刊敦煌契约文书②,遇到了国家图书馆藏敦煌契约文

---

① 可参看方广锠《北京图书馆藏敦煌遗书勘查初记》(《敦煌学辑刊》1991年第2期,第1~12页)、《〈中国国家图书馆藏敦煌遗书〉前言》(《文献》1999年第4期,第8~24页,收入《国家图书馆藏敦煌遗书》第1册,北京图书馆出版社,2005年,第1~5页;又收入氏著《方广锠敦煌遗书散论》,第138~153页)、《中国国家图书馆藏敦煌遗书总目录(新旧编号对照卷)》序言(中国人民大学出版社,2013年,第1~17页)、《〈中国国家图书馆藏敦煌遗书总目录〉的编纂》(《敦煌研究》2013年第3期,第133~143页)、《中国国家图书馆藏敦煌遗书六种目录述略》(《上海师范大学学报(哲学社会科学版)》2013年第4期,第35~46页)、《中国国家图书馆藏敦煌遗书》(《敦煌研究》2014年第3期,第123~131页),刘波《国家图书馆与敦煌学》(国家图书馆出版社,2018年)。

② 可参看陈丽萍《杏雨书屋藏敦煌契约文书汇录》《中国国家图书馆藏敦煌契约文书汇录(一)》《中国国家图书馆藏敦煌契约文书汇录(二)》《新刊契约文书S.2746v6再探讨》(《隋唐辽宋金元史论丛》第4、5、6、9辑,上海古籍出版社,2014、2015、2016、2019年,第169~200、83~98、160~191、134~140页)、《四件散见敦煌契约文书》(《敦煌研究》2018年第3期,第101~106页)。

书中不少这种正背面分别编号的实例,如 BD01943 号正面为《妙法莲华经卷第三》,背面补纸为仅存 3 行的《天复九年十二月二十日杜通信便麦粟契》[11],它们的编号以 BD01943、BD01943v 区分,即补纸没有揭下来另存,保存了它与原卷的原始关联状态。其他如 BD16238《甲辰年十一月十二日洪池乡百姓安员进卖舍契》,是由 BD08176《天地八阳神咒经》背面的 4 块补纸缀合而成的[12-13];BD16111I《壬申年正月十七日龙勒乡某人便麦粟契》,则揭自 BD03749《金刚般若波罗蜜经》背面[14-15],而且该件文书背面共揭出了 109 块补纸,包含了食物入破历、出使文书、契约等诸多内容。如果不参照目录,这些补纸间曾经存在的关联就比较难把握了。

还如 BD16431 号(图 6),高 6.7 厘米、长 4.3 厘米,存"作价直每月"5 字,定名《契约》[16]。这也是从 BD07291《七阶佛名经》背面脱落下来的一块古代补纸。又据国家图书馆刊布的图版,BD07291 号背面还有一张古代补纸,存 2 行,高 26 厘米,现编为 BD07291v 号(图 7),定名《大顺元年(890)契约》,内容为"大顺元年岁次[□□□□]正月十七日百姓/李润子阙少 [□□□□]高乡百姓□□"[17]。

图 6　BD16431 号　　　　图 7　BD07291v 号

很可能由于特殊的原因,BD07291v 号没有与其他补纸一样剥离重新编号,但从常理及其他类似情况的补纸信息可知,修补同卷写经的残片皆出自同一文书的可能性很高,因此 BD16431 与 BD07291v 号应是同一契约的部分内容,且按书写逻辑,BD16431 号应置于 BD07291v 号之后,两件文书当统一定名为《大顺元年正月十七日百姓李润子契》。而值得注意的是,BD07291v 号中间部分又被一块近代补纸遮压,故有一些字迹目前无法看到,由此可见近代修补文书技术的粗放,且只以保证正面佛经形式的完整为准,而完全忽略了背面社会文书的价值。

三、印本补纸剥离与缀合的契约文书

敦煌藏经洞内所出除了数万卷纸质抄本，还有少量的绢、麻、纸质的图画，以及纸质拓本与印本，它们同样也分藏于世界各公私机构。其中大英图书馆藏的纸质印本S.P6《乾符四年(877)具注历日》，高29厘米、长115.5厘米，它的首部由某残(存3行)契约抄本补衬，拟名《残契（写本）》(图8)[18]。

这3行残契已见录于沙知、池田温先生的书中，前者说明"此件写于刻本具注历日右侧，当系习字"，后者分辨了其为"具注历日贴片"[19-20]。其实大英图书馆同时也刊布了S.P6号卷尾的1件和背面的2件补纸，背面的1件补纸残存8行，惜每行仅有1~2字(图9)，也未有定名和说明。这些皆显示，当时文书的修复和剥离工作尚未及S.P6号，或者是刊布者仅关注了其印本的特性，对其他部分并不重视而没有全面刊出图版并定名。

如今，IDP网站上的彩色图版展现了修复后的S.P6号全貌，也使我们有机会重新认知与其粘连的契约文书。S.P6号实际用了6块补纸，其中S.P6$_{1(补纸)}$即前贤关注过的残契，剥离后约高29厘米、长16厘米，其实还存有7行而非3行文字，而且因为与印本粘连，在第4~7行的下部还以小字补上了历日印本上的些许内容(图10)；S.P6$_{2(补纸)}$即存8行文字的那块残片（高29厘米、长26厘米），它的全貌是"T"形的，而非仅是《英藏敦煌文献》所刊布的一条窄长方形。此

图8 S.P6号卷首部分

图9 S.P6v号补纸之一

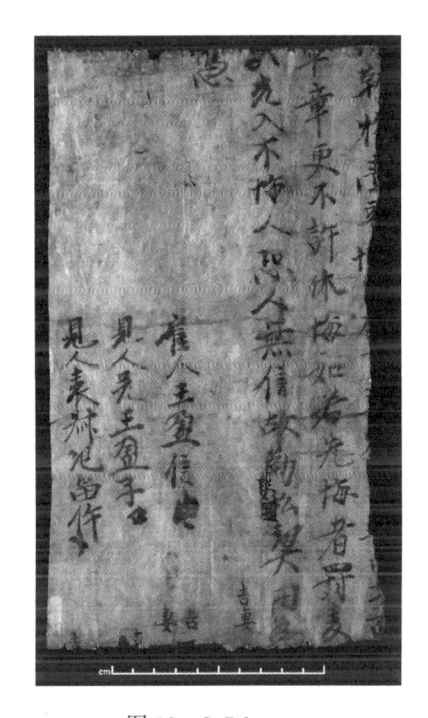

图10 S.P6$_{1(补纸)}$

外,还有一块极小的补纸粘附在其旁,背面存"慈惠"2字,即 S. P6$_{3v(补纸)}$(图11、图12)。据内容和物质形态分析,S. P6$_{2(补纸)}$从第5行起与 S. P6$_{1(补纸)}$可完全缀合,位置在其正上方,缀合后的文字共计11行。尤其重要的是,第9~11行为立契人的签署:"雇人王盈信(押)/见人兄王盈子(押)/见人表叔汜留作(押)"。

图11　S. P6$_{2(补纸)}$、S. P6$_{3(补纸)}$

图12　S. P6$_{2v(补纸)}$、S. P6$_{3v(补纸)}$

敦煌文书中的契约虽然有近400件之多,但多数为抄写范本、杂写或不详首尾的残片,保存完整并有签署人的实用契约文书其实所占比例很小,由 S. P6$_{2(补纸)}$、S. P6$_{1(补纸)}$缀合而成的文书,虽然仍缺首尾与少许上下部分,但这是一件有签署的实用契约,价值不言而喻,也为敦煌契约文书新增了一件实用文本。

参考其他敦煌契约内容分析,缀合本应是某人雇王盈信做农活的一件雇工契,其兄王盈子、表叔汜留作是见证人。此外,S. 4654v《丙午年(946)前后沙州敦煌县慈惠乡百姓王盈子兄弟四人状》[21],是王盈子兄弟为其弟盈进死后债务问题的诉状,但其中并无盈信。而按照敦煌契约常见的"某年某地某人为某事,与某地某人建立某种

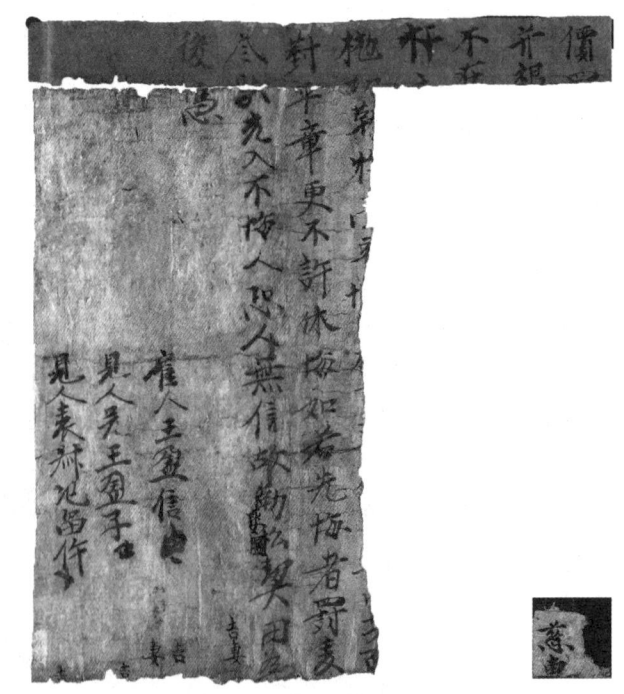

图13　S. P6号补纸缀合契约文书示意图

契约关系"的书写模式，S. P6$_{3v(补纸)}$上的"慈惠"显然应置于缀合本最前的位置（图13），也间接说明两件文书中的王盈子应是出自慈惠乡的同一人，S. 4654v号就为判断王盈信契的年代提供了参考，其时间也当在10世纪前半期，故能将3件补纸缀合后统一拟名为《(10世纪前期)某人雇慈惠乡王盈信契》。

四、结语

通过对以上三个研究敦煌文书时所关涉的文书修复问题的研究，以及对世界各收藏机构及IDP项目所做的修复和文书高清图版上传工作的回顾，笔者试图用这些例证说明，修复敦煌文书是漫长的高精度工程，早年对文书的托裱、草率修复，以及是否剥离，没有考虑文书之间的关联，这些都无益于敦煌文书的复原和原貌再现。当然，各收藏机构的成功经验才是值得我们赞扬和推崇的，这些皆有赖于修复专家们孜孜不倦的努力和他们积累经验所达到的高超技术水平。对敦煌文书开展修复也是当前学界的热点之一，如天津图书馆藏敦煌文书的图版于2019年出版，同时还配套了文书保护和修复过程的专著[22-23]。这既是天津图书馆与中国国家图书馆间一项成功的馆际合作，也说明成熟的修复经验能够推广发扬，修复工作成为促进敦煌义书焕发新貌的重要手段。当下，IDP网站上不断上传的高清彩色图版，在使敦煌文书研究者受益匪浅的同时，也必将全面推进和提升敦煌文书的研究工作。

致谢：本文的写作受到中国国家图书馆刘波研究员的大力帮助，谨致谢意。

（陈丽萍，中国社会科学院古代史研究所、敦煌学研究中心副研究员）

参考文献：

[1]张平.英国伦敦图书修复工作印象[J].北京图书馆馆刊,1999(1):3-5.

[2]上海古籍出版社,法国国家图书馆.法藏敦煌西域文献：第22册[M].上海：上海古籍出版社,2002:111.

[3]中国社会科学院历史研究所,等.英藏敦煌义献（汉文佛经以外部分）：第9卷[M].成都：四川人民出版社,1994:181.

[4]中国社会科学院历史研究所,等.英藏敦煌文献（汉文佛经以外部分）：第12卷[M].成都：四川人民出版社,1995:295.

[5]中国国家图书馆.国家图书馆藏敦煌遗书：第107册[M].北京：北京图书馆出版社,2009:图版113,条记目录30.

[6]中国国家图书馆.国家图书馆藏敦煌遗书：第108册[M].北京：北京图书馆出版社,2009:图版55,条记目录17.

[7]大阪杏雨书屋.敦煌秘笈影片册：第1册[M].大阪：大阪杏雨书屋,2009:374-378.

[8]陈丽萍.敦煌本《大唐天下郡姓氏族谱》的缀合与研究：以S.5861为中心[J].敦煌研究,2014(1):78-86.

[9]唐耕耦,陆宏基.敦煌社会经济文献真迹释录:第1辑[M].北京:书目文献出版社,1986:92(注释1).

[10]荣新江.英国图书馆藏敦煌汉文非佛教文献残卷目录(S.6891—13624)[M].台北:新文丰出版公司,1994:145.

[11]中国国家图书馆.国家图书馆藏敦煌遗书:第27册[M].北京:北京图书馆出版社,2006:图版76-82,条记目录5.

[12]中国国家图书馆.国家图书馆藏敦煌遗书:第101册[M].北京:北京图书馆出版社,2008:图版133-137,条记目录15.

[13]中国国家图书馆.国家图书馆藏敦煌遗书:第146册[M].北京:北京图书馆出版社,2012:图版46,条记目录21.

[14]中国国家图书馆.国家图书馆藏敦煌遗书:第145册[M].北京:北京图书馆出版社,2012:图版155-162,条记目录53-55.

[15]中国国家图书馆.国家图书馆藏敦煌遗书:第52册[M].北京:北京图书馆出版社,2007:图版154-161,条记目录10.

[16]中国国家图书馆.国家图书馆藏敦煌遗书:第146册[M].北京:北京图书馆出版社,2012:图版243,条记目录70.

[17]中国国家图书馆.国家图书馆藏敦煌遗书:第96册[M].北京:北京图书馆出版社,2008:图版123-125,条记目录14.

[18]中国社会科学院历史研究所,等.英藏敦煌文献(汉文佛经以外部分):第14卷[M].成都:四川人民出版社,1995:244-247.

[19]沙知.敦煌契约文书辑校[M].南京:江苏古籍出版社,1998:560.

[20]Tun-huang and Turfan Documents concerning Social and Economic History Supplement Ⅴ[M].Tokyo,2001:64-65.

[21]唐耕耦,陆宏基.敦煌社会经济文献真迹释录:第2辑[M].北京:全国图书馆文献缩微复制中心,1990:300.

[22]万群,刘波.天津图书馆藏敦煌文献[M].北京:学苑出版社,2019.

[23]万群.天津图书馆藏敦煌遗书残片的保护修复[M].北京:学苑出版社,2019.

《湘山志》修复记

The Restoration of *Xiangshan Chronicle*

陈福蓉

摘　要：《湘山志》是广西师范大学图书馆有特色的方志，但破损严重，四周老化，变色、虫蛀，天头地脚呈波浪状缺损，上下书口磨损。修补完成后，复原时，在裁书页和齐栏环节遇到了未曾有的困难，笔者在严格遵行古籍修复原则的前提下，大胆尝试，找到了现有条件下较为理想的解决办法。

关键词：地方志；古籍修复；裁页；齐栏

湘山寺，位于广西全州县城西　公里的湘山脚下，始建于唐朝。

该寺的寺志《湘山志》，由清徐泌主修，谢允复纂修。据《四库全书总目》卷七六史部地理类存目五，徐泌"康熙中官全州知州，以州有湘山寺，祀无量寿佛，率郡人谢允复等考佛出身本末，并山水、古迹、艺文，辑为是书"[1]。

广西师范大学图书馆藏《湘山志》五卷五册，清康熙二十一年(1682)刻本。版框(高×宽)21.7×14厘米。半页十行，行二十字。白口，四周双边，单黑鱼尾。线装，开本(高×宽)27×15.8厘米。前有康熙辛酉(二十年，1681)谢允复序，二十一年徐泌序。卷一载呈野、图考、因缘、镜像、灵应，卷二佛宗，卷三敕封、古迹、岩泉、塔院、田赋、僧正、名僧，卷四艺文，卷五吟咏。卷一有图五幅，依次为南宫朱鸟七宿之图、轸宿之图、湘山湘水总图、楚南第一禅林之图和宝鼎山图。

此志是目前广西流传时间最长、内容最丰富的寺庙志，是广西旧方志中少有的寺庙志之一[2]。

一、修复前的基本情况

修复前，整套五册装订线断损，封皮为单层筒子皮；册一封面比较脏污，有水渍，有轻微虫蛀；册五下封皮亦虫蛀，书口处缺损较大。

内页被虫蛀，书口开裂，册一、册二、册三天头地脚呈波浪状缺损，册五上下书口缺损。书页四周老化变色，颜色比书页中心深（图1至图4）。

图1 虫蛀　　图2 天头地脚呈波浪状缺损

图3 书口缺损　　图4 书页四周老化颜色较深

序尾、卷尾空白处往往被裁切，仅剩半页或四分之三页（图5、图6）。半页书页共18页，分别是卷一的序一页九，序二页六，正文页七、十四、三十一、三十四、四十四；卷二的页二；卷三的页十四、二十六、二十九、四十；卷四的页五十；卷五的页五、七十五、八十一、八十二、八十四。

书芯未经修复，为本白竹纸，厚度0.07~0.08毫米，总体情况尚好。

封皮、护页与书芯相比较新，可能曾经更换过。护页为红丹纸，封皮为蓝色单层筒子皮。上封皮钤"国立广西大学图书馆"藏印。

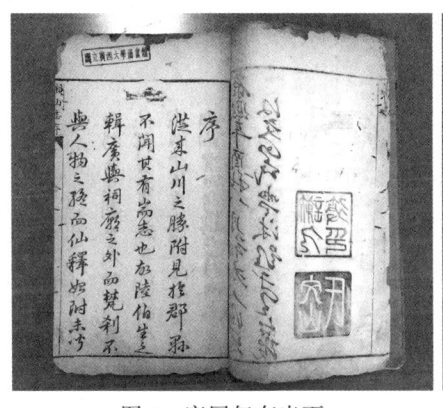

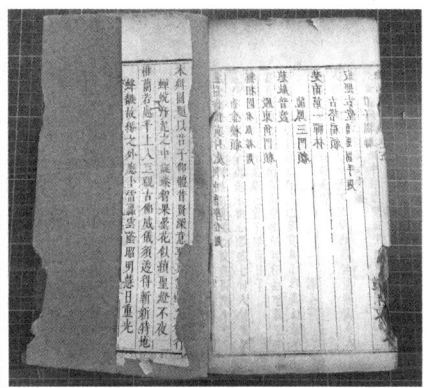

图5　序尾仅存半页　　　　　　图6　卷尾存四分之三页

二、修复方案

总的原则：整旧如旧，保护原貌。

（一）对原封皮、护页的处理

保留原封皮，去除水渍、污渍，补好，单层筒子皮需托一层宣纸；原红丹纸护页需撤除。

1. 采用热水划洗法，去污除渍。

2. 补纸用原封皮纸，册四封底改筒子皮为扣皮，裁下的部分作封皮补纸；其余封皮依旧为筒子皮。所有封皮补好后均需托一层罗纹宣。

3. 更换护页。考虑到红丹纸含铅，有毒，其色亦会沾染书页，按惯例撤除，更换为罗纹宣。

（二）书芯的处理

溜口，补破，天头地脚焦脆处用薄皮纸加固。册五书口虫蛀，全册页码缺损，拆书后需用铅笔在书页右下角逐页标注。

1. 溜口

书口颜色较深，开口处用红茶染色的薄皮纸溜口；遇有上下书口磨损或书口有其他缺损的书页，则先补好磨损或缺损之处，再溜口。

2. 补破补缺

书页虫蛀处用相应竹纸修补，搭口宽度约2毫米。

天头、地脚老化缺损处，用颜色稍深的竹纸修补，搭口可适当加宽，每隔几页宽度要有适当变化，以利后期捶书，还要注意补纸的帘纹要摆正，与所补书页一致；遇拉力小、欲开裂之处要用薄皮纸加固。

原缺半页的书页需用补纸补全。

在书页修补的过程中,书页的不同部位要根据实际情况更换补纸颜色。如:上下边用深色竹纸,中部用两种浅色的竹纸。

3. 纸捻改蚂蟥襻为纸钉

原纸捻为八字形蚂蟥襻,四个洞眼中有两个洞眼已十分靠近版框,致使书册打开有一定的困难。修复时可补上此两洞,仅保留近线眼的两纸捻洞,改装为纸钉。

4. 保留原线洞眼。

5. 裁页压平后,按本馆惯例,先扫描制作电子版,再上捻订线。

(三)使用材料

1. 修复用纸:原封皮纸,罗纹宣,染色薄皮纸,厚皮纸,本白、米黄、深米黄三色竹纸。

2. 黏合剂:自制小麦淀粉浆糊。

3. 装订线:真丝。

三、修复和复原难点

(一)修复阶段难点

1. 上下书口磨损,中间开裂书页的修补。

此书大部分书页书口开裂,上下书口已磨损。修复时书页要摆正,开裂的书口位置要放合适,不能太窄,也不能太宽。太窄则容易重叠,太宽则书页变形。

2. 天头地脚老化缺损书页的修补。

(二)复原阶段难点

天头地脚均已加补,书口处的下栏线大部分已磨损,不清晰,且为双栏,外栏线粗细不一,致使齐栏和裁书页较困难。

四、处理办法

书页四周老化,颜色比书芯中部深,特别是册一、册二、册三的上下边破碎,缺损严重,残存部分为波浪锯齿状,且拉力极低,稍碰即碎。册四、册五四周虽稍稍完整,脱落较少,然亦极其脆弱,拉力极低。大部分书页书口开裂,且上下书口已不同程度磨损。册五整册上、下书口呈葫芦形缺损。

针对上述情况,准备好颜色不同深浅的三种竹纸做补纸,补纸的厚度、帘纹要与原书页相当。深色竹纸先裁成宽约 5 厘米的长纸条,用于补天头、地脚;稍浅的竹纸可用于补上下书口缺损处;浅色的竹纸用于修补书页中部其他破损部位。书页的不同部位要根据实际情况更换补纸颜色,使补出来的整体效果较协调自然。

准备好补纸后,根据书页大小先制作一张纸样。册四是整套书中破损程度最小、书页最为完整的一册,从中选择一张相对完整的书页,按它的尺寸制作一张纸样,把它压在软玻璃板下,作为摆放书页的标准。

取一页书页,正面朝下放在软玻璃板上,根据纸样标准,摆正书页。喷水,使书页润湿舒展,再用羊毛刷轻扫,使裂开的书口中间部分刚刚相碰。根据版心行格的宽度,留出上下书口磨损的部分,用补纸补好,然后整个书口用薄皮纸溜好(图7、图8)。

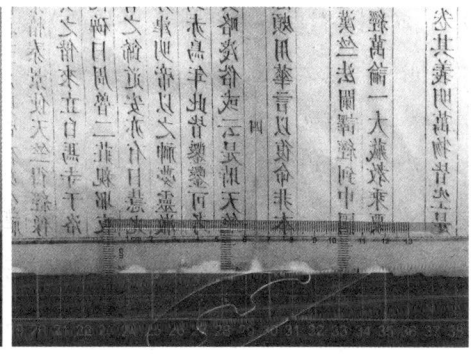

图7　磨损书口的处理　　　　图8　局部放大

注:要根据版心行格的宽度,留出下书口磨损的部分。此页书口行格宽1厘米。

处理完书口,接着补上下边。由于缺损较多,可用裁好的纸条来补,利用垫板的行格线来铺补纸。补地脚时,补纸的直边与纸样下2~3厘米处的横栏线重合,摆放补纸。补好后,用剩下的补纸条补天头,利用剩下的直边与垫板的横线重合补好天头。到此时,才能掀动书页。小心地揭起书页,擦一擦垫板,再把书页翻过来,检查无误后,接着补其余破损部位。修补时,上下边均要预留尺寸,补纸直边的摆放要比纸样略长1~2厘米,此直边并非成品的边,这样做是便于摆正补纸,也提高了修复速度。由于整册书页都是要在上下边相同部位修补,搭口如果都是宽2毫米的话,整书的天头、地脚的修补处就会堆叠在一起,接口会厚一倍,复原时很难捶平[3]。补书时可根据每页书页的老化程度,搭口宽度适当变化,如遇拉力极低、稍碰即碎的书页,搭口就适当加宽。如果连续几页拉力情况相同,也可每隔几页就适当加宽搭口。搭口宽窄不一,纸茬交错地叠在一起,增厚的部分较平均,就比较容易捶平,缓解后续捶书的压力。

册四、册五天地虽较少脱落,几乎没有缺损,书页四周较前三册完整,但也极其脆弱,拉力已极低,对零星破损处要用补纸补好,未破损处用薄皮纸加固。

书页其他位置的破损情况都较为普通,或虫蛀或缺损,按常规方法补好就行了。

　　此书最大的难点在复原阶段。通常情况下,破损书页修补完成后,喷水压平,折页,修剪,然后以下栏线齐栏,来复原书册;如果下栏线缺失或不清晰,则齐下脚,复原书册没什么太大问题。但此书版框为四周双边,即双栏线,每页书页栏线粗细不一致,前四册书口处的下栏线大部分已磨损缺失,书口处已无栏线,用下栏线齐栏很困难。而地脚边由于老化缺损,又是重新补过加宽了的,用下脚边齐栏也不行。也就是说,常规的齐书页的两种方法都行不通。

　　复原阶段,齐栏这个环节非常重要,是整个复原的基础,只有齐栏这一步做好,才能接着做后续的工作。齐栏的好坏直接关系到古籍装帧的优劣。

　　如何在这么困难的情况下齐好栏呢？用常规方法肯定是不行的,笔者先后尝试了两种方法。

　　方法一,使用折纸规,在折纸规立面贴一张标签,利用标签上的蓝色粗竖条作为齐下栏的标准,以书口外的栏线对准标签的标线,逐页摆放书页,直至放完整册(图9)。然后捶书,压好。此法齐栏效果不太理想,因为修复者很难做到目光始终如一,视角稍稍变化,就会有误差,从而影响整书的齐栏。而且此法齐栏后只能整册裁切,如果栏齐不好的话,裁书时就有可能伤到原书页,有风险。所以此法只能用于初步齐栏,齐好后,上下加护页封皮,用夹板夹住,放铅坨压好,等待更好的方法。

　　方法二,取一页相对完整的书页,测量出书页长约27厘米,宽约15.8厘米。再观察书口栏线完整的册五,测量出下栏线距地脚边线的距离为1.5厘米,确定下栏线的位置。制作一张如图10所示的书页纸样。

图9　用折纸规齐栏
注:以标签的蓝色粗竖条为标准。

图10　纸样
注:以纸样下1.5厘米处的现成粗红线为下栏线位置。

　　纸样用一张有现成粗红线的厚信笺制作,长27厘米,下边线距粗红线1.5厘米,粗红线作为齐栏的栏线标准。沿长边折一条2厘米的折边,放到裁板上,为了后续裁页方便,在垫板上摆放位置也相对固定。具体做法是:把纸样的折边(相当于书页的版心折口处)放置在 2 厘米纬线处,下边放在 35 厘米经线处(图 10),用铅坨压好。这样书页需要裁切的天头地脚处就跟垫板的网格线重合,方便摆放直尺,配合裁板本身的格子,很容易把书页裁正。

取一页书页,书页与纸样的书口重合(图 11),或稍稍错开 1 厘米(图 12)(实践后发现,这个方法更容易操作),下栏线与纸样红线重合,摆好后用铅坨压好,根据成书尺寸,用直尺把各边都仔细摆放调整好,都伤不到原书页了,才能下刀裁切。每张书页的破损程度不同,残留的上下边也不一致,如果不做到这么细致,稍不留意,就可能伤到书页。裁切时先裁下边(地脚边),裁好后,把裁板顺时针转动 90 度,裁书背;裁好书背,再把裁板顺时针转动 90 度,裁上边(天头边)。裁好一页,把它放到夹板上齐好。就这样把书页逐一放到此纸样上,一页一页裁,直到整册裁完。书页裁完了,栏也齐完了,把原来分开的两个步骤合而为一。为了减少裁书页中的误差,要尽量在同一天裁完同一册,使全册裁切的尺寸均匀一致。

图 11　准备裁边　　　　　图 12　裁好的书页

完成《湘山志》五册的修复,用时约 4 个月,共修补、托裱封皮 10 页,修补书页 304 页。修复完成后的书册见图 13 至图 16。

图 13　修复后的册一　　　　　图 14　修复后的序尾

图15　修复后的册二　　　　　　图16　修复后的册五

五、总结反思

裁书页与齐栏是修复中的两个细小步骤,却成了本次修复中的难点,因为遇到了许多以前未曾见过的情况。作为修复者,既要大胆尝试,找到现有条件下较为理想的办法;但也要万分小心,严格遵行古籍修复的基本原则——整旧如旧,保护原貌[4]。从这个意义上说,每修复一部书,都会遇到新的问题,要求修复者要不断创新,又要对古籍怀有敬畏之心。

(陈福蓉,广西师范大学图书馆古籍部副研究馆员)

参考文献:

[1]永瑢,等.四库全书总目[M].北京:中华书局,1965:666.
[2]聂茗茗.《湘山志》研究[D].桂林:广西师范大学,2015:24.
[3]潘美娣.古籍修复与装帧[M].上海:上海人民出版社,1995:109-112.
[4]杜伟生.中国古籍修复与装裱技术图解[M].北京:北京图书馆出版社,2003:7.

古籍修复原则与方法研究

——以黄丕烈藏书题跋之古书修补论述为基础

Principles and Methods of Ancient Book Restoration: Based on Huang Pilie's Viewpoints of Ancient Book Restoration

吴庭宏

摘　要：清代著名藏书家黄丕烈非常重视古书修补，提倡修补古书要保持古书原貌。当代古籍修复人员须不断提高自身素养，继承黄丕烈古书修补思想，在古籍修复中严格遵循"整旧如旧"基本原则，正确运用"整旧如新"的修复方法，以保证古籍修复质量。

关键词：黄丕烈；古籍修复；整旧如旧；整旧如新

古代藏书家多重视图书修补工作。如明周嘉胄认为收藏家要"知重装潢"[1]46，他强调懂得装潢应为文献收藏家之基本素养："为人子者，不可不知医；宝书画者，不可不究装潢。"[1]3 清代著名藏书家黄丕烈是"究"古书装潢的代表性人物之一，他所提出的古书修补观点对当代古籍修复"整旧如旧"基本原则的确立仍有启发作用。

一、黄丕烈古书修补观与"整旧如旧"原则一脉相承

（一）黄丕烈认为古书修补要保持原貌

黄丕烈（1763—1825），字绍武，号荛圃，又号复翁、佞宋主人等。长洲（今江苏苏州）人。清代著名藏书家、目录学家、校勘家。一生专注治学和藏书，其藏书题跋中有多处涉及古书修补理念，他认为修补古书要保持原貌。

对黄丕烈而言,买书与修书均不易,但如能将买来之破烂古书予以装潢,恢复原貌,生命得以延续更久,花费再多也值当。装潢古书可谓黄丕烈人生一大快事。他在宋刻本《温国文正司马公文集》八十卷题跋中言道:"嘉庆己未冬十一月既望,装此书成,夫然而快然,大慊于心也。盖余自丁巳八月至今,即付装潢几阅二载余,费且倍于得价。然其书若有待于余之装潢而始完善者,是书之幸,实余之幸也。初书装十四册,破烂特甚,买得后驱蠹鱼至数百计,且缺叶及无字处每册俱有。乃命工补缀,其缺叶皆误重于他叶之腹,其无字者皆浆黏于前后叶之背,始悟当时俗工所为,以致不可卒读。苟非精加装潢,全者缺之,有者无之,不几使此书多憾耶!用著原委,以见古书难得,即装潢亦当煞费苦心也。"[2]460 黄丕烈不惜重金长期聘用修书工匠为其修书,修书具体工作虽由工匠操作完成,但装修之前的修补方案却由黄丕烈自己确定,其目的是要让工匠在装潢古书时保持古书原貌。他在宋本《史载之方》二卷题跋中云:"余重其书之秘,出白金三十两易得,重加装潢,遇上方切去原纸处悉以宋纸补之,尾叶原填阙字亦以宋纸易去,命工仍录其文,想前人必非无知妄作者也。上下卷通计一百单七翻,合装潢费核之,几几乎白金三星一叶矣。余之惜书而不惜钱,其真佞宋耶?诚不失为书魔云尔。"[2]202 细读"遇上方切去原纸处悉以宋纸补之,尾叶原填阙字亦以宋纸易去,命工仍录其文"句,即可从中体会黄丕烈对古书原貌的重视。

因此,姚伯岳先生赞道:"黄丕烈装修古书,同他校勘、翻刻古书的宗旨一样,都是要在保存、传播古籍的同时,尽可能地保存古书原本的面貌。……对于古书装修的用纸及装修后的版面处理,黄丕烈也极为讲究,慎重从事。……《图画见闻志》的装修,凡是虫蛀之处,悉以原色旧纸补缀;遇字画栏格断缺者,乃请顾千里用淡墨描写;至于原刻原印的模糊缺失,则悉仍其旧,诚恐描补错误会变乱古书。真是仔细讲究到了极点。"[3]189"今日装修古书的一个重要原则——'整旧如旧',早在乾嘉时期,就由黄丕烈开始倡导力行了。"[3]189

(二)前辈古籍修复大师张士达先生对黄丕烈古书修补观的总结和践行

张士达(1902—1993),原名书琴,又名俊杰,字士达,河北武邑县人。时有"国手"之称[4]。1956年,张士达先生受赵万里先生邀请到北京图书馆从事古籍修补工作。他精于钻研,修补古书不但技艺娴熟、心细如发,而且注重吸收藏书家、版本目录学家的修复意见。张士达曾仔细研读黄丕烈藏书题跋,将题跋中有关古书修补的论述分类辑录并进行总结:装书最要紧的是不损伤字;装书配纸要认真观察纸色纸质;黄丕烈装书亦有衬纸,黄氏谓"金镶玉";黄丕烈装书惜书不惜钱;黄丕烈谓"倒折向内(蝴蝶装之折叶方法,有字一面相向而折,折后有字一面向内),览之益为醒目云";黄丕烈亦用也是翁所用旋风装装潢法;黄丕烈修补宋版书喜用宋纸;黄丕烈藏书颇厌覆背;黄丕烈谓装潢古雅,补缀浑纯;黄丕烈谓古书难得即装潢亦煞费苦心;黄丕烈读书如书脑狭小即接脑[5]。张士达先生极赞同黄丕烈修补古书应保持原貌的理念,并将总结的理论经验应用于实践中。他曾教导他的弟子:"看一部书修得好坏,不能看是否修复一新,要看是否古风犹在。"[6]他批评一些修书者将书角磨圆处补成直角,认为这样就失去了古书的原貌。如适度保留圆角,反而会透出一种古意。1959年张士达先生修复的《蟠室老人文集》就是"以整旧如旧的方式,还了蝴蝶装的原来面貌"[7]。自1956年张士达先生入北京图书馆,到1969年离开,"十余年的时间里众多毁损严重的宋元善本在张先生妙手仁心的呵护下起死回生"①[6]。张士达先生的修复实践使古籍修复"整旧如旧"思想基本形成,"整旧如旧"基本原则开始走向完善。

(三) 当代"整旧如旧"基本原则的确定

虽然古籍修复"整旧如旧"基本原则早在乾嘉时期由黄丕烈倡导力行,并由当代修复大师张士达先生积极付诸实践,但该原则的确立还是经历了一个过程。1950年5月14日,赵力里在《赵城金藏》展览座谈会上提出古籍修复中应遵循"整旧如旧"原则:"过去本馆装修的观点是将每一书完全改为新装。此办法始而觉得很好,其后则发现它不对。一本书有它的时代背景,所以自(民国)廿三年后决定不再改装,以保持原样。所以装修一书有时用不上太多材料。馆藏《赵城藏》即保持其原来面目。"[8]他提出的"保持原样""保持其原来面目"其实是古籍修复"整旧如旧"思想的开始。20世纪80年代冀淑英提出要"坚决贯彻整旧如旧原则"[9]。1991年国家图书馆开始修复敦煌遗书时,就"在指导思想上,严格贯彻'整旧如旧'原则,尽可能保持遗书原貌"[10]。进入新时期,国家图书馆张平、杜伟生等修复专家又对"整旧如旧"基本原则的内容作了系统总结[10-11],将此基本原则作为古籍修复必须执行的行业标准。

二、如何处理"整旧如旧"与"整旧如新"之间的关系

黄丕烈坚持古书修补要保持原貌的观点,经后人不断完善,发展成为当代古

---

① 目前可确定为张士达先生修复的古籍除了《蟠室老人文集》(扉页有赵万里手书"一九五九年一月张士达装"),还有《杨诚斋集》。李致忠《昌平集》记录了1969年8月10日《人民日报》报道张士达等人修复《杨诚斋集》一事:"有一次,已故的文化部副部长郑振铎从广东发现一部宋刻本《杨诚斋集》,是宋代大文学家杨万里的诗文集,十分珍贵。但是由于年久腐烂,又经后人两次不够规格的修补,有些字体都变了。该书拨交北京图书馆后,由张士达等四个人,足足修整了一个多月,有的地方不能用手揭,就用镊子夹,终于基本恢复了原来面貌。"见李致忠著《昌平集》,上海古籍出版社,2012年,第751页。

籍修复遵循的"整旧如旧"基本原则，成为古籍修复人员参照执行的行业准则。但当下古籍修复界却存在将"整旧如旧"与"整旧如新"均视作古籍修复基本原则的现象，此现象当予以纠正。"整旧如新"应是古籍修复的方法而非原则，在古籍修复过程中使用"整旧如新"古籍修复方法时，必须严格执行"整旧如旧"基本原则。"整旧如新"具体而言就是用"衬"或"托"的方法修复古籍，即在需要裁切书的四边时，只能裁切书的衬纸和托纸，不能裁切原来的书页，以避免使用裁切方法失当而对古籍造成损害。"整旧如新"对古籍所实施的改装是在完整保留书籍载体形态的基础上进行的，仍属尽量保持古籍原貌，而非创新，更不可将"整旧如新"视作古籍修复的原则。

之所以在古籍修复中使用"整旧如新"的方法，是因为合理采用此法对一些破损古籍会起到很好的保护作用。如对"衬"的使用，杜伟生先生认为："书叶较薄时，纸面上可透出下页的字迹，添加衬纸可消除这种现象；对于强度降低的书叶，衬纸可起一定的防护作用；在已经发生老化、酸化现象的书叶中衬纸，可吸收书叶中部分有害物质，减弱老化、酸化现象对书叶的危害，降低书叶老化、酸化的速度。"[12]常用的衬纸方法有"单页衬、双页衬、错口衬、接书脑、镶衬法、挖衬"，而最能体现"整旧如新"方法的当数"惜古衬"。惜古衬，又称"穿袍套""金镶玉"，即以白色衬纸衬入对折后的书页中间，超出书页天头、地脚及书背部分折回与书页平，以使厚薄均匀，再用纸捻将衬纸与书页订在一起，即可将书口之外的三边裁齐装订成册。因衬纸洁白如玉，而原书页年代久远泛黄如金，故名为"金镶玉"。此方法既能使善本线装古籍得到很好的保护，又能使原书在外观上焕然一新，因此在特定情况下可以适当使用此法。黄丕烈在修补古书时也曾使用"金镶玉"之法使古书基本面貌焕然一新，但并未破坏古书文献信息，修补后仍维持了古书原貌。如他在宋刻本《咸淳临安志》九十三卷题跋中就谈及此修补方法："此书收藏已阅五载矣，原装三十册，墨敝纸渝，几不可触手。今夏六月始命工重装，细加补缀，以白纸副其四围，直至冬十一月中竣事。装潢之费复用去数十千文，可云好事之至矣。分装四十八册，以原存部面挨次装入，俾日后得见旧时面目。"[2]125黄丕烈认为，如书根无字，对于"墨敝纸渝"的古书，在修补中用"以白纸副其四周"之法，并不是破坏古书原来的面貌，而是更好地保护古书，是使古书重获了新生。正如他在《图画见闻志》（六卷，前三卷元抄本，后三卷宋刊本）题跋中所说："此元人钞本《图画见闻志》三卷，余向从东城故家收得者也，因其残本，未及列入甲等。顷承周香严以残宋刻本后三卷见遗，与此适为合璧，虽各自不全，而元钞、宋刻不皆古香醰霭，令人珍惜无比乎？因宋刻本与此长短不齐，遂损此旧装,以期画一。上下方各以余纸护之,俾两书原纸不伤而外观整齐,于古书旧装名为损而实则益也。嘉庆己未中夏九日又记:……命工装池,与元钞为合璧,所赠虽出自良友,而工费几及缗钱四五千,为古书计所不惜矣。补缀之处有白纸者,皆旧时误写字迹,其蠹蚀之余,悉以一色旧纸补缀,遇字画烂格缺断者,倩涧薲以淡墨描写,至原刻原印之模糊缺失,悉仍其旧,诚慎之至也。"[2]222-223 可见"金镶玉"法仅使古籍在外观上有触手如新、整齐划一之感,但古籍内部的文献信息、纸张材质却"悉仍其旧"。

笔者亦曾以"金镶玉"法修复过扬州大学图书馆藏乾隆十六年(1725)写刻本《左传选》。此书最早有雍正三年(1725)受祉堂写刻本,由于此书为科举考试必读之书,需求量大,民间多有翻刻或覆刻本。此乾隆十六年写刻本《左传选》实为据雍正三年受祉堂写刻本翻刻。按理此本较为普通,其文献价值亦并不甚高。然此书为清末名臣翁同龢外祖父许夔科考时所读之书①,书中天头多有其亲笔批注及读书心得,书页空白之处亦留有其兴笔题咏或书画之作,书前扉页又有翁同龢及其后人题识印记②,可知此书原为常熟翁氏藏书,具有特殊文献价值。但此书书品较小,书脑过窄,不便翻阅;虫蛀严重,修复后捶平难度大;书页较薄,字体透过另一面,阅读不便;眉批已顶边,易被磨损。故采用"金镶玉"方法即"整旧如新"的方法修复装订,以更好保护该书文献信息。

而对于古书修补中"托"的方法,黄丕烈则要求工匠更加谨慎为之。他在旧抄本《张来仪文集》一卷题跋云:"然遇极旧之书,义必须覆背护持方可展视,盖纸质久必腐毁,覆背庶有所借托耳。此事却非劣工所能为,手段不高,动辄见窒,即如此书,几与硬褙之四子书无异矣,而覆背护持之法具也,良工见之,亦诧为好手段,故戏举及之。"[2]571-572 黄丕烈认为,修补古书用托裱之法乃不得已,但要遇良工方能为之,否则不要轻易修补,以防损坏丢失古书的文献信息。20世纪80年代上海图书馆潘美娣老师曾以"托"的方法修复一批太仓明墓出土古书,"由于这

---

① 翁同龢(1830—1904),字声甫,号叔平,晚号松禅、瓶庵居士,江苏常熟人。清同治帝、光绪帝师,清末名臣。其父翁心存(1791—1862),字二铭,号遂庵,清大学士,同治帝师。其母许氏为许夔之女(许夔,字秋涛,常熟人。翁心存父翁咸封学生。博学工诗,中举后曾任江西高安知县)。其侄翁曾文(1830—1853),为其兄翁同书(1810—1865)子。其侄孙翁斌孙(1860—1922),为翁曾文子。

② 翁同龢题识云:"《左传选》读本墨笔书字,审系秋涛公手迹,今付斌孙其善藏之。同治十一年七月望同龢记。"又识云:"是日中元,设奠循俗放焰口,为吾母追荐。日月不居,攀号摧膺。回溯绫卿卒之岁,已廿阅寒暑。剪灯记此,不知血泪之交颐也。"(按,翁同龢日记中亦记录当日之事)翁曾文识云:"此数册乃余外曾祖许秋涛先生所批阅也。用敬藏之,守而不失,是余之深愿也。道光己酉四月朔翁曾文识。"识后空白处钤翁曾文藏印"桐花主人"朱文椭圆印、"卿"朱文方印、"曾文之印"白文方印及翁斌孙藏印"翁斌孙印"白文方印。

些出土古籍破损程度大,加上冲洗和揭页过程中的损伤,纸张的纤维松弛,牢度大大降低。因而在修补中只好采取整张书页托裱的办法。托裱之后,书页的有些地方出现高低不平现象,这时要在书页的低洼处填补上一层小纸,以求书页平整"[13]。在完成托裱之后,潘老师又以"金镶玉"方法予以装订,终使此批珍贵古籍得以恢复昔日面貌。可以说,潘老师此则修复实例堪称"托裱"修复方法的典范,是在遵循"整旧如旧"原则的基础上,使用了"整旧如新"的方法,对珍贵古籍起到了积极的保护作用。

总之,使用"金镶玉"等"整旧如新"古籍修复方法,须严格遵循"整旧如旧"基本原则,"其目的就是尽量保护古籍的文物价值和资料价值不受损失,这就要求我们在进行修复中所采取的保护措施和手段,都应该是对古籍的再保护。金镶玉这种装帧形式,就是本着具体问题具体分析的态度,根据古籍的实际情况采取的保护措施和修复手段,其目的就是通过一些具体的手段,使原书延长寿命,长久保存。由此可见,'金镶玉'装帧的目的与'整旧如旧'原则所要达到的目的是相一致的"[14]。此亦黄丕烈所谓"俾日后得见旧时面目"也。

三、结语

当代古籍修复人员在修复古籍过程中必须严格遵循"整旧如旧"的基本原则,谨慎合理使用"整旧如新"的古籍修复方法,如在使用"整旧如新"修复方法时,破坏了古籍原有面貌,则违背了古籍修复"整旧如旧"的基本原则。为避免此类现象的发生,古籍修复人员要不断提高自身综合素养,正确把握好"整旧如旧"与"整旧如新"之间的辩证关系。"从一定意义上说,古籍修复人员决定了古籍的生命,必须慎之又慎,避免对古籍造成'保护性破坏'或'善意的破坏'"[15]。在这方面,前辈古籍修复专家为我们做出了榜样。如张士达先生少年学徒时,白天学修书,晚上抄写目录,积累了丰厚的古籍版本目录学知识,故而"颇通目录学,并善装订古书"[16]。据师有宽先生回忆,"师傅鉴别古籍版本的知识和鉴别纸张的经验非常丰富。我经常看到赵万里先生和冀淑英女士拿着古籍图书和师傅共同鉴赏,师傅从纸张质地、字体墨迹、印章题跋等方面一一细述,滔滔不绝,论理清楚,判断合理"[17]。又如国家级非物质文化遗产项目古籍修复代表性传承人杜伟生,李致忠先生称赞他"从事古书修复及字画装裱工作已经30年,自己非但心灵手巧,且好学不倦,尤其对中国书史颇有研究,对中国古书装帧形式的演变更具独到的见解。他的技术是在理论指导下的技术,他的研究成果有着深厚的知识底蕴,不是匠人模式的传授"[18]。古籍修复人员要像老一辈古籍修复专家那样,除掌握修复原则、修复技术、修复材料、文献保存保护知识等必备基本知识和技能外,还要努力学习中国古代书籍史、中国美术史等专业知识,包括造纸史、印刷史、版本学、装帧演变史等知识。有了这些基本素养,就会对破损古籍的版本、年代、纸张、装帧等时代特征做出全面、正确的判断,并根据这些特征制订出正确的并且得到古籍版本学专家认可的修复方案。如果古籍修复人员的修复技术"是在理论指导下的技术",古籍修复是严格按照"整旧如旧"基本原则进行的,那么古籍修复质量必定会得到保证。

(吴庭宏,扬州大学图书馆馆员)

参考文献:

[1]周嘉胄.装潢志标点注译[M].杨正旗,校注.济南:山东美术出版社,1987.
[2]黄丕烈.黄丕烈藏书题跋集[M].余鸣鸿,占旭东,点校.上海:上海古籍出版社,2013.
[3]姚伯岳.黄丕烈评传[M].南京:南京大学出版社,1998.
[4]冀淑英.冀淑英文集[G].北京:北京图书馆出版社,2004:162.
[5]朱振彬.张士达先生读黄丕烈修书装书题跋札记[C]//《文津学志》编委会.文津学志:第6辑.北京:国家图书馆出版社,2013:49-53.
[6]朱振彬.妙手护国宝 丹心传文明:纪念恩师张士达先生逝世二十周年[C]//《文津学志》编委会.文津学志:第7辑.北京:国家图书馆出版社,2014:350-353.
[7]邱晓刚.张士达与《蟫室老人文集》[J].国家图书馆学刊,2007(4):93-94.
[8]北京图书馆馆史资料汇编(二)编辑委员会.北京图书馆馆史资料汇编(二)(1949—1966)[G].北京:北京图书馆出版社,1997:483.
[9]冀淑英.忆念赵万里先生[J].文献,1982(2):151-156.
[10]杜伟生.古籍修复原则[J].国家图书馆学刊,2007(4):79-83.
[11]张平.浅析古籍修复的基本原则[C]//国家图书馆善本特藏部.文津学志:第3辑.北京:国家图书馆出版社,2010:294-301.
[12]杜伟生.阐释《古籍修复技术规范与质量要求》[J].国家图书馆学刊,2006(3):19-25.
[13]潘美娣.太仓明墓出土古籍修复记[J].图书馆杂志,1987(5):14-16,9.
[14]朱振彬.关于古籍的金镶玉装帧[C]//张志清,陈红彦.古籍保护新探索.杭州:浙江古籍出版社,2008:241.
[15]张志清.谈谈《图书馆古籍修复人员任职资格》标准[J].国家图书馆学刊,2006(3):32-36,43.
[16]孙殿起.琉璃厂小志[M].上海:上海书店出版社,2011:119-120.
[17]师有宽.在北图学习的回顾:追忆恩师张士达先生[C]//国家古籍保护中心.古籍保护研究:第1辑.郑州:大象出版社,2015:198.
[18]杜伟生.中国古籍修复与装裱技术图解[M].北京:北京图书馆出版社,2003:序1.

中国古籍修复题跋举隅

——见于《上海图书馆善本题跋真迹》

Restoration of Prefaces and Postscripts in Ancient Chinese Books: Examples Found in *Authentic Handwritten Prefaces and Postscripts of Rare Books Conserved in Shanghai Library*

臧春华

摘 要：《上海图书馆善本题跋真迹》收录涉及古籍修复题跋的善本203部，其中经部17部，史部60部，子部48部，集部78部。这些修复题跋书写时间上至明中前期，下至1973年。题跋者包括黄丕烈、徐时栋、翁同龢、叶德辉、莫棠、张元济、邓邦述、龚心钊、傅增湘、叶景葵、王国维、秦更年、吴湖帆、陈乃乾、顾廷龙等藏书名家。题跋内容涉及修复时间、修复技法、古籍破损情况、修复者姓名乃至修复费用，对研究我国明清以来古籍修复技术发展具有重要参考意义。

关键词：古籍修复；修复题跋；古籍修复史；上海图书馆；善本题跋

古籍修复是一门传统技艺，但缺乏较为详细的历史记载，而题于古籍之上的跋语往往透露一书之修复时间、修复技法、破损情况以及修复者姓名和修复费用等。无疑，这些古籍修复题跋是研究一书修复历史乃至一个时期古籍修复技术发展史的重要参考。上海图书馆乃中国古籍收藏重镇，藏有古籍善本25000余部。《上海图书馆善本题跋真迹》[1]收录有题跋之善本1745部，其中涉及古籍修复者即有203部①。

---

① 本文着重收录有关古籍修补装订之题跋，但鉴于古籍修复技术方法之复杂性、关联性以及修复题跋描述之不确定性，有关装订（抄配后）、重订、修订、合订、合装、分册、附装以及修复评价等题跋，本文一并收入。

一、经部

1. 清乾隆二十四至二十六年辨志堂刻嘉庆元年印本《万充宗先生经学五书》十九卷四册①

序末清徐时栋跋云:"同治五年(1866)②……十月,重装订之。"(2:9)③

2. 清乾隆二十一年卢见曾刻雅玉堂藏书本《郑氏周易》三卷一册

副页跋云:"道光辛卯(1831)长夏,甘泉黄锡元胪云甫重装并识。"又副页清说研室跋云:"以日久破损,重为装订,并识数语于简端。"(2:24,32)

3. 明嘉靖十七年吕柟刻本《横渠先生易说》三卷(存二卷)[2]5,859 二册

副页莫棠跋云:"光绪辛丑(1901)除日,楚生在吴下自装。壬寅(1902)元日,试笔后写记。"(2:33)

4. 元刻本《周易程朱氏说》二十卷《程子上下篇义》一卷《朱子易图说》一卷《周易五赞》一卷《筮仪》一卷(存十一卷)四册

此书有清路慎庄跋。又副页粘跋云:"至戊申始属为跋,颇得是书原委真谛。因以其(路慎庄)亲笔,装之卷首……咸丰二年(1853)二月十七日,与家中甫、寿岩两兄饮后书此。朱善旗。"(2:50)

5. 清抄本《周易像象述》六卷《像象金针》一卷十册

副页莫棠朱跋云:"光绪庚子(1900)三月得此书,是明末国初写本。虫伤敝破,手自补缀重装,并记。"(2:64)

6. 元刻明修本《仪礼图》十七卷《仪礼旁通图》一卷《仪礼》十七卷(存《仪礼》十七卷)四册

副页罗振常(1875—1942)跋云:"惟染纸可恨。又,原有校记数页夹书中,乃以他本与此本互校,颇有异同。装书时,乃为书匠齐去。索之,竟不可复得,尤可恨也。振常记。"(2:213)

7. 元刻明修本《仪礼图》十七卷《仪礼旁通图》一卷《仪礼》十七卷二十四册

副页清黄国瑾跋云:"光绪甲申(1884)正月……三月廿八日,重装始毕。"(2:215~216)

---

① 所列之书按原文顺序排列。每书列版本、题名、卷数及存残、册件数各项。修复题跋乃摘录,各书详情需参原书。
② 此时间乃依照原书题跋署时所加,部分亦经考证。
③ 每书跋末皆有括号,其中数字乃题跋在《上海图书馆善本题跋真迹》中之出处,如"2:9"即指第2册第9页。

8. 明刻本《礼记》不分卷二册

副页莫棠跋云："戊戌(1898)秋,于苕人书船买之。以收藏印观之,在章紫伯家已非全本。恐其更敝,故重装。冬十二月朔有三日,棠记。"(2:245)

9. 清乾隆六十年和珅刻本《附释音礼记注疏》六十三卷二十册

夹签莫棠(1865—1929)跋云："亟重订为二十册而藏焉。"又副页粘有清傅以礼致蒋凤藻札,札末莫棠云："今余改定为二十册矣。"(2:252~253)

10. 徐氏归朴堂抄本《夏小正笺疏》十二卷四册

副页跋云："年来,徐氏藏书陆续散尽,此稿遂流转人间也。卷六末页士言(徐坊)补钞八字,注云:'纸已破损,补书于此。'倘系徐氏传录之本,即不应作此语,故审为先生手稿无疑。庚辰(1940)三月谷雨节,展读一过,敬识。后学叶景葵。"(2:271)

11. 明嘉靖李元阳刻十三经注疏本《春秋公羊传注疏》二十八卷八册

书中签条莫棠跋云："闽本全经昔有之,散矣。此《公》《穀》两种摹印甚初,亦三十年(1904)所买。今重整装,惜诸伪藏印不可去也。"(2:324)

12. 清抄本《春秋朔闰异同》二卷二册

副页文素松跋云："辛未(1931)重返豫章,以三十元购得之,仍装两册。舟虚记。"(2:337)

13. 封文权家抄本《孝经》一卷一册

副页封文权朱跋云："予家旧藏金本,曾经诵读,用纸装背,不耐久藏。丁丑(1937)中春,检校经籍,以此书命长孙女华顺、三孙女华荣各景写数本。此其初试笔也。两孙女针黹之暇,颇耽书史,喜其静而有恒,书亦娟秀。亲为装订,并识于此。无闷老人文权记。"(2:351)

14. 清乾隆三十八年潮阳县署刻五十四年[2]56,867周永年印《贷园丛书初集》本《九经古义》十六卷二册

副页跋云："辛酉(1861)十月重加装订,书此。张星鉴跋尾。"(3:24)

15. 明刻本《埤雅》二十卷(存十八卷)[2]69,868十二册

副页邓邦达跋云："宣统庚戌(1910)得于京师,明年辛亥(1911)重装,又越七年戊午(1918)记其序目如此。正闇。"(3:102)

16. 清张惠言手稿本《说文谐声谱》不分卷五册

副页叶景葵跋云："右赵惠父先生烈文题记。己卯(1939)重装,分册悉仍原装,丝毫未改,以免舛误。揆初又记。"又副页其跋云："己卯夏日,重装。景葵记。"(3:259,261)

17. 清戴震稿本《声韵考》四卷一册

副页顾廷龙粘跋云："此稿已破烂不堪，一九七三年六月入藏，重加装治。"（3：346）

二、史部

1. 元大德十年刻明嘉靖十年重修本《南史》八十卷（卷一第二页抄配）八册

副页跋云："壬辰（1892）十月八日，重装毕。邑后学翁同龢记。"（4：49）

2. 明崇祯三年毛氏汲古阁刻本《五代史》二十四卷一册[①]

前副页跋云："距今甲戌（1934），历二百六十载矣。去年得此书于书友朱荣昌，今始检付王雪生装潢之。略有缺字，手为写补，并记此于卷首，以告后之读者。海宁陈乃乾。"（4：69）

3. 清翻刻明崇祯十五年毛氏汲古阁刻本《汉书》一百卷一册[②]

疑似序末姚芬跋云："民国丁巳（1917）仲秋前，芬重装附记。"（4：83）

4. 清林茂春稿本《汉书拾遗》不分卷十四册

副页清谢章铤跋云："辛巳（1881）夏日装毕，药阶退叟章铤手记。"（4：95）

5. 宋绍兴江南东路转运司刻宋元递修本《后汉书》九十卷《志》三十卷（存《郡国志》残页）一轴

王国维跋云："此九行本《后汉书》，藏书家从未著录。南林蒋氏藏明装明钞本《成祖实录》，其面叶以此残叶作衬。因乞得之，装成此轴。因考其刊刻时地，并记其由出如此。辛酉（1921）冬十二月十一日，国维记于永观堂西庑。"（4：99）

6. 宋绍兴江南东路转运司刻宋元明递修本《后汉书》九十卷《志》三十卷（存十卷）五册

《光武帝纪第一》卜末傅增湘跋云："丙子（1936）春，为付文友书坊觅良工重装讫。丁丑（1937）长夏，藏园老人附记。"（4：101）

7. 宋绍兴江南东路转运司刻宋元明递修本《后汉书》九十卷《志》三十卷（目录、卷一配影宋抄本）六十六册

王国维粘跋[③]云："惟《两汉》书板早亡，故此本世极罕见。密韵楼藏明钞《成祖实录》，以此叶作封面。縠孙[④]捡得之，余亦乞得半叶，装为小幅。既跋余本，因

[①] 疑此书缺卷，或册数有误。
[②] 疑此书缺卷，或册数有误。
[③] 此跋所记半页装修与前书（史部第5书）题跋所记残页装修雷同，实指同一残页修复。
[④] 蒋祖诒（1902—1973），字縠孙，浙江乌程人，密韵楼主蒋汝藻长子，曾受业于王国维。

复为縠孙题此。壬戌(1922)四月,国维。"(4:103)

8. 宋衢州州学刻元明递修本《三国志》六十五卷(存十六卷)三册

副页跋云:"壬申(1932)新正,命隽文①排比,重装成册……乌程蒋祖诒识于沪西之思误书室。"(4:130)

9. 明内府抄本《三国志》六十五卷二十四册

书末跋云:"明内抄元大德本《三国志》二十四本,黄绫裹背装,与北平图书馆所藏《辽史》《金史》抄本同式。图书馆题曰'大库明抄本'……余于辛未(1931)七月,得此书于文恭师(翁同龢)之曾孙②、斅甫(翁斌孙)之子恪斋③。因翁寓天津,曾遇水患,纸有霉损,因以乾隆库册高丽笺背重加装治。珍本得以保存,亦殊快意。壬申(1932)四月杪,合肥龚心钊。"(4:136~137)

10. 明万历三十三年北京国子监刻本《南齐书》五十九卷十册

此书有莫棠辛丑(1901)跋(写于《江南通志》稿纸之上)。又其跋云:"《南齐书》前阙序目,偶觅汲古本补之,以便寻览。原书篇幅广长,予重装,见脑际贯线处尚有评字,且有截存。其半者乃悉剪出,审其处而粘之……故册之前后副叶皆用《志》稿格纸为之。予一存其旧,重袭而装焉。楚生再记。"(4:166,169~170)

11. 明崇祯五年毛氏汲古阁刻本《周书》五十卷六册

副页跋云:"今春,于沪上购得此本。首尾稍残破,略为补缀……丙辰(1916)春三月,唐文治敬题。"(4:174)

12. 清抄本《南唐书》十八卷《音释》一卷(卷四至八配叶景葵抄本)四册

此书绿跋云:"嘉庆十四年(1809)秋九月,从拜经楼吴氏借得此书,倩人缮写一本,计费白金三两,而纸价、装工亦费两许……十一月望日,陈鳣记于中吴寓馆。"(4:178)

13. 清朱彝尊手稿本《史馆稿传》不分卷一册

此书有清冯登府庚寅(1830)跋。同页又其跋云:"重付装池,永为什袭。同日雨窗记。"(4:196)

14. 清傅氏长恩阁抄本《永历皇帝实录》二十五卷六册

清傅以礼跋云:"余将赴闽需次,俶装之暇,率儿辈按日分缮,浃旬而毕。装竟,重校一过……同治七年(1868)龙集著雍执徐壮月朔,节庵学人记。"(4:253)

---

① 汪隽文(约1912—1938),疑又名红萼,浙江平湖人,北方名妓,有"隽文女史"之称。1930年冬,蒋祖诒纳之为妾。参见陈巨来:《安持人物琐忆》,上海书画出版社,2011年,第155~166页。
② 因翁同龢无子嗣,此"曾孙"当指侄曾孙。
③ 翁斌孙有子翁之熹(1896—1972),字克斋,江苏常熟人。

15. 明万历六年思泉童氏刻本《国语》二十一卷四册

序末跋云："万历本《国语》二十一卷四本，同治五年（1866）三月十九日，城西草堂徐氏收藏……七月十一夕，徐时栋记。是岁三月，曾修补重装。"（4:287）

16. 明嘉靖四年许宗鲁宜静书堂刻本《国语》二十一卷《古文音释》一卷六册

副页叶德辉跋云："甲午（1894）十月二十八日，装订毕工，漫记。德辉。"（4:289）

17. 明嘉靖七年龚雷刻三十一年杜诗修版印[2]876本《鲍氏国策》十卷四册

副页朱跋云："曩读《江氏汇刻三家书目》，谓杜诗所梓之《鲍注国策》尚为明板中之佳者，心焉识之。丁卯（1927）年在乡，外甥张镜波忽示余六册，书面各系以'礼''乐''射''御''书''数'等字，索价十二番，谓为其堂兄所有。余一见诧为贱品，又以甥舅关系不复查对，急以洋易书。比后，携来扬寓玩读，始知脱去《魏策》《韩策》全篇……戊辰（1928）秋九月，游沪来青阁书肆，忽有此书，中间仅脱去《李文叔书后》三页，彼遂不知为杜诗刻本也。往返议价，以二十六金得之。冬月，有太原之行，日坐俞人斋中，借钞补为消遣，两本互脱之页，始获完全。返经旧都，付翰文书铺装订成册。两年之间，窃幸完其抱残补阙之志……己巳（1929）冬十一月望后一日，莼翁董增儒书于丁家湾贞松斋中。"（4:298~299）

18. 清抄本《华阳国志》十二卷四册

副页邓邦述跋云："戊午（1918）秋日装成，正闇写记。"（4:333）

19. 叶景葵手抄本《南迁录》一卷二册

副页叶景葵跋云："此余廿二岁在济南历城县甥馆中，借昆明萧绍庭丈应椿所藏抄本移录，借以练习楷法。抄毕，手自衬纸，先室朱夫人为余装钉，当日闺房静好之乐，如在目前。置之书箧，于今四十有四年。线装依然未损，而先室已长眠地下。睹物思人，万端怅触……诚以先室所装治之本，不忍弃捐。适见金耿庵手校清初抄本，补校一过，并钞补阙文，复置诸群书之列，以期保存勿失。每年检点一讨，聊以慰余哀悼云尔。戊寅（1938）十月初三灯下，揆初记。"（4:415~416）

20. 明崇祯元年刻本《清朝圣政》不分卷三册

副页跋云："辛酉（1921）之秋，访书吴市，得乙部秘籍二……一《清朝圣政》……乾家素贫，自经丧乱，恒出椠书易米……此书亦归卜海王君培孙。越四年，培孙以此书付手民重装，且携示属为题记……乙丑（1925）四月，重展此书，时余适避兵租界……海宁陈乃乾。"（4:457~458）

21. 民国商务印书馆影印初样本《鲁之春秋》二十四卷《校勘记》二卷二册

此书粘跋云："当请张太史（张元济）将此书影印样本，代为捐入合众图书馆，以供众览。太史允之,翌日即嘱商务印书馆装订为上下两册……癸巳(1953)暮春之朔,李开福记于沪西敬畏草庐。"(4:477)

22. 清抄本《行朝录》三卷二册

副页潘承弼跋云:"偶见斯帙,犹是乾嘉时人所抄。道光间山阴汪能肃以陈馀仙本手校,眉上校语皆其手笔,惜为装书人切损,殊可惋恨……辛巳(1941)孟夏,潘景郑识于沪上寓庐。"(4:481~482)

23. 元至正九年苏天爵刻明修本《两汉诏令》二十三卷("西汉"卷二配清抄本)六册

封面跋云:"凡廿三卷,装六册,八卷以下皆钞配,曾藏张氏双芙阁。光绪乙未(1895)九月,合肥蒯礼卿四兄光典以重金为余购来。付订成,藏于聚学轩中,因志简端。丙申(1896)十月廿五日,贵池刘世珩穉谮父记。"(5:6)

24. 清道光刻本《韩大中丞奏议》十二卷十二册

副页跋云:"惜其本已遭鼠嚼,首尾亦残缺不完……重为修订,置之案头……光绪庚寅(1890)季秋朔日,海宁后学邹存淦俪笙氏识。"(5:12)

25. 清康熙七年柱笏堂刻本《凌烟阁功臣图》一册

副页有顾廷龙1952年跋。同页又其跋云:"此册失大士、关帝及朱圭题识各一帧,目次割装失序,可以陶(陶湘)本参阅也。又记。"(5:40)

26. 明抄本《国朝名臣事略》十五卷(卷一至三配冯氏伏跗室抄本)附冯贞群稿本《考证》一卷八册

副页跋云:"辛亥(1911)九月,武昌兵起……有人持残书求市,审为明钞……遂以贱直得而藏之。首佚三卷,深用惋惜。后六岁丁巳(1917),向孙君翔熊假得聚珍板本,拟谋补写……岁越七年,时更五月,克成完璧,装池告竣……戊午(1918)五月一日,冯贞群孟颛父。"(5:45)

27. 清康熙刻本《崇祯忠节录》十六卷(存四卷)[2]185 四册

副页清唐翰题(1816—1875)跋云:"是书余于外氏得见印本三卷,留心搜访,于吴氏又得四至八五卷。手装甫完,尚未成,适有远游,遂庋而藏之。"(5:68)

28. 明末刻清雍正二年汪中鹏重修《梅花草堂集》三种本《昆山人物传》十卷《名宦传》一卷六册

副页跋云:"明张元长先生著《昆山人物传》,又著《梅花草堂笔谈》,总名《梅花草堂集》,二书世鲜传本。余于丙子(1876)秋从东洋书贾购得,纸版均佳,爰为装订……光绪丁亥(1887)秋八月中秋前五日,东陵方功惠识。"(5:106)

29. 宋刻本《汉丞相诸葛忠武侯传》一卷一册

清黄丕烈跋云："此《汉丞相诸葛忠武侯传》一册,计三十三番,宋刻精妙,装潢古雅,吾郡文三桥(文彭)藏书也。兹从武林购归,与明刻本《练川志》并得,索白金八两去。余友陶蕴辉(陶珠琳,字蕴辉,号五柳)实玉成之。《练川志》虽明刻,然破损不堪触手,无暇装潢。此册稍有蠹眼,纸或脱浆,命工整理之,加以绢面,俱然触手如新矣……庚申(1800)冬季,荛圃黄丕烈。"

同页又其跋云："甲戌(1814)初秋,有装潢工人从铺首以青蚨五十六文买得破书一册,内拣出旧钞《汉丞相武侯诸葛传》一册,持以质余……勿谓书有宋刻,竟废旧钞也。复翁记。距装此书时忽忽十五年矣。"(5:124)

30. 明郑鄤稿本《王文成传》一卷一册

封面书脑处清韩应陛跋云："咸丰八年(1858)六月朔,得之湝喜园黄氏。十一月下旬,施春圃重装竟。"封面又其跋云："因亟为收录,并付重装。更恐见者嫌于郑鄤之所为,故并记此以告之耳。咸丰八年岁次戊午十二月,应陛。"(5:156)

31. 清谭献手稿本《严容孙传》一卷一卷

此书跋云："谭君复堂(谭献)为容孙撰传,手稿在许十丈狷叟(许涟祥)先生所,历三十寒暑矣。顷装治原稿,将付容孙令子,俾世守之……癸亥(1923)中春,吴庆坻。"(5:181)

32. 叶瀚手稿本《塊馀生自纪》二卷一册

副页叶景葵跋云："此稿……遍索不得,甚为悼惜。今夕检理故纸,忽然见之,喜出望外,急为装订,以待流传,可以编入家谱也。侄景葵重读一过,敬记。廿九年(1940)十月十二日灯下。"(5:183)

33. 元郭畀手稿本《元郭畀手写日记(元至大元年至二年)》不分卷柳肇嘉稿本《札记》一卷四册

副页有翁方纲清乾隆五十九年(1794)跋和周尔墉咸丰四年(1854)八月朔日题识。又副页周氏跋云："此《髯翁日记》凡七十三页,装为四册,大兴翁先生题至大八年①起至二年十月三十日。今迄于六月二十日,则较翁先生见时又佚去六月二十一日以后数十页矣。"(5:211)

34. 清劳权手抄本《云山日记(元至大元年)》不分卷一册

副页跋云："此本于无意中觏之市肆乱书堆中,旧黏兔园册子上。从贾人乞归,觅工重装为蝴蝶式。顷携来沪上,重为展读,焚燎之余,弥以珍视矣。戊寅

---

① "八年"当误,当为"元年"。

(1938)清和之月十有七日,吴县潘承弼识于沪上斜桥寓舍。"(5:220)

35. 清嘉庆二十五年吴嘉泰抄本《观妙居日记(清乾隆六十年至嘉庆元年、九年至十六年、十八年至二十二年)》不分卷一册

副页秦更年跋云:"己未(1919)秋日,得于湘潭农家。明年冬至,长沙寓斋重装题记。更年。"(5:244)

36. 清黄金台手稿本《鹏声馆日志》不分卷一册

副页跋云:"此《听鹂馆日识》,为吾湖黄鹤楼金台先生手稿,前后原装十二册……今将蠹蚀处悉心补缀,又复买纸衬之,装成三十三册[①],爰喜而书此。二十七年(1938)戊寅秋分,孙振麟识于雪映庐。"(5:251,253)

37. 清冯桂芬抄本《过叔度家传》一卷清陈奂手稿本《华太君纪略》一卷一册

副页潘承弼跋云:"是册数年前余以贱值得诸飞凫人手。霉烂断鬣,水渍盈眼,不易触手。重其为乡贤遗墨,收得付诸装池……甲午(1954)重九前一日,寄沤潘景郑敬题。"(5:278)

38. 沈曾植手稿本《沈子封提学家传残稿》一卷一册

副页跋云:"秀州沈子培先生为介弟子封(沈曾桐)方伯作家传,属稿未竟,装治成册。师韩仁兄属题……甲申(1944)芒种日,新城陈灏一拜题。"(5:281~282)

39. 清钦嘉枚[2]881 稿本《钦氏世谱》不分卷一册

副页跋云:"此册即云山先生(钦嘉枚)被陷后怀以逸出者也,承平旋里,敬付潢手,以贻子孙……同治己巳(1869)春王正月,鸿城顾济乾拜手。"(5:296)

40. 清叶济稿本《安阳县叶公渠事实》一卷一册

此书跋云:"揆初(叶景葵)先生近理先泽,得尊甫初宰安阳时开挖新渠禀稿三纸,将以装治成册。并检出邑人所立《叶公渠碑记》拓本,命移录附后,以详始末……中华民国三十年(1941)三月二十五日,顾廷龙谨录并识。"又叶景葵跋云:"即检藏此稿,又拓得碑记一通,至今已四十五年。顷检书箧,完整无恙,亟付装池,乞农山(秉志)、鼎梅(顾燮光)二先生题记……民国三十年岁次辛巳闰六月十日,景葵记。"(5:305,308~309)

41. 清沈廷芳稿本[②]《国朝历科馆选录》不分卷一册

序末跋云:"同治壬申(1872)冬十月,偶过厂肆,见旧书摊有此册,即购之……光绪十有七年(1891)四月……阅家中旧书,得此册破烂,为重装偶书。时

---

① 现存册数"一册"当误。参见郑志良:《清人黄金台〈听鹂馆日识〉中小说、戏曲资料探释》,收入伏俊琏、徐正英主编:《古代文学特色文献研究》第一辑,上海古籍出版社,2016年,第260~261页。

② 此书实为刻本。

为光绪辛卯(1891),相距十九年矣。理闇杨泰亨甫识。"(5：319)

42. 明佚名稿本《隋前人物类记》二十九卷八册

副页潘承弼粘跋云:"书友郭石麒君收得是书,装订完好,以赠本馆。得顾颉刚先生为之署名,曰《隋前人物类记》……一九五四年五月二十九日,潘景郑记。"(5：345)

43. 清顾祖禹稿本《读史方舆纪要》一百三十卷一百二十四册

副页跋云:"距今十六七年前,杭州抱经堂主人朱遂翔告余,在绍兴收得《方舆纪要》稿本,因虫蛀不易收拾,愿以廉价出让。余嘱取来,则故纸一巨包,业已碎烂。检出首册,见旧跋与陶心云(陶浚宣)年丈跋均定为顾氏原稿,以七十二元得之。灯下排日整理,剔除蠹鱼蛀虫不下数百,排列次序,残缺尚少。乃觅杭州修书人何长生细心修补,费时二年,费款二百元,于是完整如新矣……乙亥(1935)春,至北京,亲携十余册,请钱宾四穆鉴定……今春以全书捐赠合众图书馆,深念宾四远在西南,张君(张其昀)音书断绝,积年探讨,无从细论,乃发愤发箧重读。泛览既终,姑以个人紬绎之所得,笔十册首……辛巳(1941)四月初八日,叶景葵记。"(6：44,55)

44. 明崇祯毛氏汲古阁刻《津逮秘书》本《东京梦华录》十卷二册

《东京梦华录跋》末跋云:"辛酉(1921)春,艺风堂藏书散出沪市,亟为收得,与旧校绿君亭本《洛阳伽蓝记》合装……南陵徐乃昌记。"(6：135)

45. 明嘉靖二十九年陈柯刻本《武林旧事》六卷一册

清周星诒跋云:"辛未(1871)二月,节之①自福州寄赠。予旧有知不足斋手校旧抄后四卷,因合装之,遂成完书。鲍校首尾缺叶,更俟续求补之。四月二十日,巳公星诒在汀州记。"(6：137)

46. 清抄本《吴兴掌故集》十七卷二册

副页清唐翰题跋云:"戊辰(1868)冬十一月……手装作两册并记。"(6：149)

47. 清稿本《水经注》四十卷四册

副页叶景葵跋云:"己卯(1939)十月重装,景葵记。"(6：177)

48. 清康熙刻本《坤舆图说》二卷一册

副页莫棠(1865—1929)跋云:"是本殆原刻,不恒见,故装而藏之。"(6：236)

49. 清钱氏潜研堂抄本《中兴馆阁录》十卷《续录》十卷(存十八卷)八册

副页跋云:"《续录》三册今分装为六册……癸未(1943)二月三日,武陵余嘉

---

① 有傅以礼(1827—1898),字节子,号节庵学人,山阴(今浙江绍兴)人。清藏书家,曾官福建。

锡跋于北平寓庐之读己见书斋。"(6:257,259)

50. 清抄本《五代会要》三十卷四册

副页清方燕昭题识云:"光绪己卯(1879)中秋,重订于邗上寓园之梅埯。伯融记。"(6:284)

51. 清嘉庆十二年孙星衍刻《岱南阁丛书》本《故唐律疏议》三十卷《释文》三十卷《宋提刑洗冤集录》五卷十册

副页莫棠跋云:"光绪二年(1876),先君自通州徙官上海,中道舟触于石,行李半没,此书亦落水复得之一也。越二十余年,棠乃命工补治装订之……辛丑(1901)五月,棠谨记于吴下。"(6:302)

52. 清抄本《也是园藏书目》十卷一册

莫棠跋云:"此写本分十卷,不曰'述古',而曰'也是园',篇首烂脱二三纸……光绪壬辰(1892)四月,于吴下地摊得之,重装并记。"(7:36)

53. 清金檀稿本《文瑞楼书目》不分卷(存金元人集目)一册

副页莫棠跋云:"此写本书目残帙,涂乙满纸……三十年前得诸吴兴书船,顷乃补缀存之……甲子(1924)六月,心发。"(7:66)

54. 清金俊明手抄本《国史经籍志》六卷三册

清唐翰题(1816—1875)跋云:"金高士手钞《经籍志》,余得于崇川。阅五年,复得高士长君亦陶先生手书元人诗文集三十余种,因并装订藏之。鹪记。"(7:124)

55. 明朱衣抄本《隶释》二十七卷一册

书末跋云:"昨杜村(朱衣)先生来轩中,主讲席之暇,手录为书,既装潢成册矣,命予题一言于后……嘉靖辛酉(1561)二月八日,大城山樵云浦子盛时泰谨题于拙贻堂。"(7:224~227)

56. 清道光刻本《平安馆金石文字》七种七卷(存三种三卷)一册

副页跋云:"此册得于抱经堂,残破不堪,定价极廉,装成记之。己卯(1939)二月杪,叶景葵书。"(7:274~275)

57. 罗振玉手稿本《雪堂遗墨》一卷一册

副页跋云:"手札经同好分取,所留已付工别装,附件则粘为此册……丙戌(1946)中秋,婴闇居士秦更年获观因记。"(7:295)

58. 清徐同柏稿本《从古堂款识学》不分卷《籀斋藏器》二卷《续编》一卷[2]320,887 九册

首册封面题记云:"丁丑(1937),吴湖帆重装谨识。"(7:307)

59. 清吴大澂稿本《愙斋集古录》十二卷十二册

此书粘跋云："而此十三卷者，又系散叶，未经线装。所粘拓片年久，浆性已漓，半就剥落。讷士(吴本善)命其长君遹骏(吴湖帆)即师之嗣孙复加整厘，析十三卷为二十六，赠池成册，以期永久……丁巳(1917)五月长至日，王同愈谨跋。"

王跋同一页吴湖帆跋云："民国六年(1917)，王胜之(王同愈)世丈以此原稿交先君，其中考释尚有未录者。先君乃就愙斋公手稿亲自转录若干则，其他命湖帆、静淑分录付印。迄今二十年，重付装潢，厘订为十二卷……丁丑(1937)春日，湖帆、静淑谨志。"

又吴敬恒署端并题识云："民国二十六年丁丑(1937)增补重装原本，湖帆先生嘱更试署录端……三十六年丁亥(1947)，武进宗末吴敬恒题。"

另此书版心下端均印有"吴氏四欧堂藏本，民国廿六年重装"。(7:319~320,322)

60. 清钮树玉稿本《金源金石目》一卷一册

封面王謇跋云："甲戌仲冬，欣赏斋书友徐浯亭为余赠治，并腰以粉笺四幅。余以其二幅装治门下小史王志青影钞明本韩公望奕《易牙遗意》，而以其二附是书以传，古色古香，弥可宝爱……甲戌(1934)冬至前三日，瓠庐。"(7:342)

三、子部

1. 明陆治手稿本《孔子家语》十卷八册

此书跋云："此陆包山先生名治字叔平所手录也。录成于前明嘉靖甲子，及今乾隆壬辰(1772)，凡二百有九年，予始得而重加装裱完好……西庄王鸣盛识于金闾桐泾家塾，时中元日。"(8:16)

2. 明刻本《荀子》二十卷四册

副页跋云："顷岁由杭贾携沪，璠儿(冒景璠)见而购归重装。冒广生疚斋年七十三志。乙酉(1945)五月。"(8:31)

3. 明弘治十八年沈颉刻本《贾谊新书》十卷二册

副页黄丕烈跋云："辛未(1811)十二月廿有七日，装成并记……半恕道人笔。"(8:47)

4. 明嘉靖三十三年张氏猗兰堂刻本《盐铁论》十二卷十二册

张庆增①跋云："今春二月十一日，以四十八金易此于桂阳陈氏……晴窗展

---

① 此人生平不详。

校,计阙序首一页及卷五之二十九页。序首乃从《家乘·世集》卷中抄补。惟卷五之二十九页曾检《汉魏丛书》中《盐铁论》,虽同为王屋公(张之象)注本,而注文所阙较此尤夥。闻北都某收藏家亦有斯,固不知能补其全乎。迩以装订在即,勉以原意补注之,安计续貂讥耶。岁在旃蒙大渊献(乙亥)二月朔越二十二日,风雨雷电交作,铁一公后二十四世孙庆增识。"(8:57~58)

5. 元刻本《新编音点性理群书句解前集》二十三卷六册

副页秦更年跋云:"己未(1919)十月朔日,江都秦更年□[①]于长沙肆中,永明周荟生编修鋆诒家散出者。越三旬装成,聊识岁月于此。"(8:100)

6. 明刻本《武经总要前集》二十二卷《后集》二十一卷附《武经总要行军须知》二卷二十四册

副页跋云:"原帙虫蚀甚多,吾觅装书人粘补完好,顿还旧观……宣统二年庚戌(1910)九月二十五日,叶德辉记。"(8:141~142)

7. 清朱逢甲稿本《间书》一卷一册

副页跋云:"今岁重事装潢,嘱附识一言,因记于此。癸未(1943)夏五,黄县韩承铎拜识。"(8:151)

8. 明万历十年赵用贤管韩合刻本《管子》二十四卷三册

封面清莫友芝跋云:"丙寅(1866)仲秋收之虞山,兼有《韩非》,为友人分去。明年假得陈硕甫(陈奂)校宋,命彝儿(莫彝孙)过录于卷中。重装记,邵亭。"(8:180)

9. 清丁士涵手稿本《管子案残稿》不分卷一册

副页跋云:"此《管子案》手稿一束,亦前后残缺,存不及半,幸序文犹在,略具梗概。深惜先生(丁士涵)毕生精力俱随流水,区区断简虽未饱蟫鱼,余固掇拾装袭,殊惭梼昧,未能为之拾遗补阙以垂名山耳……装潢既竣,率志数语于后,以申景行之私。时乙亥(1935)九月五日,邑后学潘承弼谨跋。"(8:195~196)

10. 清管庆祺抄本《观物篇医说》四卷三册

副页跋云:"今岁重付装,出以相示……光绪乙酉(1885)季秋之月,管礼耕题。"(8:241)

11. 明成化十年谢颎刻本《养生类纂》二十二卷《养生月览》二卷(卷十三至十五配清抄本)五册

副页叶景葵朱跋云:"己卯(1939)初春,借上元宗氏藏本,烦夏玉如女士影抄

---

① 原文难辨,下文同。

补足。宗氏本印在后,板已漫漶,故影抄卷中仍有阙疑之字。三月初一装成,景葵记。"(8:247)

12. 明初刻本《寿亲养老新书》四卷六册

副页黄丕烈跋云:"余收得此,已经破□□□□①残,然书友视为秘本。□……□三番,而补缀装潢□……□过费……装成,志其颠□。嘉庆甲戌(1814)春三月……"(8:249~250)

13. 抄本《六艺之一录》四百六卷《目录》十卷《续编》十二卷(卷三百四十三至三百四十七配清孔氏岳雪楼抄本)一百五十册

此书跋云:"光绪戊寅(1878)暮春之初,重装。南海孔广陶识于岳雪楼下三十有三万卷堂。"(8:329)

14. 清许光治手稿本《别下斋书画录》不分卷一册

副页跋云:"庚申乱后,余捡得于废书担头,以薄值易归,急为装池。聊存亡友故迹,阅此不觉慨然……时同治癸亥(1863)春暮,芷翁管庭芬志。"(8:339)

15. 清陈骥德手稿本《吉云居书画录》不分卷一册

潘承弼跋云:"丙戌(1946)十二月,装成。重展檠右,口占二绝。鳏柳词人。"(8:344)

16. 明抄本《宣和画谱》二十卷四册

韩应陛粘签朱跋云:"咸丰八年(1858)六月朔日,得之苏州黄氏之滂喜园。十月朔日,装套并题。"(8:372)

17. 明抄本《图绘宝鉴》五卷《补遗》一卷三册

副页跋云:"爱倩梁生孝昌重装,工讫并属代书其尾……光绪十七年(1891)岁在辛卯,六月二十日雨窗,潍高鸿裁识。"(8:389)

18. 清光绪十九年刻朱印本《习苦斋画絮》十卷六册

《跋》末吴湖帆跋云:"余为蠹蚀,重装……癸酉(1933)长夏,湖帆识。"同页又其跋云:"此书原装四册,皆有先公手注,其中第二册遗在陆廉夫先生处。迄丁丑(1937),由廉翁长君云伯(陆翔)兄持来璧合,乃重装完成。湖帆又记。"

《跋》末又跋云:"十年前,于败簏丛残中检得戴文节公(戴熙)《画絮》卷二朱印残本一册,蠹蚀水渍,狼藉不堪,以眉间有吴愙斋(吴大澂)尚书墨笔校注五则,不忍遽弃。后访湖帆仁兄,间谈及此,则所藏之尚书手批《画絮》正缺卷二,于是知向所检得者为尚书故物。盖先考廉夫公假归展阅,日久遗忘,遂留寒舍耳。因

---

① 原文缺。此跋下文同。

亟检还,俾作延津之合。湖帆兄珍护先泽,重加装治,以其残而复完也。属题数语,以志欣幸。丁丑上巳,吴江陆翔书。"(8:400~401)

19. 明钤印本《严髻珠先生印稿》一卷一册

清改琦粘跋云:"嘉庆戊寅(1818),余以二金易得,重加装治,如觐严师,因并记此。己卯(1819)九秋五日,枕梅仙史七芗识。"(8:415)

20. 元刻本《颜氏家训》七卷附《考证》一卷三册

副页跋云:"因此书遭水湿,托为装潢……爰出旧抄影写本相易,而益以斤金,命工重为整理。工成之日,不可不著其缘起……嘉庆五年(1800)冬十一月小寒后二日,炙砚书于联吟西馆之南窗。荛圃黄丕烈识。"(9:80~81,83)

21. 宋刻本《长短经》九卷八册

副页跋云:"洪武丁巳(1377)秋八月丁巳,沈新民识。"同页随后跋云:"戊午夏五月重装。"①(9:86)

22. 明钱穀手抄本《化书》六卷一册

副页跋云:"丁巳(1917)二月,购之海上。付装既成,一展卷间,古香盈把。因援笔书数语于后,以志奇快。上虞罗振常。"(9:90)

23. 清乾隆五十八年刻本《日知录》三十二卷十二册

副页清钱炳森跋云:"咸丰元年(1851)二月,炳森重装此册,将携之京师,因录明经跋语而识于后。甘泉乡人识于海昌学舍。"(9:137)

24. 明嘉靖六年俞弁家抄本《沈氏客谭》一卷一册

副页跋云:"今春,有人持赠是编,亦为老人(俞弁)所集,凡四种,失彼得此,欣喜无已。重为补缀,分订两本②……乾隆四年(1739)夏五,东川鱼元傅识。"(9:234)

25. 宋刻本《重雕足本鉴诫录》十卷二册

卷十后明项元汴跋云:"时明万历元年(1573)秋七月既望,重装于天籁阁。"此页又跋云:"铉在维扬书局,适吾师竹垞(朱尊彝)先生亦来客于此,因得借观,遂书一通。其纸版伤损处皆手自补缀,归之。时康熙乙酉(1705)十月朔,汪士铉谨记。"

又黄丕烈清嘉庆九年(1804)正月丁巳日跋介绍此书价值、得书经过及花费等。同页又黄跋云:"此书向为天籁阁旧装,所补纸皆白色不纯者。故项氏图章及阮亭(王士祯)先生校改朱笔,皆在白纸上。余今为之重装,悉以宋纸补之,取

---

① 此跋若出自沈氏之手,此"戊午"当指1378年。
② 此册数与现存册数有异,疑此书后经修复合册。

其色纯也。于图章及校改朱笔处,仍留其白纸痕,所以传信于后。四围并前后副叶皆宋纸,面叶亦宋金粟藏经。装潢古雅,与书相称。虽损旧装,为之恐或更有益于是书。装毕,复志数语于后。荛翁。"(9:331,337~338)

26. 明柳金手抄本《渑水燕谭录》十卷(卷十配清黄氏士礼居抄本)一册

此书有黄丕烈多篇题跋。又副页其跋云:"《渑水燕谈录》九卷,原装三册,俱以素纸覆背,盖书贾于钞书往往为此,取其多而可获价也。余则颇厌之。兹因补钞第十卷,命工重装而辍其覆纸,仍为三册①云。闰六月②立秋前三日,荛翁。"(9:355)

27. 明祝允明手稿本《野记》四卷一册

书末清宋筠跋云:"因重加装潢,敬志数语于简末。癸丑(1733)六月廿三日。"(9:400)

28. 清初抄本《都公谭纂》二卷二册

清佚名粘跋云:"重加衬钉,成集上下册。时乾隆三十七年(1772)。"(9:410)

29. 明末刻本《太平清话》四卷一册

副页莫棠跋云:"壬戌(1922)正月,得于秣陵,蠹结不可翻。江居无事,遂自补缀……二十九日甲子,心发记。"(9:421)

30. 清柘柳草堂抄本《客舍偶闻》一卷一册

书末跋云:"民国十三年(1924)四月,得于杭州抱经堂,计值银币六圆。付工重装,逾月始毕。端阳节后一日,张元济识。"(9:424)

31. 清抄本《穆天子传》六卷一册

莫棠跋云:"光绪戊戌(1898)九月,得之吴下。重装题记。"(9:436)

32. 清初抄本《唐段少卿酉阳杂俎续集》九卷一册

此书跋云:"以余酷嗜宋抄书籍,故割爱见与。乃命工装成,因记岁月,时泰昌纪元③八月望日。玉峰张丑广德甫记。"④(9:472)

33. 清抄本《雷江脞录》四卷四册

副页朱跋云:"同治十有二年癸酉(1873)清明后三日,吴县冯桂芬付装并

---

① 此书后遭虫蚀,亦经修补。现为一册,当经并册重装。
② 黄丕烈(1763—1825)生平所历闰六月有三,为1778年、1797年、1816年。士礼居补抄《渑水燕谭录》卷十卷端黄跋云:"乙丑(1805)收得知不[足]斋原本覆校,己巳(1809)补记。"(9:349)又此书最早有乾隆甲寅(1794)黄跋。可见此书抄补重装于1805年前,故此跋所指"闰六月"当在1797年。
③ 明光宗朱常洛(1582—1620)在位一月,年号"泰昌","泰昌纪元"即指1620年。
④ 若此跋为真,此书版本当误。

记。"(9:476)

34. 明抄本《新编翰苑新书前集》七十卷《后集》三十二卷《续集》四十二卷《别集》十二卷四十册

此书跋云:"惟第一卷门类与总目不同,颇以为异……爰重钞一卷(第一卷),补其缺失,原钞仍同装册中,以存其旧。时戊辰(1928)孟秋,上虞罗振常记。"(10:33)

35. 清康熙刻本《左颖》六卷《国颖》二卷一册

前副页跋云:"此《左国颖》,甲寅(1854)闰月,偶于市廛得之……八月中旬,唐茂文为重装《国语》《战国策》及此书,因随笔识数语于卷首。子方钱炳森。"(10:49~50)

36. 北宋崇宁刻本《金刚般若波罗蜜经》一卷一卷

拖尾跋云:"右宋刻《金刚经》残本,我邑东关外宁境教院方塔中旧物也。方塔圮,而宋经之发现者不可胜纪。有写本,有刻本,惜俱霉烂,于沙砾中片片作胡蝶飞……虞山丁初我(丁祖荫)先生于癸甲间宰我吴江,首尾两载,政成民和……邑人无以为报,由费君承禄(费树蔚)掇拾方塔中所出《妙法莲华经》《金刚般若波罗蜜经》两种残本,赠君为纪念……岁庚申(1920),君(丁祖荫)装潢成卷,既自题四诗于《妙法莲华经》之尾,属余题记于是卷。于是去君解组之岁已五稔,去是经出塔之岁盖一星终矣。辛酉(1921)岁孟陬,吴江金祖泽跋。"(10:63~65)

37. 北宋崇宁刻本《妙法莲华经》七卷一卷

拖尾丁祖荫跋云:"庚申(1920)旧腊,初园居士(丁祖荫)装经成卷,题于密娱小阁,属吴江钝髯(金祖泽)书之。"(10:77)

38. 明刻本《妙法莲华经》七卷(存三十页)一册

副页跋云:"距今不过五百年,又置在塔巅,犹且溃烂若是,南方潮湿,真可警也。仰坡(程学銮)当时以此经已残,曾属余写经多卷以补之。并用新法严密封置铁匮中,抽尽空气,冀能永久保持。然在南方,究能奏效与否,亦正难说。仰坡属题,因记于后。丙子(1936)中秋后一日,余绍宋。"

又副页粘跋云:"仰坡装竟,征题于余,因书所见如此。丙子新秋,淮阴陈锡钧记于西泠寓次。"

又副页题诗云:"最后程君董修葺,获经喜同获宝珠……辛卯(1951)春日,以应仰坡尊兄大方家雅令,即希教正。佛弟子吴斯美沐手敬题。"(10:87~90)

39. 唐写本《大般涅盘经》四十卷(存卷七)一册

副页跋云:"康熙三十五年(1696)丙子花朝日,练江汪文柏重装。"(10:111)

40. 北宋写金粟山广惠禅院大藏经本《弥勒来时经》一卷一卷

拖尾李恩庆跋云："是经作伪者托为唐人所写,后一纸妄列眉山苏氏两公二跋,词鄙书劣①,因重装,亟从芟饬……道光甲申(1824)、己酉(1849)间,频见于长安市上,议贾不合,去之五千里外。庚戌(1850)六月,重到春明,草草解装,匆匆返驾,竟酬夙愿……北平李氏恩庆。"(10:119)

41. 日本天平十二年(740)藤原皇后写本《文殊师利问菩提经》一卷一卷

拖尾跋云："光绪庚寅(1890),建霞(江标)太史往游日本,与余盘桓月余,所得经卷颇多。灵鹣阁中要以此卷为第一,斯足珍已。辛卯(1891)夏日,余还京师,适装潢成卷,因记其后。遵义黎庶昌。"

拖尾又跋云："建霞谱仲曾游日本,于古刹中得其国藤原后所写《文殊师利问菩提经》一卷,首尾皆备,色韵俱古。装潢成卷,携以见示。因口占二绝②题后……光绪己亥(1899)新正人日,潘志万识。"(10:123,128)

42. 明万历三十六年神宗朱翊钧手写金字本《佛说眼明经》一卷一册

副页跋云："壬子(1912)季夏,高邮宣哲重装于上海,并识。"又副页跋云:"今观此朋,古锦装裹,泥金灿烂……癸丑(1913)秋七月,江都方尔谦题记。"(10:137~138)

43. 唐写本《善见律毗婆沙》十八卷(存卷十二)一册

此经跋云："唐藏经多经生书,此则书家手腕,雅与《灵飞经》相近。原为长卷,东方参军(鲍镇方)所收。东方以文本未完,遂与予及云谷农部(叶梦龙)三分之,改装为册,属予并记其后,以为他日墨缘之念……道光九年(1829)岁在己丑四月廿五日,吴荣光记。"后续经首又吴氏题识云:"成哲亲王跋后,续得四页半,恰与上经文相连,因装于后。道光庚子(1840)六月,解组南行,侨寓吴门十三日。伯荣时年六十有八。"此经又题诗云:"十幅灵文十珎姿,一回联缀一回奇。吴氏(吴荣光)原册,先得五纸,后得九纸。今余续得叶氏(叶梦龙)本,改装为十一纸附后……光绪癸未(1883)新秋,南海孔广陶未定稿。"(10:148~149,153)

44. 唐开元五年写《佛顶尊胜陀罗尼经》一卷一卷

此经署时唐"开元五年(717)岁次丁巳"。卷末跋云:"阅十有九丁巳,至大清宣统二年庚戌(1910),凡千一百九十四年,江右蔡金台得于甘肃敦煌千佛寺莫高窟,装裱成卷。"又拖尾蔡氏跋云:"装竟,附记其梗概如此。嵩盦。"(10:168,170)

---

① 原文为"词鄙劣书劣",前"劣"字右上角有删除点画。
② 原文为"因口绝占二绝",前"绝"字右上角有删除点画。

45. 宋崇宁元年石处道等刻本《佛顶心观世音菩萨大陀罗尼经》三卷一册

此经跋云："清宣统元年,吴江方塔圮,壁间藏有宋刻《观世音菩萨佛顶心陀罗尼经》……吾婿苏子澹庵,好古士也。甲寅(1914)岁,得此经本,装潢成册,宝若球琳……乙卯(1915)新秋,沧江菩萨戒优婆塞陆西林敬跋。"又陆恢绘《佛顶心大陀罗尼经观世音菩萨应现像》并题识云："澹庵仁兄得宋本此经,装潢成册。册首属为图像,以纪得经之幸。奉佛弟子陆恢谨记。"又副页跋云："宋崇宁元年刻《观世音佛顶心陀罗尼经》三卷,每行十四字,卷改装册,藏吾友苏君宙忱……丁巳(1917)嘉平,叶德辉跋。"(10:173~175)

46. 唐写本《盂兰盆经赞述》一卷《温室经疏》一卷一册

此经龚心钊跋云："笺共九幅,乃歙县许际唐(许承尧)于民国初年官甘肃时所得,亦莫高窟中物也……此笺纸帘宽近二寸,纹亦极疏……因以旧高丽笺续其前后,鹿皮作包手,俾得保护焉。甲戌(1934)上元日,合肥龚钊识。"(10:190)

47. 清宋茂初抄本《老子道德经》二卷二册

副页董增儒朱跋云："同(夏同龢)丈赠此书时,盖从水中检出,泥污狼藉,不可触手。郑重嘱托,谓必重装,方不负其爱惜苦心。余携之扬寓,觅书友孙连桂为之去垢衬折。惜其手段不高,未能悉复旧观,然较之沉沦昏垫中则又差胜矣。"

此跋前后又有跋,署时分别为壬申(1932)和癸酉(1933)。(10:241~242)

48. 明崇祯八年张溥刻本《庄子南华真经》三卷五册

卷一目录天头处清计东跋云："乙卯(1675)六月二十八日盛暑中,□庄①竹窗前,方属张内侄装订旧本,忽吴门好友汪户部来为吾母祝寿,□□②此本为来喜□□③本。并记之。甫草。"又副页其跋云："□④卯盛夏,偶得家居,见书角□⑤□……□,复令内侄张依存修辑,重为□□⑥。时六月二十八日也,适吴门汪子□□⑦来访予……次早,笔记之。甫草题于竹窗。"同页又其跋云："是日……东记于来喜□□⑧。"

---

① 前字残缺近半,此二字疑为"读《庄》"。
② 原文缺。此书下文同。
③ 原文难辨。疑为"窗经"。
④ 原文缺。疑为"乙"。
⑤ 此字残缺近半,疑为"损"。
⑥ 原文残缺。首字略存,疑为"装"。
⑦ 原文残缺。首字略存,疑为"苕"。有汪琬(1624—1691),字苕文,长洲(今江苏苏州)人。清顺治十二年(1655)进士,历户部主事、刑部郎中等。
⑧ 原文残缺。后字略存,疑为"前"。

又副页清陆嵩跋云："道光甲申(1824)秋孟,以此书付装,分为五本。虽稍觉完整,而墨迹刓损处已多,卷端又微为刀所刮损。摩挲之余,益深惋惜。方山陆嵩题于听雨小楼。"又副页清程庭鹭跋云："是书唐子春龄贻吾友方山。方山得之,重加装治,其爱之如护头目……明日,挂帆归矣,书此以复吾友……丁亥(1827)秋九月二十有三日,立冬后二日也,嘉定程庭鹭序伯题于吴门寓庐。"又副页跋云："光绪甲申(1884)闰五月之杪,炎暑方酷,陆封翁九芝(陆懋修)丈出示计甫草(计东)先生读《庄》藏本……方山先生装潢题咏,甲子适与今合,又一奇也……周龄识于宣南旅次。"(10:274~275,277,282,278~279,285)

四、集部

1. 清刻本《徐孝穆全集》六卷《备考》一卷六册

副页清王芑孙跋云："《徐孝穆集》一部,旧分二册。今重装,并为一本①。嘉庆辛未(1811)花朝记。"(11:63)

2. 明刻本《韦苏州集》十卷《拾遗》一卷二册

书末吴郁生跋云："余爱读韦左司诗,丁未(1907)收此本,中有阙叶,书估为补之,重装两册……钝斋记。"(11:110)

3. 清康熙三十四年汪立名刻唐四家诗本《韦苏州诗集》二卷四册

补抄《冰赋》后跋云："道光丙午(1846)腊月九日,钞补重装毕。文村王振声志。"(11:118)

4. 元刻本《杜工部草堂诗笺》四十卷《外集》一卷《诗史补遗》十卷《年谱》二卷《诗话》二卷《传序碑铭》一卷五十三册

《补遗》卷十末明朱承爵跋云："舜城朱居士重装,时正德丙寅(1506)岁。"(11:125)

5. 清顺治七年朱茂时刻李杜诗通本《杜诗通》四十卷六册

副页清翁同龢跋云："庚寅(1890)夏,得此木于西苑朝房。谛审,知为青主(傅山)先生评点。纸既浥脆,乃付潢匠背之。壬辰(1892)秋日,排比旧籍,以畀斌孙(翁斌孙)……瓶叟记。"(11:138~139)

6. 清抄本《韩集举正》十卷《外集举正》一卷《叙录》一卷四册

首册封面书脑处韩应陛题识云："咸丰戊午(1858)仲冬二十五日,付湖人施姓装毕之。"封面又其跋云："戊午夏,于苏州胡心耘处,见钞本《韩文举正》,纸墨

---

① 此书后经金镶玉装修并分册,册数与现存册数有异。

精好……十一月二十六日记。应陞。"随后又韩跋云:"他日招得装书人,当属伊换去书面重写也。是年十二月二十二日,又记。"(11:172)

7. 明徐氏东雅堂刻清冠山堂重修印本《昌黎先生集》四十卷《外集》十卷《遗文》一卷《朱子校昌黎先生集传》一卷八册

副页清钱泰吉跋云:"咸丰壬子(1852)夏日,重装因记。深庐。"(11:176)

8. 宋刻本《会昌一品制集》二十卷(存卷一至十)二册

副页跋云:"此残宋刻《会昌一品制集》十卷,卷中有旧抄配入,为甫里严豹人家物,而余购之重付装池者也……装成,越日至十一月八日,书数语于后。以见唐集宋刻虽残,不可轻弃尔。嘉庆岁在己未(1799)冬,荛圃黄丕烈识。"(11:218~219)

9. 明万历三十一年许自昌刻《合刻陆鲁望、皮袭美二先生集》本《唐甫里先生集》二十卷二册

卷十九末冯舒跋云:"万历丁巳(1617)夏,与孙光甫借此本,七月初二日阅完,因命童子更为装好成帙,聊志此。已苍。"(11:275~276)

10. 清大叠山房刻本《重刊校正笠泽蕞书》四卷《补遗》一卷《续补遗》一卷一册

秦更年朱跋云:"丁卯(1927)十月,石药簃重装。"(11:290)

11. 明抄本《浣花集》十卷一册

书末朱跋云:"壬辰(1952)十一月初二日装讫,手段佳妙,展卷怡然,无复旧时尘浣之状,可称快事。黄裳记。"(11:302)

12. 清初抄本《禅月集》二十五卷一册

清孙潜跋云:"丙申(1656)三月,装钉。"(11:306)

13. 清抄本《河南先生集》不分卷二册

副页跋云:"余从长沙书贾辗转得之,装治既成……戊午(1918)三月十八日,江都秦更年记于睡足轩。"(12:41)

14. 元刻明修本《范忠宣公集》二十卷十册

副页徐钧粘跋云:"甲子(1924)冬月,经友人作缘,重值得于吴郡故家。因重付装钉,厘为十册……晓霞识。"(12:68)

15. 清康熙三十八年宋荦刻本《施注苏诗》四十二卷《总目》二卷《苏诗续补遗》二卷《王注正讹》一卷《东坡先生年谱》一卷十二册

副页王芑孙跋云:"嘉庆十四年(1809)岁在己巳四月之望,沤波舫重装。"又副页其跋云:"皆因是本久之破烂,今与重装……嘉庆辛未(1811)九月三日,楞伽

山人记。"(12:132~133)

16. 清乾隆古香斋刻本《古香斋鉴赏袖珍施注苏诗》四十二卷《苏诗续补遗》二卷《王注正讹》一卷《东坡先生年谱》一卷十八册

副页龚心钊辛未(1931)粘跋云:"此本为明罗纹纸所印,装成绝工。"又副页其粘跋云:"按《西清笔记》载,乾清宫东昭仁殿之天禄琳琅所藏书,宋金板本用锦函,元本用青绢函,明本用褐色绢函。此《苏集》刊于乾隆,而特用锦函,是当时已珍重其为古罗纹红丝纸矣。钊又见高宗御书《楞严经》木刻本,皆宋藏经笺背所刷印。帝王好事,固无不可致之物。此《苏诗续补遗》下卷之副叶殆经蛀损,修装时殆已无从得红丝罗纹,故以常纸补副叶一张半也。己卯(1939)五月,龚心钊再记。是年七十。"(12:140~141)

17. 清抄本《谢幼盘文集》十卷一册

序末跋云:"《谢幼盘文集》十卷一本,同治八年(1869)六月八日,城西草堂徐氏收藏。八月,工人重装订之……九月二十六夕,徐时栋记。"(12:212)

18. 清乾隆五十三年赵怀玉亦有生斋刻本《斜川集》六卷附录二卷二册

《斜川集跋》木跋云:"嘉庆癸酉(1813)仲夏,鲍(鲍廷博)丈过余千墨庵中商刻丛书,出此特赠。今于甲戌(1814)仲冬,重装展读,丈已归道山四月矣,不胜黯然。参茶居士贝墉志。"(12:224)

19. 宋刻本《梁溪先生文集》一百八十卷(存三十七卷)十四册①

书末跋云:"……而阙存三十八卷者。先是遭俗子割补卷第,取卷中文字有数目者,每卷填改,钤以图记,掩盖其痕。余悉案旧钞本更正,而以数目字还其原处。有失去者,仍以素纸空其格,可谓慎之至矣。此书购自东城故家,价止数金。今兹装池,复用二十金。惟恐后人以残阙视之,而不甚宝贵,故于其装成之日,著其颠末如此。嘉庆甲子(1804)六月二十日,荛翁黄丕烈识。"(12:251~252)

20. 宋刻本《侍郎葛公归愚集》二十卷(存九卷)一册②

书末跋云:"乾隆甲寅(1794)夏仲,从东城顾氏得残宋本《侍郎葛公归愚集》一束,系未经装池者。始犹不甚贵重,特因宋刻,故储之耳。余故乐为宋刻,重装之……十一月冬至前三日,小千顷堂主人黄丕烈书。"(12:314~315)

21. 明弘治十一年宋鉴、马金刻本《石屏诗集》十卷《东皋子诗》一卷六册

副页跋云:"士礼居重装并记。丁卯(1807)十月廿二日,复翁黄丕烈识。"

---

① 此书实为二十册。
② 此书实为二册。

(12:356)

22. 明弘治十一年宋鉴、马金刻本《石屏诗集》十卷《东皋子诗》一卷十册

副页徐钧跋云:"虽其间难免破字缺页,而一斑之驳无妨全豹。乃借石铭(张石铭)藏本,详为补录。凡菀翁有所参校补注及前后存跋,并一一影钞,附装参阅……爱日馆主晓霞氏跋,时丙辰(1916)仲冬。"(12:358)

23. 清康熙四十五年华氏剑光书屋刻本《南轩先生文集》四十四卷十册

此书跋云:"尝萃其与友朋手札,装池成帙……嘉庆七年壬戌(1802)正月,钱大昭书于得自怡斋。"(12:362)

24. 宋刻本《后村先生大全诗集》十五卷(存十一卷)四册

副页黄丕烈跋云:"兹倩老友胡茂塘手装治之。居然断珪残璧,古香袭人……道光乙酉(1825)立秋荷花生日,宋廛一翁识。"

又副页跋云:"黄荛圃装背于残损之余……兹乃即其所刊书,装背五百年之后……时在道光十年(1830)七月七日,跋于南郊之拜诗阁。单学傅。"(12:391~392,396~397)

25. 明抄本《静春堂诗集》八卷(存四卷,有抄配)四册

黄丕烈跋云:"余故乐得而装之,装成并记。甲戌(1814)闰春仲月十有八日,复翁。"(13:45)

26. 明成化十一年项璁刻本《存复斋文集》十卷附录一卷(缺页经清顾广圻抄配)二册

副页跋云:"爰托涧薲(顾广圻)从萃古本影写缺叶,补填脱字,即以萃古本易之,去其字纸之衬者而重装之,分十卷为二册,居然简贵可宝矣……装潢不为改正者,以见原刊、修刻各有面目在也……嘉庆己未(1799)夏四月望后三日,书于士礼居。棘人黄丕烈。"(13:65)

27. 清抄本《柳待制文集》二十卷附录一卷六册

副页清王振声跋云:"今年四月初旬,粤匪陷毗陵,移家琴东,是书已弃之城中。既复入城,见之,携至学福堂重装,迨遣人取回,则去八月初二城陷仅数日耳……咸丰庚申(1860)冬至前三日,文村老民书。时年六十有二。"(13:78)

28. 明吴宽手抄本《吴文定公手钞明太祖文》不分卷一册

此书跋云:"道光丙申(1836)春仲,罗天池重装并记。"(13:147)

29. 清抄本《危太朴云林集》不分卷二册

莫棠跋云:"光绪己亥(1899)三月,独山莫氏重装于苏州。"(13:156)

30. 清琴川张氏小琅嬛福地抄本《张来仪先生文集》一卷一册

清佚名过录黄丕烈跋云："顷书□①携故书数种来,中有《张来仪先生文集》,虽残毁已甚,余诧为得未曾有,因出重直购之。至于书之霉烂破损,系经水湿蒸润,故裱托为之……庚辰(1820)秋九月二十有七日,复翁识。"

又过录黄跋云："书籍再恶硬褙。今人令小儿入塾读'四子书',无有不硬褙者,取其难于磨灭,不致方册成贠②也。然遇极旧之书,又必须覆背护持,方可展视。盖纸质久必腐毁,覆背庶有所借托耳。此事却非劣工所能为,手段不高,动辄见窒。即如此书,几与硬褙之'四子书'无异矣,而覆背护持之法具焉。良工见之,亦诧为好手段。故戏举及之。复翁赘笔。"

上跋后清□伯生③跋云："此书装背极精。黄跋中'再恶','再'字应作'最'字,盖吴音相近而误。黄君善藏书,精考证,然随笔漫书,多不经意,往往羼以俚语,亦善本之一厄也。伯生记。"此书又魏亨逵清道光己酉(1849)和唐翰题甲子(1864)跋。(13:178~179,182~185)

31. 清同治三年翁韵兰手抄本《杨东里先生题跋》一卷清季锡畴手稿本《题画诗》一卷一册

副页王振声跋云："得此卷,并以菘翁(季锡畴,字菘耘)手钞诸图题咏附装于后……同治三年(1864)夏初,文村老人书于长巷寓舍之奎临序。"(13:202)

32. 明嘉靖四十三年吕科刻本《吕文懿公全集》十二卷十六册

副页跋云："余于辛酉(1921)之夏,得诸石佛僧房,剔蠹装褙,珍视璆琳,什袭十二载……癸酉(1933)三月朔,海昌后学祝廷锡敬记。"(13:219)

33. 明嘉靖三十五年王懋明刻本《岩居稿》八卷二册

副页跋云："光绪戊申(1908)腊尾,得此书于济南。宣统元年(1909)二月,重装完整。明窗展读,为之欣喜者累日,因题数语于卷端。祁阳陈琪。"(13:292)

34. 明嘉靖三十五年三癸亭刻本《池上编》二卷一册

副页罗振常跋云："丁巳(1917)仲春月,付装竟,因题其端。"(13:309)

35. 明万历许立言、许立礼刻重修本《许文穆公集》六卷六册

徐时栋跋云："同治四年(1865)十二月二十四日,城西草堂徐氏收藏。五年(1866)二月二十四日重装……是夕,时栋记。"(13:321~322)

---

① 原文被刓,缺。
② "贠",古同"员",此处疑作"圆"。
③ 此人姓氏不详。

36. 明高攀龙手稿本《高攀龙诗文残稿》一卷一卷

拖尾跋云："右诗文稿七通……遐翁（叶恭绰）藏之有年，装潢成卷……民国三十四年（1945）春季，邑后学孙保圻谨跋。"（13:370,373）

37. 明末刻本《循陔园集》八卷八册

此书跋云："乙酉（1945）冬仲……朱丈（朱启钤）乃出所刻精本易之。复从郭子章《青螺遗书》中见所著《循陔园集序》，适为此集抽毁之作，爰属不佞庄书一通，装之卷首……移录既竟，因志其颠末如此。丙戌（1946）新正立春后七日，后学贵阳邢端谨识。"（13:382~383）

38. 明崇祯刻本《霜镜集》十七卷（存六卷）清初刻本《悟香集》三十卷（存三卷）三册

副页王培孙跋云："兹残本五册，虽残而幸各体皆备……民二十二（1933）之三月，重装记。"（13:419）

39. 明孙朝让稿本《孙本芝先生诗稿》不分卷一册

副页跋云："诗凡数十首，大半手稿已断烂，缀而辑之，以志景仰。光绪二十七年（1901）三月，邑后学翁同龢记。"（13:430）

40. 清康熙刻本《天池落木庵存诗》二卷二册

副页王培孙（1871—1953）跋云："秋间，北京通学斋邮来《落木庵诗》一册，知余之无是书也。病中得此，喜出望外，想余搜购明清间遗集之最后一次矣。重装二册。"（14:18）

41. 清抄本《弃瓢集》不分卷（清许山撰）二册

清许廷诰跋云："嘉庆己巳（1809）三月二十二日立夏，吾友瞿秀才竹香手为加装先高祖（许山）集，因检题词录于卷首。廷诰识。"（14:86）

42. 清康熙裘氏绛云居刻本《横山初集》十六卷《文钞》一卷《易皆轩二集》六卷《乐府》四卷三册

副页徐时栋跋云："总二十七卷，四本。同治七年（1868）六月九日，城西草堂徐氏收藏……二十日重装竟。是夕，时栋题。"（14:175）

43. 清张宗楠抄本《敬业堂诗集》五十四卷《补遗》一卷《余波词》一卷附录一卷（卷一至四十八配清康熙五十八年刻本）十一册

副页张元济跋云："时为乾隆庚申（1740）季春月。公（张宗楠）亲笔识于卷末，复用朱笔评点，装成一册，与刊本合为一部，凡得十一册……一九五五年乙未三月二十一日，六世从孙元济谨识。"（14:205~206）

44. 清董正国稿本《南墩诗稿》二卷清高其佩稿本《绿江初草》一卷一册

清陈劢跋云:"咸丰丁巳(1857)八月,运甓斋合订。"(14:211)

45. 清抄本《厉先生文录》不分卷一册

副页跋云:"同治甲子(1864),两浙镜清,余自沪归,在和合桥街邱春生书摊购得此册,已缺前册,重加装钉,藏之八千卷楼……光绪丁亥(1887)正月八日,丁丙记。"(14:243~244)

46. 清嘉庆刻初印本《潜研堂文集》不分卷二册

副页莫棠跋云:"戊戌(1898)九月,灵芬阁书坊主人所赠。篇中朱墨皆渊翁(孙星衍,字渊如,号伯渊)手迹,眉批三处亦渊翁书……亟重装订,藏之《潜研》全书之后,楚生记。"(14:325)

47. 清李朝栋手稿本《栖筠存草》一卷一册

副页跋云:"此诗稿四十二页,悉为先生(李朝栋)手迹。道光时,玄孙鍆(李鍆)重装……丙申(1956)小除夕雨窗,俞鸿筹记。"(14:338)

48. 清嘉庆八年刻本《白云草堂诗钞》三卷《文钞》七卷《首》一卷四册

徐时栋跋云:"同治八年(1869)十二月十八日,城西草堂徐氏收藏。明年(1870)二月重订……二十六夕,时栋记。"(15:27)

49. 清乾隆三十六年刻本《小兰山房稿》一卷一册

副页清吴骞跋云:"临别,以此稿三种见遗。爰合为一册,钉之……壬子(1792)日长至,兔床山人。"(15:29~30)

50. 清黄廷鉴抄本《介祉诗钞》四卷《补遗》一卷丁祖荫抄本[2]710,930《续补遗》一卷一册

副页丁祖荫朱跋云:"瞿氏(瞿绍基)恬裕斋有传钞本,即从此出,卷尾多《续补遗》五十首,亟为录出,附装卷末,题为卷六,循《补遗》之次也。己未(1919)天中节,初我钞毕识。"(15:33)

51. 清曹振镛手稿本《曹文正公诗集》一卷一册

副页跋云:"光绪乙巳(1905)十一月廿日,后学吴江沈塘雪庐重装并记于鄂州节署。"(15:37)

52. 清刻本《对山楼诗稿》十六卷四册

副页徐时栋跋云:"同治六年(1867)六月二十有三日,城西草堂徐氏收藏,略修订之……八年六月二日,时栋记。"(15:245)

53. 吴昌绶稿本《吴伯宛先生遗墨》一卷一册

副页粘签题识云:"《吴伯宛先生遗墨》,起潜(顾廷龙)兄得于京肆,装治成

册。张尔田题。"又副页粘跋云:"昨游厂肆,偶得先生丛残一束,手墨如新,至可珍也。先将所撰诗文稿理治成册,乞张孟劬(张尔田)丈为之审定,承以所藏手札为赠。朱蓉江君见之,亦以新得先生遗象相贻,并冠册首,以志景仰……戊寅(1938)十月望日,顾廷龙记。"又副页顾跋云:"双照(吴昌绶)病中,预自撰书赴告,精刻,所留时日,其女蕊圆慎写。余见章式之先生藏一帧,装附遗翰册中……匋誃记。"(15:341~343)

54. 吴昌绶稿本《松邻丛残》不分卷一册

副页跋云:"余得先生(吴昌绶)乱稿,已将诗文手治成册,并乞夏闰枝、邵伯䌹、叶揆初三丈题识。兹复出余者,命工装为一册,总名之曰《松邻丛残》。先生藏书大都归诸揆丈,丈今创办合众图书馆并以捐赠,此两册余亦持以赠馆,俾双照遗献聚于一堂。辗转南北,离而复合,殆有夙因,非偶然也。二十九年(1940)五月二十一日,顾廷龙识。"(15:345~346)

55. 明嘉靖十三年至二十八年袁褧嘉趣堂刻本《六家文选》六十卷一册①

于右任跋云:"二年(1913)十月,予在海上以六十元购得之。右任。六十卷后缺一页,系重装时遗去者,今将原文录如下。"(16:78)

56. 明崇祯六年赵均刻本《玉台新咏》十卷四册

副页跋云:"道光九年(1829)己丑五月,同年生柯易堂大令以此书持赠,考证之,真嘉定本之至精者。重付装池,并录此条附于卷尾,而藏之石经阁。嘉禾冯登府记于闽中志局。"(16:92)

57. 清乾隆三十九年刻剜改印本《玉台新咏》十卷五册

副页跋云:"今岁,命工重装,并志原始于后。宣统癸亥(1923)夏五端午后三日,华阳王文焘记。"(16:96)

58. 明崇祯刻本《石仓十二代诗选》□□卷②(存一百九十三卷)五十二册

此书跋云:"其《明诗选》存一百九卷,于昔年装成二十六册,列之插架矣……甲戌(1934)九月二十六日日中,冯贞群记于临水宧。"(16:123)

59. 清盛百二稿本《古文征》一卷一册

书末跋云:"卷中夹有山阴姜承烈《分野辩》一篇,寻绎柚堂(盛百二)跋语,似为未刊之稿,附订于后,以免遗失。己卯(1939)二月廿九日,叶景葵谨识。"(16:156)

---

① 疑此书缺卷,或册数有误。
② 此书卷数不详。

60. 明嘉靖二十一年万虞恺刻本《唐李杜诗集》十六卷八册

副页跋云："原为二十册,改订八册,记其原委于此。民国二十四年(1935)八月十一日,萍乡文素松。"(16:207)

61. 清姜宸英稿本《八家文钞》不分卷(存欧、曾、老苏三家)四册

副页跋云："而炱朽蟫断,漫漶几不可读。亟命工补缀装潢,理为三帙①……雍正辛亥(1731)四月朔,渔庄居士沈堡题于青藤晨夕处。"(16:231~233)

62. 清初抄本《元诗体要》十四卷二册

书末莫棠朱跋云："光绪己亥(1899)三月,独山莫氏用倭青为衣,重装毕记。"(16:247)

63. 清康熙顾氏秀野草堂刻本《元诗选》一百种一百十四卷《首》一卷十八册

夹签莫棠(1865—1929)跋云："曹栋亭(曹寅)旧藏,卢抱经(卢文昭)临桑弢甫(桑调元)评点。阙卷均配齐,尚待重装。"夹签又顾廷龙题识云："此独山莫楚生先生棠手笔,宜与是书同珍。龙志。"又副页跋云："家中旧有《元百家诗集选初集》十一册,乃卢抱经手录桑弢甫评读本。惜甲集佚失,庚、辛两集前后亦不完。今年,乃在苏州得残本数册,既取家中本所少者配入,其重复者仍装订别存。"(16:250~251)

64. 元刻本《国朝文类》七十卷二十四册

副页邓邦述跋云："此元刊本也。入日本,经浅野源氏、篁邨岛田氏诸家藏弆。书虽稍见蚀损,又被其用厚纸裱褙,殊不雅观。在京付装,仅揭其半,匆匆携以南旋。两年始毕,烦费已不赀矣……癸亥(1923)长至后二日,正闇灯下写记。"(16:266)

65. 明刻本《国朝文类》七十卷《目录》三卷十册

书木清朱澄题识云："同治戊辰(1868)九月,外舅购以畀藏。逾年,细读一过,并补录三页,重装十册。仲春既望,识于沪上官廨。"(16:269)

66. 清彭孙贻稿本《明诗选》七卷四册

此书跋云："重装既竟,书此识幸。甲寅(1914)阳历七月十八日,张元济。"(16:288)

67. 明嘉靖六年范震、李文会刻本《皇明文衡》一百卷《目录》二卷二十册

朱澄跋云："同治戊辰(1868)秋仲,外舅购以畀藏。逾年新正,坐雨旬日,流览一过。二月既望,倩吴申甫重装廿册。十九日灯下志于海上官廨,时将随外舅

---

① 此册数与现存册数有异,疑此书后经修复分册。

之任吴门矣。"(16:290)

68. 明隆庆四年孟绍曾刻本《昆山杂咏》二十八卷四册

序末跋云:"同治六年(1867)……是岁,略修订之。八年五月十一夕,捡入城西草堂,书目记之。徐时栋记。"(16:306)

69. 明抄本《二陆集》三卷一册

清季锡畴(1791—1862)跋云:"此太仓先贤陆伯子之箕文集,后有仲子□①裘再续集。余先得南门仲子前后续集,后得此册。喜二陆俱全,因装池成帙,配合完整。"(16:339)

70. 明嘉靖二十二年佘诲刻本《文心雕龙》十卷四册

《目录》末明陈绍祉跋云:"顷检阅,不无感悼,复手为装潢,日置左右,以见先辈典型。时万历己未(1619)清和晦日识。"(16:347)

71. 清雍正松柏堂刻本《读杜随笔》四卷二册

清陈其善跋云:"丁亥②府试,于郡城骨董家购得是编,亟加装订,惟愿长守勿失也。晜孙其善恭注。"(16:384)

72. 吴昌绶抄本《玉斗山人词》一卷一册

此书跋云:"丁丑(1937)春日,校阅装订漫识,吴湖帆。"又王国维《定宇诗余跋》末吴氏跋云:"右五十六字,乃海昌王忠愨公国维手迹。原装于此,故仍其旧。丁丑春日,湖帆记。"(17:91~92)

73. 汪景玉稿本《两宋十大家词》三十卷六册

目次后汪景玉跋云:"顷儓付装池,因重加校订,并记其颠末于此。民国二十一年壬申(1932)大雪节,祁寒呵冻,景玉。时在海上西摩寓斋。"又吴湖帆跋云:"原装十册。余以为厚薄不匀,乃合,重装成六册。癸卯(1963)秋暮,吴倩识。"(17:167,173)

74. 吴昌绶稿本《宋元八家词》十四卷(《无住词》为吴氏手稿本)四册

此书跋云:"壬申(1932)冬,获于沪上,重装。吴湖帆识。"(17:189)

75. 明万历四十一年刻本《百琲明珠》五卷一册

清韩韵海题识云:"道光丙戌(1826)春暮,得此册于京师琉璃厂书肆。夏四月八日,重装。季卿记。"(17:208)

76. 明姑苏叶氏刻本《新刻原本王状元荆钗记》二卷二册

卷下末黄丕烈题识云:"嘉庆辛未(1811)冬收,士礼居重装。复翁阅,岁壬申

---

① 原文残缺。疑为"之"。
② 此书乃陈其善七世祖陈呌(1650—1722)所撰,此"丁亥"疑为1827年或1887年。

(1812)记。"此书又黄跋云:"余藏词曲多旧本。《蔡伯喈琵琶记》巾箱本已从郡故家收得,而为之装潢藏弆矣。昨岁岁除,有书估以青蚨二分拾得《旧刻原本王状元荆钗记》示余,余出番饼一枚易之,重其希有也。先是,装潢某有子,出阊门,见诸冷摊,忽视之,未之取。适余介渠装潢,与《琵琶记》合装,索余一番饼,至是竟成奇货。'贱日岂殊众,贵来始悟希',夫物则亦有然者矣。今春①二月小尽,始装成,因记。复翁。"(17:243,245)

77. 明范氏天一阁抄本《类聚名贤乐府群玉》五卷一册

副页跋云:"乙卯(1915)初秋付装,装成漫题其端。上虞罗振常。"(17:269)

78. 明常熟毛氏汲古阁刻本《江东白苎》二卷《续》二卷一册

副页跋云:"右《江东白苎》四卷,丙子(1936)冬腊,偶游汉口路书肆得之……除夕前一日,装毕记。荀斋陈清华。"(17:271~272)

附:清曹炎抄本《[宝祐]重修琴川志》十五卷二册②

此书跋云:"遂命工去其前后部叶之破烂者而重装之……嘉庆丁巳(1797)季冬中浣一日,荛圃黄丕烈书。"

(臧春华,安徽省图书馆馆员)

参考文献:
[1] 陈先行,郭立暄. 上海图书馆善本题跋真迹[M]. 上海:上海辞书出版社,2013.
[2] 陈先行,郭立暄. 上海图书馆善本题跋辑录附版本考[M]. 上海:上海辞书出版社,2017.

---

① 结合此书卷上末黄丕烈题识,"今春"当指1812年春。
② 此书藏于上海图书馆,索书号830264-66,而《上海图书馆善本题跋真迹》《上海图书馆善本题跋辑录附版本考》均未收录此书。参见陈先行、郭立暄、侯怡敏:《上海图书馆善本题跋选辑·史部(续二)》,收入上海图书馆历史文献研究所编:《历史文献》第四辑,上海科学技术文献出版社,2001年,第66页。

保藏与利用

浅析木质装具对古籍文献的影响因素及改进措施

A Brief Analysis of the Effects and Improvement of Wooden Containers for Ancient Books

易晓辉

摘　要：装具作为古籍文献的保护体，其制作材料的安全性直接影响纸质文献保护的效果。木质材料因其优良的外观质感和温湿度调节功能，在传统的古籍文献装具制作中得到了广泛应用。然而从文献保护涉及的相关指标来看，大多数木材也存在一些缺陷，难以满足古籍装具安全性方面的具体要求，尤其是木材的酸性和有机挥发物会对文献纸张的寿命产生不利影响。如何兼顾传统使用习惯和科学保护的安全性要求，解决木材的酸性和挥发物缺陷，成为文献保护领域亟待解决的问题。在制作木质装具时，应科学选材，做好常规处理，同时还可采用碱性改性、热处理、固化封闭等处理措施对木材加以改进，以期对古籍文献提供更好的保护。

关键词：木质装具；古籍保护；酸性；挥发物；改性处理

文献装具是存放文献用的书柜、书箱、书架、书盒、书函、夹板、书套、书袋、书帙的总称[1]。千百年来，为保护承载着中华文明的珍贵古籍，先辈们利用不同材料设计制作了各种类型的文献装具，不仅能有效降低风沙、灰尘和光照对古籍的侵蚀，保护文献免受外部因素的损伤，还能有效防止和降低有害生物的危害。木质材料是文献装具最常用的原料之一，材质多样，利用价值高。本文试图对木质文献装具的优势和问题做一简要梳理，并从材料安全性能的视角出发，通过分析木质材料所存在的酸性、挥发物以及其他安全方面的不利影响，进而提出一些改进措施，以便最大限度地实现装具对文献纸张的保护功能,延长文献的保存寿命。

一、木质装具的优势

(一)美观大方

木材以其特有的香、色、质、纹等特性受到人们珍爱,被广泛应用于各类生活环境当中。从视觉特性而言,木材的色调主要分布在 2.5Y~9.2R(浅橙黄至灰褐色),以 5YR~10YR(橙黄色)居多,容易使人产生温暖、沉静和素雅的感觉。另外,木材的光泽也有独到之处。木材的表面由无数微小的细胞构成,如同无数个微小的凹面镜,内反射的光泽有丝绸表面的视觉效果。有研究表明,木材对紫外线和蓝紫光的吸收性较好,能够减轻紫外线对人眼的伤害,同时又能反射较多的红外线,人们对木材的温暖感与红外线的热辐射效应有直接关系。木材表面的木纹是天然生成的图案,大体平行而不交叉,在规律中呈现一定的起伏变化,人们对其有一种天然的亲切感。

这些都是人们偏爱木材的原因,实践中人们也普遍认为使用木质装具更显档次,尤其是用作珍贵古籍的装具,更能衬托文献的价值。国家图书馆藏文津阁《四库全书》自清代存于避暑山庄时起,整套书即采用金丝楠木书函,楸木贴金丝楠书架,至今仍为原函原架存放。这种审美的偏好除了来自材料本身的质感特性,也有文化层面潜移默化的影响。相较而言,普通的纸板、金属和塑料等材料在这方面逊于木材。

(二)调湿能力

纸张长期保存要求相对稳定的温湿环境。温湿度的不断波动会使纸张内部纤维发生频繁的吸湿和解吸,造成纤维细胞壁内的微细纤维之间产生交替的润胀与收缩,导致不可逆的角质化和风化作用,加速纸张自然老化[2]。因此纸质文献的保护不仅要求适宜的温湿度,对温湿度的稳定性也有严格规定。现行国家标准《图书馆古籍书库基本要求》(GB/T 30227—2013)要求古籍书库温湿度应保持稳定,温度日较差不宜大于2℃,相对湿度日较差不宜大于5%R.H.[3]。

木质装具的调湿能力正好符合文献保护对环境温湿度稳定性的要求。在环境湿度发生变化时,木材能够吸收或者释放水分调节外部环境的湿度[4]。这种调湿能力也常被认为是木材对外部环境湿度的缓冲能力,其缓慢的自然吸湿和排湿过程一方面降低了外界环境湿度波动的幅度,另一方面也延缓了外界环境湿度上升和下降的时间[5]198-200,[6]。

不过随着现代文献保护技术的不断发展,对装具的要求也日益科学化和规范化,木质装具微弱的调湿性能已无法满足现代文献保护的要求,库房温湿度主要由空调设备精准控制来实现。木质材料调湿功能在实践中所起的作用逐步弱化。

二、木质装具的不利因素

(一)酸性

随着相关研究的深入,木质材料的一些短板和问题也逐渐暴露出来,例如木材普遍具有的酸性和挥发物问题,跟纸质文献保护材料的相关要求明显不符。木质材料具有天然的酸碱性质,世界上绝大多数木材呈弱酸性[7],仅有极少数木材呈碱性。人们曾发现这样的现象:存放在仓库的木箱中的金属制品遭受的腐蚀比在大气中更严重,木材干燥设备的内壁也时常出现明显的腐蚀痕迹等。引起这些金属物品发生腐蚀的,正是木材所释放出来的酸性物质[8]。相关研究表明,木材中的酸性物质主要有以下几类。

1. 乙酰基水解生成的乙酸

木材的主要成分是纤维素、半纤维素和木质素,其中纤维素和半纤维素是由许多失水糖基以苷键联结起来的天然聚糖化合物,每一个糖基上面都含有羟基,部分羟基与乙酰基结合形成乙酸酯,当乙酸酯发生水解时,便会释放出乙酸,其反应方程式如下:

$$R\text{—}OCOCH_3 + H_2O \rightleftharpoons R\text{—}OH + CH_3COOH$$

糖基乙酰基　　　　　　　　　乙酸

反应中释放的乙酸使木材常带有酸性,由于乙酸易挥发,水解反应会不断向生成乙酸的方向移动。一般木材中约含有1%~6%的乙酰基,其中阔叶材的含量比针叶材高,约为3%~5%。木材中的乙酰基含量越高,水解生成的乙酸就越多,酸性就越强。尽管乙酸在化学酸中属于弱酸,但其酸度系数也达4.756,属于酸性较强的弱酸。而且乙酸还具有一定的腐蚀性,不仅能腐蚀金属,对纸张的酸化老化也有明显的促进作用。木材释放的乙酸能够直接被纸张吸收,是木质装具对内装文献最大的危害。正是由于这个原因,西方很多博物馆和图书馆已开始限制木材在装具当中的使用,或在没有替代物的情况下,在木质装具表面涂一层木材封闭剂后再使用[9]。

2. 半纤维素所含糖醛酸

半纤维素部分糖基所含的糖醛酸是木材酸性的另一个重要来源,如阔叶材中的聚-O-乙酰基-4-O-甲基葡萄糖醛酸木糖,针叶材中的聚-O-乙酰基半乳糖葡萄糖甘露糖、聚阿拉伯糖-4-O-甲基葡萄糖醛酸木糖。这些糖醛酸在木材中的含量并不低,如阔叶材中的聚-O-乙酰基-4-O-甲基葡萄糖醛酸木糖通常可达 20%～25%。这些聚合态的糖醛酸在自然存放过程中还会发生降解反应,释放出糖醛酸单体或其他酸性产物[10],无论是聚合态还是单体都呈一定酸性。

3. 木质素具有的弱酸性基

在自然界中,木质素是含量仅次于纤维素的有机物,在木材中的含量一般为 20%～40%,高于半纤维素。木质素是由三种苯丙烷结构的单体聚合而成的高聚物,每个苯丙烷结构中都含有一个弱酸性的酚羟基。酚羟基的酸性尽管比较弱,但因木质素总体含量大,对木材总体酸度的提升也有相当的作用。

4. 木材抽提物的酸性成分

木材中还含有一定量的单宁酸、树脂酸、脂肪酸,以及少量的甲酸、丙酸和丁酸等低分子有机酸,一般被统称为抽提物。这些抽提物的含量和种类因材种而异,含量高者超过 30%。树脂酸在针叶材中较多,阔叶材则主要是脂肪酸,单宁酸主要分布在树皮当中。日本研究者对一些有明显气味的木材进行分析后发现,这类木材大多含有丁酸、异戊酸、已酸、辛酸及二氢肉桂酸等[11]。一般认为,这些低分子有机酸一部分是木材自身所含有,在新陈代谢过程中生成并存留在木材当中;另一部分则是木材内部组分发生降解,或是木材中的糖类、淀粉等物质被微生物代谢分解而生成。这些有机酸尽管总量不及前两类,但均可提高木材酸性。

5. 矿物质含有的酸根

木材尽管是天然生长的有机材料,其化学组分绝大部分为有机物,但也还含有 0.2%～4% 的矿物质,主要为碳酸盐、硅酸盐和磷酸盐等弱酸盐。除此之外也还含有少量强酸盐。一般木材中,硫酸盐占总矿物质的 1%～10%,氯化物占 0.1%～5%,虽然含量较低,但它们电离、水解之后也可使木材的酸性提高。

6. 木材改性过程所引入的酸性成分

木材作为一种天然材料,在制成各类产品时某些特性存在不足。为了弥补这些不足,最大限度地利用木材,需要对木材进行必要的改性,赋予其某些特殊性能。譬如通过化学改性提高木材的阻燃性、尺寸稳定性、物理强度以及表面特性等。某些改性技术在应用中也会引入酸性物质,如木材的乙酰化会引入更多乙酰基,导致乙酸释放量增加;一些木材阻燃剂为酸式盐或含有强酸根,这些改性剂的加入都会提高木材酸度。

由于木质材料当中上述诸项酸性因素的共同作用,绝大多数木材内部酸性物质和基团占据优势,并最终呈现酸性。国内外一些研究已证明,世界上绝大多数木材的pH值在4.0~6.0之间。日本的往西弘次、后藤辉男等曾测定世界重要木材的pH值分布状况,涵盖针叶材44种,阔叶材252种[12],其pH值分布状况如图1所示。

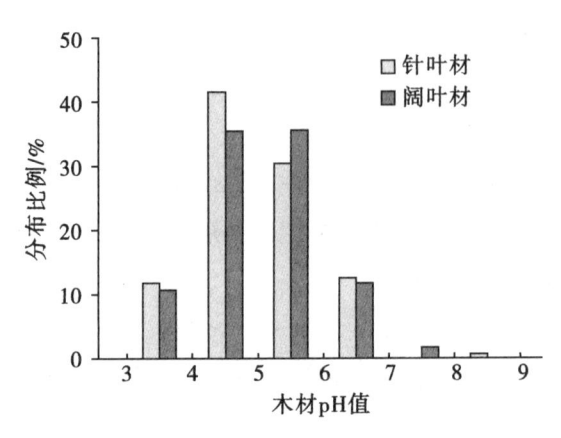

图1 世界主要树种木材pH值的分布比例

帕克曼(D. F. Packman)等人测定了125种木材的pH值,其中120种的pH值在4.0~6.0之间,仅有4种木材的pH值超过7.0[5]137-138。中国林业科学院李新时、相亚明等所测定的中国45种木材的pH值中,仅有一种为7.5,其余44种均分布在4.0~6.2之间[13]。近年也有一些学者测定文献装具常用木质材料的酸碱度,如樟木为4.5,桢楠(金丝楠木)为4.3,润楠(水楠)为5.1。当然,木材的pH值并非完全由材种决定,不同的产地、生长环境和木材状态都会造成pH值的差异。以香樟木为例,不同学者测得的pH值在4.5~5.8之间都有分布。

由于纸张当中的纤维素在酸性条件下极易发生酸性水解,降低纸张寿命,酸碱性成为决定纸张寿命的首要指标,纸质文献应尽可能处于中性或弱碱性环境,避免接触酸性物质。装具作为跟文献纸张长期近距离接触的物品,其材料的酸碱性会直接影响文献的保存寿命。木质材料持续释放的乙酸、甲酸等酸性组分会被文献纸张吸附,加速纸张的酸化老化进程,成为纸质文献长期保存的一大隐患。

(二)挥发物

木材的挥发物是木质装具的另一隐患。在过去,人们常常选用有特殊气味的木材,希望达到一定程度的避蠹效果。而今随着保护技术的发展,有害生物防治更多依靠库房整体环境的控制。装具的驱虫功能只在小规模收藏单位还有一定应用价值,在较大规模的公藏单位里已无须由装具来承担避蠹功能。在此背景下,这些有特殊气味木材的副作用——大量的挥发物对文献纸张存在隐患——逐渐引起人们的注意。

木材的挥发物主要分为两大类:一类是萜和萜烯类挥发物,另一类是非萜烯类挥发物。萜和萜烯类挥发物指以异戊二烯为基本单元的化合物及其含氧衍生物,这些含氧衍生物可以是醇、醛、酮、羧酸、酯等。木材中常见的萜和萜烯类挥发物大约有20~30种,包括α-蒎烯、β-蒎烯、莰烯、苎烯、月桂烯、檀烯等。这类挥发物在针叶材中含量较阔叶材高,一般有明显气味的木材大多含有较多这类挥发性化合物[14]。非萜烯类挥发物则主要包括甲酸、乙酸、丙酸、丁酸等有机酸,也包括甲醛、乙醛、己醛和糠醛等有害气体。

木材中的这些挥发性有机物能在长时间内连续不断地释放出来,不论其存放多长时间都会有挥发物释放。这些挥发物中甲酸、乙酸等有机酸类物质本身为酸性,其危害在前文已有论述。甲醛、糠醛等醛类物质则可以氧化为酸。萜和萜烯类挥发物虽然本身为中性,但其化学性质较为活泼,容易诱发纸张纤维的降解反应,或通过其他途径影响纸张的老化进程,对纸质文献的保存和保护都存在负面影响。

以传统装具常用的樟木和楠木为例,陈云霞、贾智慧等曾用气相色谱-质谱联用技术对楠木、樟木的挥发性成分做过分析[14-15],将相关结果汇总,两种木材的主要挥发性成分如表1所示。

表1 樟木和楠木中的挥发性成分

类别	樟木	楠木
醇	α-松油醇、桉油醇、橙花叔醇	沉香螺萜醇、β-桉叶醇
酚	2,4 二叔丁基苯酚、1-萘酚	2,4-二叔丁基苯酚
酮	樟脑	马鞭草烯酮
醛	十四烷醛、7-甲氧基-3,7-二甲基-辛醛	十四烷醛
酯	十六烷酸乙酯、邻苯二甲酸丁基烷基酯、酞酸二丁酯	邻苯二甲酸丁基烷基酯、酞酸二丁酯
酸	丙酸、乙酸、氯化氢、丁酸、己酸、十六烷酸、棕榈酸	甲酸、乙酸、丁酸、己酸
烯烃、烷烃	正二十一烷、2-溴代十二烷、可巴烯、α 水芹烯、正二十六烷、α 荜澄茄油烯、正十五烷、鲸蜡烷、正十七烷、D-柠檬烯	3,6-二甲基癸烷、氧化石竹烯、α-荜澄茄油烯、正二十一烷、正十五烷、鲸蜡烷、2-溴代十二烷、正十七烷

这些挥发性成分释放到文献存放空间中,不仅对文献纸张存在不利影响,对书库内的工作人员也有一定影响。部分木材的挥发物能够刺激人的中枢神经,或会对呼吸道产生刺激,长期吸入可能会不利于人的身体健康。

(三)木质材料的其他安全性问题

1. 易燃

木质材料的可燃性是其作为文献装具的一项重要安全隐患。天然木材中,仅泡桐等少数木材燃烧性较差,绝大多数木材都比较易燃,尤其是一些油性较大、挥发物含量较高的木材燃烧速度非常快。虽然现代文献库房发生火灾的概率很小,但是一旦发生火情,木质的书柜、书架、书函都很容易燃烧,甚至在灭火之后的低氧条件下还能持续阴燃。木材的易燃性使得木质装具在极端情况下不仅不能为文献提供必要的保护,甚至还可能会增强火势,这跟保护文献的功能要求是不相符的。

2. 易生虫霉

作为天然生长的有机材料,木材的主要成分纤维素和半纤维素属于多糖类物质,此外还有果胶、单宁、树脂、糖、淀粉、蛋白质及少量无机盐类。这些成分为虫霉生长提供了营养基础,大多数木材害虫能够啃食木材并消化其中的纤维素、半纤维素、淀粉及其他糖类,而造成木材腐朽的木腐菌则能分解纤维素、半纤维素和木质素。树木在自然生长过程中常有生虫生霉现象,部分虫卵甚至会残留在木材当中,空气中也有大量的霉菌孢子,在合适的温度、水分及其他环境条件下,极易导致木材发生虫蛀、生霉等生物病害。

以木质装具常用的樟木为例,人们常认为樟木特殊的气味可以驱虫,但这更多是心理安慰。清代藏书家叶德辉曾观察到"二十年前,余书夹多用樟木,至今生粉虫"。有资料提到,中国预防疾病控制中心寄生虫预防控制所曾对樟木块的防蛀效果进行检测分析,发现其防虫效果非常低,杀死蛀虫的可能性接近于零,天然生长的樟木本身就有很多病虫害[16]。纸质本身来源于植物纤维,化学成分与木材相近,木材的虫霉病害也很容易传染至文献纸张,给文献的保存保护造成隐患。

3. 掉色

许多木材当中含有色素,如广受欢迎的红木类木材及金丝楠、胡桃木等有色木材普遍含有色素,尤其在新材中更加明显。这类木材在直接与纸张接触时,内部的色素可能会浸染到纸张当中。尽管大部分文献有装具和书皮保护,木质装具表面一般也会打蜡、上漆,木材掉色影响纸张的情况微乎其微,但长期保存过程中仍无法排除这方面的风险。纸张一旦被染色,很难再有效去除干净,影响珍贵文献的外观。

三、木质装具的改进措施

从前文总结的这些特性来看,使用木质材料制作文献装具,虽然在外观和调湿性能上具有优势,但其缺点也相当突出,尤其是酸性和挥发物对文献纸张有明显的不利影响。从科学保护的角度而言,绝大多数木材并不适于直接制作文献装具。考虑到传统审美及使用习惯对木质装具的偏爱,如何通过科学手段有效避免木质装具的酸性、挥发物及其他安全方面的潜在问题,补足相应的短板,成为文献保护领域亟待解决的课题。

(一)科学选材

鉴于大多数木质材料在酸碱度、挥发物等方面的特性难以满足纸质文献保护的相关要求,文献装具应尽可能避免选用酸性较强、挥发物含量较高的木材,特别是松木、杉木等油性较大的木材,另外在文献装具领域曾广泛应用的樟木也应谨慎使用。使用木材来制作装具,应尽量考虑选用 pH 值接近于中性乃至碱性、挥发物含量较低的品种。

台湾嘉义大学陈俊宇等人测定了装具常用木材的 pH 值后认为,桐木、红桧等木材更接近中性,可以用于制作文献装具[17]。不过考虑到不同木材品种和产地在材性方面存在一定程度的差异,这一结果在全国范围内是否适用,还需开展更加广泛的分析和研究才能确认。李金英、张求慧等学者的研究表明,土壤酸碱度和产地会影响木材 pH 值[18-19],生长于北方偏碱性土壤的杨木、榆木、泡桐等木材的 pH 值一般较偏中性或者弱碱性,文献装具的制作应尽可能选择这类木材。

当然,天然木材中 pH 值符合使用要求的毕竟太少,像杨木之类尽管酸碱度符合,但在变形性等其他方面未必都能满足要求。对木材进行必要的处理或者改性以提升 pH 值,或许才是解决这一问题的根本办法。

(二)木材常规处理方法

对文献装具常用的木质材料进行针对性的处理,一定程度上中和木材内部的酸性,降低挥发物含量,避免保藏过程中由木材本身对文献造成的不利影响。

在木材砍伐之后,可以采用传统的水浸处理,将原木沉入湖泊、河流或池塘等自然水体中浸泡一段时间。水浸过程不仅能够降低木材当中水溶性抽提物和有机挥发物的含量,还能溶出一部分酸性物质,并起到一定程度的脱色和杀虫作用。

另外在木材的干燥过程中,也可采取适当的处理方式以降低木材的挥发物含量。譬如可以通过适当提高烘干温度、延长干燥时间,促使木材当中的挥发性成分尽可能在干燥过程中挥发排出。不过木材干燥并不能解决酸性问题,甚至还会因为甲酸、乙酸等物质释放过程中的二次吸附引起 pH 值下降[20],需要结合其他改性方式控制木材的酸碱度。

除了这两种传统的方法,水热蒸煮过程也能促进木材当中酸性抽提物的释放[21],尤其是水溶性酸和低分子量挥发物的释放。许多木材在使用之前需要进行水热软化处理,如在蒸煮的水中加入碳酸氢钠等水溶性碱,在软化的同时还能中和木材中的酸性成分,改善木材的酸碱度,这也是一种行之有效的处理方法。

(三)木材的改性处理方法

常规的处理方法虽然可以在一定程度上降低挥发物含量,但大多仅是降低释放,并不能完全消除这些隐患,与文献保护的安全性要求还有一定距离。若要有效解决木材酸性和挥发物问题,必须考虑采用适当的技术方法,对木材进行改性处理。

1. 碱性改性处理

针对大多数木材为弱酸性的问题,可以通过改性的方法提高木材的酸碱度。具体操作方法可以参照木材强化处理常用的技术途径。

一种是浸渍法,将木材置于碱性溶液中浸渍,中和木材当中的酸性成分,促进半纤维素的溶出。除常压浸渍以外,还可以通过抽真空、满细胞法等方式增强浸渍效果。另一种方法是高压加注,将石灰水、小粒径的碳酸钙悬浊液或其他碱性成分通过横截面直接加高压注入木材导管中,干燥后这些碱性物质便能够保留在木材当中。此外,近年研究较多的复合改性方法也可以达到类似的效果,通过在两种以上反应性的溶液中先后浸渍,木材内部可生成一定量的碳酸钙、二氧化钛等物质。

通过这类方法向木材内部引入不溶的碱性成分,不仅能中和木材中的酸,提高整体 pH 值,还能赋予木材一定程度的吸附酸的能力,减少乙酸等酸性气体的释放,避免因木材本身酸性问题对纸质文献和藏品造成的负面影响。同时,这类无机碱的引入还能使木材具备一定程度的阻燃性和防腐性能,这两方面也是文献装具材料应具备的功能。

2. 热处理(炭化木)

热处理是近年新引入的一种比较环保的木材改性方式,是在高压或真空条件下采用180℃~250℃的长时间加热处理,使木材发生一定程度的同质炭化。

炭化之后的木材不仅尺寸稳定,不易变形,相关特性的变化还能契合文献保护的用材需求,是装具用材未来可以参照的一种改性途径。

热处理过程能促使木材内部挥发性成分大量排出,降低木材内部挥发性有机物的储量,后续使用时这类成分的挥发量会降低,一定程度上减轻木质装具的挥发物问题。耐热性较弱的半纤维素在炭化时被大量降解,半纤维素中的乙酰基在高温时发生脱乙酰反应,释放出乙酸[22],降低了木材在使用过程中的乙酸释放量。不过,释放出的乙酸虽然大部分被排出,但仍有小部分残留于木材当中,可能会造成木材 pH 值有小幅度降低。因此,装具用木材的热处理应尽可能在碱性条件下进行。

热处理时木材当中的营养成分被破坏,制成的炭化木具有良好的防腐性能。同时在高温处理过程中,潜藏在木材当中的害虫及虫卵也会被彻底杀死,能够避免木材本身引入的虫害问题。不过木材在炭化之后可能会产生小幅度的强度损失,实际应用中还要根据具体需求综合考量,取长补短。

3. 固化封闭处理

木材会持续向环境中释放酸性及挥发性物质,若能通过一些技术手段将这些挥发性物质固化在木材内部,抑制这种释放过程,则能防止装具用木材释放挥发物对纸质文献的不利影响。

在木材释放的有害物质当中,乙酸因其含量较高而危害最大,可以采用浸渍的方法使固化剂深入到木材细胞当中,与半纤维素发生反应,将乙酰基固化在木材纤维当中,阻止其向环境当中释放。其他的有机挥发物除采用类似的方法以外,还可以采用封闭的方式,选择合适的固化剂注入木材当中,让其在木材纤维细胞当中发生聚合反应,同时将木材当中的挥发性成分封闭在纤维细胞内部,阻止木材中有机挥发物的排出。

(四)装具制作中的处理方法

除了从材料层面采取这些必要的措施,装具的制作过程中也应考虑材料酸性和挥发物问题对文献保存的影响。为了降低木材内部酸性气体和其他挥发性成分的释放,木质文献装具应在表面进行必要的封闭处理,如涂蜡、刷漆或喷涂中性树脂,以形成一层密封膜,阻止或减少木材内部有害成分释出。

有些传统木质装具为了美观,在装具外表面涂蜡、刷漆,但内表面很少进行处理。从保护的角度来看,内表面的封闭处理其实比外表面更为重要,仅仅密封外表面会促使挥发性成分向内释放,进而被内装文献吸附后造成不利影响。有条件的情况下应对内外表面都进行封闭处理,减少木材内部有害成分的释出。

同时在用于封闭的蜡、清漆中还可以添加一定量的氧化钛、氧化锌等无机氧化物,这样做不仅可以中和木材内部的酸性物质,还能够阻挡外部紫外线对木材的破坏,提高装具材料本身的耐久性能。

四、结语

整体而言,传统木质装具大多以原木制作,从科学保护的角度来看,原木并不是制作文献装具最理想的材料。针对文献装具使用要求的木材改性处理措施目前尚未被广泛应用,解决这一问题还需将木材科学相关技术与纸质文献保护的具体要求深入结合,探索更多方案和有效途径。本文仅从文献保护对木质装具的要求入手,尝试列举了几种可能的解决办法和改性方式,具体应用效果还须在实践中检验和评价。期待随着新技术和新材料的不断发展,未来能够有更加完善的方案解决木质材料性能中的短板,或是有更加安全、性能更好的材料应用于文献装具的制作,以改善文献的保存环境,延长珍贵古籍的保存寿命。

(易晓辉,国家图书馆副研究馆员)

参考文献:

[1]陈红彦,张平.中国古籍装具[M].北京:国家图书馆出版社,2012:1.

[2]张金萍,郑冬青,朱庆贵,等.热老化模式对纸张性能的影响[J].文物保护与考古科学,2013,25(3):16-19.

[3]中华人民共和国文化部.图书馆古籍书库基本要求:GB/T 30227—2013[S].北京:中国标准出版社,2014.

[4]李坚.木材科学[M].3版.北京:科学出版社,2014:243-244.

[5]刘一星,赵广杰.木材学[M].2版.北京:中国林业出版社,2012.

[6]刘家真.古籍保护原理与方法[M].北京:国家图书馆出版社,2015:50-51.

[7]北原覚一,水野裕夫.木材酸性物質とペーフイクルボードの剥離抵抗につしこ[J].木材学会誌,1961(7):239-241.

[8]蒋凤祥,陈宗琼,何锡渊.木材中酸度和微量腐蚀气氛的分析[J].兵工学报(防腐与包装分册),1983(3):23-26.

[9]张晋平.文物箱柜囊盒材料对文物的损害及防治[C]//中国文物保护技术协会.中国文物保护技术协会首届学术年会论文集.2001:248-252.

[10]杨淑蕙.植物纤维化学[M].3版.北京:中国轻工业出版社,2001:230-233.

[11]中野准三,樋口隆昌,住本昌之,等.木材化学[M].鲍禾,李忠正,译.北京:中国林业出版社,1989.

[12]往西弘次,後藤輝男.木材のpHとさの実用意義[J].木材工業,1977,32(3):99-103.

[13]李新时,相亚明.木材酸度的初步研究[J].林业科学,1963,8(3):263-266.

[14]陈云霞,史洪飞,宋小娇,等.樟木与楠木木材挥发油成分的比较与分析[J].四川农业大学学报,2016,34(3):312-316.

[15]贾智慧,李玉虎,鲍甜,等.樟木挥发物对纸质档案耐久性的影响研究[J].中国造纸,2017,36(6):43-48.

[16]周健.广西全州县香樟和大叶樟的病虫害防治[J].北京农业,2015(27):105-106.

[17]陈俊宇.木质典藏用材对于纸质文物保存性之影响[D].嘉义:嘉义大学,2005.

[18]李金英,周燕芬.土壤pH值对湿地松木材酸碱性的影响[J].广东林业科技,1997,13(2):37-40.

[19]张求慧,赵立,金华,等.泡桐和毛白杨的pH值与酸碱缓冲容量[J].北京林业大学学报,1995,17(S2):47-51.

[20]龙玲,陆熙娴,张战号.尾叶桉干燥过程中有机挥发物释放的研究[J].林产工业,2007,34(4):8-13.

[21]曹金珍.木材保护与改性[M].北京:中国林业出版社,2018:88.

[22]李家宁,李民,秦韶山,等.蒸汽介质热改性橡胶木有机酸释放量与炭化木性能分析[C]//第六届中国木材保护大会暨2012中国景观木竹结构与材料产业发展高峰论坛2012橡胶木高效利用专题论坛论文集.北京:中国木材保护工业协会,2012:70-74.

武汉大学图书馆利用 RFID 管理古籍的设想

The Proposal of Using RFID to Manage Ancient Books in Wuhan University Library

吴芹芳　谢　泉

摘　要：因为古籍存藏与利用的特殊要求，武汉大学图书馆在古籍的清点与出入库管理上一直未能找到对古籍伤害度最小而又有效的方案。RFID 技术具有非直接接触、远距离跨介质识别、自动批量处理大容量数据等特点，为古籍智能化管理系统的研发提供了核心技术支撑。文章探讨了 RFID 应用于古籍管理的可行性、其可实现的功能，以及目前待解决的问题。

关键词：RFID；古籍；智能管理；功能

武汉大学图书馆(以下简称"我馆")一直重视古籍的保护及利用。自从 2007 年国务院办公厅发布《关于进一步加强古籍保护工作的意见》(国办发〔2007〕6 号)以来，学校、图书馆成立武汉大学古籍保护中心，筹建专用古籍书库，按照古籍特藏书库的要求配备大型恒温恒湿温控系统、新风系统、防火防盗安全报警装置等设备，购置专用全樟木书柜。我馆的 20 万余册(件)古籍存放于这样的环境中，使古籍保护工作上了一个新台阶。但是鉴于无光照、无紫外线的环境要求，书库一般是密闭遮光的，书柜不透明且上锁。这些制度和措施有利于古籍的安全，却给古籍管理人员带来了一定的不便，尤其是古籍的日常出入库管理及定期清点工作，都耗费了大量的人力和时间。古籍工作者迫切希望引进一个可以化繁为简、一劳永逸地解决这个问题的智能古籍管理系统，把工作人员从这些日常工作中解放出来。现在,RFID技术已进入古籍工作者的视野,国内已有部分图书馆如南京中医药大学图书馆、上海中医药大学图书信息中心等单位率先在古籍管理中使用了RFID技术,提供了一些可借鉴的经验。目前我馆尚在调研设计阶段,需多方论证后才能正式立项。

一、RFID应用于古籍管理的可行性

提及古籍智能管理系统及RFID技术,首先要考虑的就是对古籍有无负面影响,会不会对古籍保存不利。RFID全称Radio Frequency Identification,即无线电射频识别,又称电子标签,是一种基于无线电的、非接触式的自动识别技术。南京中医药大学图书馆从2016年9月开始使用RFID,该馆赵英如撰文称"RFID具有非直接接触、远距离跨介质识别、自动批量处理大容量数据等特点"[1]。

(一)RFID的使用基本无损古籍的安全

使用RFID技术管理古籍,只需在古籍上粘贴一个电子标签,不用其他额外的手段或者附着物。如果古籍保存单位选择合理的电子标签,设计合适的粘贴位置,可使古籍免遭侵蚀性损害。RFID标签本身耐腐蚀性强,古籍纸张酸化、老化等因素对标签的影响较小,理论上可以一次加工长期使用,无须担忧标签的反复替换累及古籍的安全。目前尚不清楚标签本身自带的粘胶对古籍纸张有无副作用,但保险起见推荐使用无酸纸做成纸袋,放入标签后贴在书衣反面。这样可以避免标签自带的化学成分可能对古籍产生不利影响。由此可见,只要全面考虑,谨慎选择,使用RFID应不会对古籍的保护产生较大的负面效果。

(二)RFID的使用可加强对古籍的保护

RFID标签的非接触性识别技术可以减少翻阅古籍的次数。古籍兼具文献与文物价值,它的文献载体具有特殊性,易磨损,易老脆,不耐久翻,因此要求古籍的存藏环境符合特定的标准,古籍的翻阅次数尽量减少。如果引入RFID,它的非接触性识别特性可以保证古籍完成标签的加工后,能发射无线射频信号,让工作人员可以不接触古籍,远距离自动识别图书信息。除首次放置标签需要打开古籍、翻动书页外,以后的日常工作如取还书、倒架等都只要整套搬运即可,无须翻动古籍;而清点、查询等工作则连柜门都不必打开即可完成。可以预期,使用RFID不但无损古籍,而且将会大大减少对古籍的损害。

使用RFID标签可以记录古籍从征集、入馆、入藏、鉴定、提用与退还、保护、修复、研究、注销等古籍图书管理环节到展示管理环节的信息[2],可以不直接接触古籍就完成清点、整理、读者借阅等工作,将对古籍的损害减小到最低程度。

它的出现能极大地缓解目前难以调和的古籍藏与用之间的矛盾,具有极高的可行性。

二、RFID 应用于古籍管理可实现的功能

RFID 技术目前在图书馆界中已被广泛使用,它给图书馆的日常工作带来诸多便利,比如实现图书批量自助借还、自动分拣、精确定位、快速理架、安全防盗等[3]。我馆古籍实行闭架管理,读者只能到室阅览,自助借还、自动分拣功能暂不考虑。相应的模块可以运用到大批量古籍出入库的统计工作中,解决人工逐册登记烦琐的问题,节约时间。RFID 的精确定位、理架清点、安全防盗等功能,在古籍管理中都可以实现。

(一)图书定位功能

我馆古籍采用四部分类结合《中国十进制分类法》编制索取号,排架与普通中文书刊不同,而且古籍全部放在樟木书柜中,每个书柜皆要上锁,不打开柜门无法知悉柜内古籍排架情况。非古籍部熟悉馆藏布局的员工,难以快速地找到相应的柜架位,难以精准地确定要取的古籍的位置,古籍出库后上架也会面临同样的问题。运用 RFID 技术后可实现古籍的精确定位,即便是不熟悉馆藏布局之人都可以通过古籍智能管理系统查到某部古籍的定位坐标,按照三维地图的提示就可以轻松解决找书、上架等困难。

(二)图书清点功能

运用 RFID 技术可以提高清点效率,节约人力成本。对古籍部来说,清点是项不得不做但费时费力的工作。我馆古籍部会定期进行古籍清点。人工清点时需打开柜门、函套核对,每次清点耗时几个月至半年不等。需要投入三四个人力,严重影响其他工作的展开,且函册过多清点时易出错。古籍安装 RFID 标签后,清点工作就可以通过使用相关设备在一定距离内隔着柜门同时扫描数个书柜内的古籍来完成,数秒内即可了解若干部古籍的存放情况,是否在架、是否乱架也可同时查清,清点和整理乱架古籍可一气呵成,每个柜门打开又锁上的时间都节约了,大大增加每日每人清点古籍的数量,提高工作效率明显。尤其是清点结果可直接从系统中导出生成 Excel 表格,能自动分析汇总,永久存档备查,且可与以前的清点结果进行对比。这些功能是手工清点所不具备的,可谓一举多得,省时省力。

(三)安全防盗功能

古籍的安全防盗历来是图书馆安全工作的重中之重,目前我馆古籍书库采

取了多重保护措施,安装了门禁系统,需一人持库门钥匙一人刷门禁卡同时入库,每个书柜安装了锁。这些软件和硬件措施都是从外围来考虑古籍的安全。但 RFID 的使用可以让古籍本身与防盗相结合。古籍安装 RFID 标签后,对应的古籍信息也进入了智能管理系统的数据库,标签与古籍单册一一匹配,在系统内有固定的架位。只要古籍未经系统许可离开指定位置,就会触发报警装置,提醒工作人员查看。使用 RFID 系统后,配合门禁报警等其他防盗设施,可全方位保证古籍的安全。

(四)图书出入库数据的统计

目前,我馆古籍书库管理方式比较原始,编目、修复、展览、读者阅读等工作所需古籍出入库均由手工分类登记造册。古籍出入库需逐部手写书名、索取号、函册等信息,所需时间较长。读者阅读和工作所需调阅古籍出入库是分册登记的,一旦要查询某古籍出入库历史,如果不记得大体的时间,要查询清楚基本是不可能的。运用 RFID 技术后,读者阅览记录可以通过智能管理系统进行统计整理,分析读者利用古籍的倾向、研究热点,方便调整读者服务策略。工作人员调书出入库更方便快捷。手工管理方式下,一个书柜平均三百余册古籍的出入库工作,需要调书者与书库管理人员面对面花费半小时以上检查核对并完成手工登记。而在 RFID 模式下,一个书柜的古籍出入库工作,只需要书库管理人员扫描电子标签,数据马上进入系统,完成登记任务,完成时间不超过 1 分钟。相对而言,运用 RFID 技术后效率可提高数十倍。最重要的是,这些出入库记录可以在数据库中生成索引,查询某部古籍的出入库记录只需要输入书名或者索取号,不管是读者阅览还是工作需要,出入库记录都一目了然,几秒中就会列出详细结果,把基本不可能变成不成问题。表 1 列出了手工登记和 RFID 登记的不同,可帮助大家直观感受两种工作方式的本质区别及不同效果。

表 1　手工登记古籍与 RFID 登记古籍对比表

事项	人工登记	RFID 登记
登记方式	分类逐条手写	批量处理
登记内容	书名、索取号、函册	RFID 标签
登记速度	慢	快
查询记录	不方便	快速准确
分析汇总	不现实	可分析读者利用古籍的倾向,总结科研人员研究热点,统计工作人员任务完成情况

三、目前需要解决的问题

我馆古籍运用 RFID 技术还在筹备阶段,古籍是珍贵的文物,不能草率试验,目前面临的若干问题要经过反复斟酌、严密论证,得到可行的结论后才能进入下一个阶段。

(一)标签频率的选择

目前常见的 RFID 标签有高频/HF(High Frequency)和超高频/UHF(Ultra High Frequency)两种类型并各有优缺点。高频 RFID 基本无盲区,误读率低,标签显眼,但价格略贵。而超高频 RFID 则相反,可读写距离远,有扫描盲区,误读率高,但标签较小,隐蔽性强且相对便宜[1]。南京中医药大学图书馆选择了对该馆有利的高频 RFID,上海中医药大学图书信息中心则选择了超高频标签[4]。我馆流通阅览部的图书已确定使用 RFID 超高频标签,目前正在加工试运行阶段,到时可能会结合其他古籍收藏单位使用 RFID 标签的经验来综合考虑选择。

(二)数据单位的设定

一部古籍可能会分装成若干函、若干册。我馆古籍是以部为单位著录的,一条书目记录只对应一个单册记录。原版古籍只有登录号没有条码,书目记录的馆藏信息,往往是若干册古籍的登录号起止码合成一个单册记录。

如果以部为单位设置标签,那么从集成系统 MARC 数据转换书目信息,一部古籍就对应一个标签,简单易行,但完成管理功能就比较困难。碰到函册较多的古籍,有些大部头的如《古今图书集成》《资治通鉴》等,一部就有上千册,上百函,分藏在连续的十多个甚至数十个书柜中,如果只贴一个 RFID 标签,难以实现智能管理的目的。如果不贴标签的其中某一册或者某一函离开书柜或者乱架,系统不能自动发现,工作人员也无法找到相应的数据来核对,以找到正确的架位。

如果以册为单位来设置标签,那么一部古籍会有若干个标签,而且每函内的标签距离很近,在远距离识别时会存在一定的相互干扰现象,从而导致读取数据产生误差。另外,我馆著录数据时的单册记录不规范,如果每册都要贴标签,那么首先要解决记录中单册的拆分。

我馆还有介于部和册二者之间的函装,仅仅一个单册的古籍可能一函就是一册,但一函古籍中绝大多数都超过一册。以函为单位的好处是可以将标签粘贴在函套上,丝毫不损伤古籍。其不利处就是现有数据未按函作区分,还需人工干预。另外,以函为标签单位,也无法实现清点统计古籍册次的目的。

综合考虑以上三种数据单位的优劣,以单册来设计标签可能更有现实意义,清点、理架等诸多功能的实现要依赖单册及单册之间的顺序。在项目开始之前,我馆的古籍 MARC 数据要做好单册的拆分工作,将单册调整为适合标签设定的模式。

(三)合订或者合刻古籍的处理

古籍还存在一个特殊的出版现象,就是多种著作的合订、合刻。合订合刻的古籍在我馆是分开著录的,这样就存在一册古籍对应两条或者两条以上的书目记录的情况。是把一个标签转换为多条书目信息,还是贴上多个 RFID 标签? 如果选择一个单册贴一个标签,则此标签要容纳两条甚至多条书目信息,最多的可能达到五六条。一个标签可容纳字节应当是有限的,如果一个单册由六种古籍合刻,数据转换时是否会导致书目数据内容不全? 如果一册书贴上多个 RFID 标签,每种古籍都给予一个标签,书目数据与标签就可以一一对应,但单册由一变多,总册数统计时结果必然不准确。哪种方式更具可行性,或者还有更好的方式可以解决? 这也是要调研论证的一个难点。

(四)标签的放置与更换

RFID 标签由于自带芯片与天线,往往比较脆弱[5],用久了就会出现数据读不出来的情况。那么用户在使用之前就必须考虑到如何放置标签才能在更换标签时不会对古籍造成不可挽回的损失。显然,直接贴在书页中间不可取,部分馆贴了 RFID 标签的古籍已经出现标签附近纸张发黄发黑的老化现象,这有悖于保护古籍的初衷。即使忽略 RFID 标签附带的粘胶对纸张的不利影响,更换标签也会撕毁书页。我馆计划使用无酸纸制作尺寸合适的书袋,将标签装入书袋,再用自制浆糊将书袋贴在古籍的书衣背面或者扉页上。通过无酸纸袋的隔绝,降低标签粘胶对古籍的酸化影响,而且更换 RFID 标签更方便,只需取出废弃的标签,放入新的标签即可,不会出现标签的反复粘贴与撕下等操作。

(五)数据易误读

RFID 标签是通过 RFID 中间件来实现数据的采集和传输,直接连接前段 RFID 设备和后台的应用系统[6]。RFID 工作装置一般由一对工作在同一频率下的主从无线电发射—应答器构成,即主方 RFID 读写器(无线电主发射—接收器)、从方 RFID 标签(无线电应答器)两个部分;两者均含有天线,它们之间是利用射频信号和空间耦合(电感或电磁耦合)实现对被识别物体的自动识别[7]。由于 RFID 标签的这个射频特性,在清点或者登记时可能出现一定比例的数据误读现象,造成智能管理系统中的结果与实际工作不一致。如何降低这个错误概率,还需要多方咨询。我馆与 RFID 系统安装人员反复沟通,不断做出调整。

以上浅见只是我馆筹备小组比较初步的设想,调研后还要不断地调整、完善,也可能还会发现新的问题,碰到新的困难。敬请各位方家给予指点。

(吴芹芳,武汉大学图书馆古籍部副研究馆员;谢泉,武汉大学图书馆古籍部馆员)

参考文献:

[1]赵英如.RFID 技术在古籍管理中的应用实践[J].图书馆研究与工作,2017(8):51-53.

[2]金志敏.基于 RFID 技术在图书馆古籍书管理中的应用[J].中国防伪报道,2013(11):98-103.

[3]吴一平.RFID 技术在高校图书馆中的应用与规划[J].图书馆工作与研究,2012(5):126-128.

[4]姚捷.试论无线射频识别技术在中医古籍典藏与借阅中的运用[J].上海中医药大学学报,2013,27(6):90-92.

[5]王娜.RFID 技术应用于古籍管理的利弊分析[J].农业图书情报学刊,2015,27(12):166-168.

[6]王凯.基于 RFID 的图书馆古籍典藏管理系统的研究与应用[D].济南:山东大学,2012:19.

[7]陈定权,王孟卓.我国图书馆 RFID 的十年实践探索(2006—2016)[J].图书馆论坛,2016(10):16-24.

西藏山南、日喀则和阿里地区寺院古籍文献收藏、整理、保护现状调研报告

An Investigation Report on Collection, Collation and Conservation of Ancient Books and Documents in the Temples of Shannan, Shigatse and Ngari Prefectures in Tibet

任江鸿　岳蕊丽

摘　要：在西藏自治区政府、文化等相关部门的共同努力之下，西藏古籍保护工作取得了巨大进展。作者采用实地走访、网络查询和统计分类的方法，对西藏自治区内山南、日喀则和阿里地区的6座重要寺院古籍文献收藏、整理、保护现状进行了调研，并通过对寺院僧人和当地民众的采访，认为这些寺院的古籍文献目前基本处于自主管理状态，寺院古籍文献的管理水平亟待提高。

关键词：西藏；寺院；古籍文献；现状；调研报告

2007年，国务院办公厅下发了《关于进一步加强古籍保护工作的意见》（国办发〔2007〕6号）。2008年，全国古籍普查工作正式开始。2009年，文化部等八部委联合下发《关于支持西藏古籍保护工作的通知》（文社文发〔2009〕44号），全面启动西藏古籍保护专项工作。2016年5月17日，习近平总书记在哲学社会科学工作座谈会讲话中指出，"要重视发展具有重要文化价值和传承意义的'绝学'、冷门学科"。至2019年，西藏古籍普查登记工作已进行10年，中央和西藏自治区政府先后投入1031.72万元普查资金。目前，西藏7地市的普查已经接近尾声，已知存有古籍的1600余个场所（包括修行洞在内）中，已完成了1200余个，普查登记超过1.3万函。在普查过程中，孤本、善本不在少数，截至2019年8月，西藏先后有217部（291函）珍贵古籍入选国家珍贵古籍名录。在普查中，古

籍基本上以藏文为主,也有一些珍贵的蒙古文、汉文古籍。作为我国古籍文献大区,西藏自治区内藏民族古籍文献历史悠久、卷帙浩繁。西藏一直有"学在寺院、以僧为师"的教育传统,作为古代和近代主要的教育机构,区内大大小小的寺院是西藏古籍文献的主要存储场所,重要的寺院都设有印经院。

目前,由于人员、设备和技术等方面的原因,西藏自治区内各主要寺院所存古籍文献基本上采取传统管理模式,以设立目录为主,并未对寺院古籍文献进行函头标记、分类管理、库房管理或专门的古籍收藏室管理,寺院古籍文献的利用率较低,未对寺院古籍文献进行全面数字化。

2018年12月、2019年6月和7月,西藏大学文学院"西藏古籍文献整理修复人才培养"项目组在任江鸿的带领下,组织西藏大学文学院文献学、历史学和古代文学专业的研究生共计8人,分别对西藏自治区山南市、日喀则市和阿里地区的6座寺院的古籍文献资源收藏、整理、保护现状展开了调研,旨在进一步推动西藏寺院古籍文献的保护、开发、利用工作,并提出综合保护和开发利用的切实可行的方案。

一、调研工作

(一)调研时间与单位

2018年12月18日至22日,项目组从拉萨出发,分别调研了日喀则市江孜县白居寺、桑珠孜区扎什伦布寺和萨迦县萨迦寺。

2019年6月20日至23日,项目组从拉萨出发,调研山南市加查县达拉岗布寺。项目组原计划还要调研隆子县白嘎寺,但因百度地图、高德地图导航均无法准确定位,未能成行。

2019年7月14日至23日,项目组从拉萨出发,经日喀则市,前往阿里地区调研了普兰县科迦寺和札达县托林寺。

三次调研主要针对西藏自治区内山南市、日喀则市和阿里地区存储古籍文献的重要寺院(白居寺、扎什伦布寺、科迦寺)、藏传佛教历史上有名的主要教派寺院(萨迦寺、达拉岗布寺、托林寺)。项目组对这6座寺院都进行了实地走访调研,并通过与当地文化部门或寺院管委会对接,尽可能详细地对6座寺院的古籍文献现状进行了了解。项目组主要从寺院古籍文献收藏数量、存藏场所、保护现状以及数字化进展四个方面获得的信息进行分类整理、统计分析。

(二)调研方式

1.网络调研:调研前,先通过网络了解该寺院古籍文献收藏、保护和修复的相关情况。

2. 实地调研：调研过程中，对以上寺院尽可能进行实地走访、考察。

3. 电话调研：调研后，对于一些资料不详而又需要了解的信息，以电话联系的方式通过相关文物部门进行了解、核实。

二、6座寺院古籍文献收藏基本情况

(一) 古籍文献收藏数量与规模

通过网络查询、实地走访等方式，项目组主要从西藏古籍文献普查结果和新闻报道中获取到本次调研的6座寺院收藏的或已发现的古籍文献的数量和规模，如表1所示。

表1　6座寺院古籍文献收藏量统计表

序号	寺院名称	古籍文献收藏数量(函)	珍贵古籍文献	备注
1	白居寺	110	金写本《甘珠尔》	
2	扎什伦布寺	1188		
3	萨迦寺	8000	贝叶经21部	
4	达拉岗布寺	不详		1500余张古籍木刻板
5	科迦寺	不详		据僧人说有一房间
6	托林寺	200余	蒙古文《蒙古秘史》散页	

统计显示，目前6座寺院中收藏古籍文献最多的为萨迦寺，其次是扎什伦布寺。扎什伦布寺作为后藏地区规模最大的格鲁派寺院，有专门的古籍文献保护场所，有专门的印经院和图书馆，寺院和当地政府对扎什伦布寺的古籍收藏、保护工作非常重视。2017年，西藏自治区图书馆副馆长边巴曾带领一批志愿者对扎什伦布寺的古籍文献进行了开包、登记、鉴定、拍摄书影、审校、测酸、配补护经布、记录修复数据等具体工作。

位于日喀则市萨迦县的萨迦寺，历来为萨迦派的祖寺，有"第二敦煌"的美誉。项目组联系到了寺院的一名僧人，他对我们介绍了寺院内的经书收藏情况，并介绍了经书墙。该经书墙位于萨迦寺主殿西墙内，高10米，长81米，有2万多部经书，经书都用金汁、银汁、朱砂或墨汁精工写成，甚至不少经书用红珊瑚汁做底，用高僧大德的骨骸磨成墨汁或金汁写成。经书墙直抵殿顶，世所罕见(图1)。这些经书中有的是珍本和孤本，是极为宝贵的文化遗产。其中还有被誉为世界造纸之最和经书之最的"布德加龙玛大经书"，宽1.2米，长1.1米，以及世界上最稀有的21部贝叶经。另外寺中还珍藏着大量萨迦派执政时期的重要文献资料，其中税收、封文、民间诉讼之类的文件,是研究西藏封建农奴社会制度的珍贵资料。传说这座经书墙遇到任何灾祸都不会倒塌,有"天成神庙殿,倒墙不覆经"之说。

图1　萨迦寺内壮观的经书墙

(二)存藏场所

目前,经过西藏古籍普查,6座寺院的古籍文献存藏场所条件差距较大。规模越大的寺院,古籍文献的存藏场所越正规,主要存放在专门的藏书室或库房中。在调研的6座寺院中,除日喀则市扎什伦布寺、萨迦寺有专门的印经、藏书室之外,其他寺院的藏书室要么正在建设,要么因种种原因无专门的存藏场所。古籍或存放于寺院经堂,或存放于一个小房间,甚至有装在蛇皮袋中存放于一房间内的。无严格的温度、湿度控制设施,未做专门的防潮、防虫、防尘、防火措施,部分寺院有防盗措施,再生性保护基本没有。

以山南市加查县的达拉岗布寺为例。达拉岗布寺为塔布噶举派的祖寺,于公元12世纪时由塔布噶举的创始人塔布拉杰所建,距今已有900年的历史。2013年,在达拉岗布寺重修一座殿堂时,出土了具有500多年历史的1500多张藏文古籍木刻板。刻板内容是唯一一部保存完整的《解脱庄严宝》,这是塔布噶举派上师达布索朗仁钦的经典著作,目前没有完整存本,须据出土刻板补充完整。调查发现,达拉岗布寺的古籍和古籍木刻板主要存藏在三个地方:一是主殿经堂内的一个有防盗装置的小隔间内,存有3箱古籍,箱上的锁分别由寺院住持、当地文物部门负责人和寺院管委会负责人掌管;二是在寺院新修的一栋建筑中,部分出土经板与补刻后的经板一起存放,这里还展示有寺院新印刷出版的一些图书;三是在计划修建一座藏书室的未完工的建筑二楼,登上陡峭的木制扶梯，在一块防雨的塑料布下堆放了一些藏文古籍木刻板（图2）。

另外，阿里地区科迦寺内的古籍文献很多都是随意装在蛇皮袋中，存放在一个房间内。因为未能拿到钥匙，没能看到据僧人说"堆满一房间"的装满古籍的蛇皮袋。

图2 达拉岗布寺随意堆放的藏文经书木刻板

各寺院都希望相关部门能够引起足够的重视，尽快建立标准化的、能有效保存古籍的藏书室，并呼吁有关专家能对寺院的古籍文献尽快采取数字化扫描等措施。

（三）古籍破损情况

在调研过程中发现，古籍破损是各寺院古籍文献存在的普遍问题。与区图书馆等单位相比，很多寺院根本达不到古籍保护的要求。如达拉岗布寺很多破损的经书都摆放在大殿的书柜中（图3），一些发掘出土的印经板仅用塑料布盖住，有明显破损现象。

图3 达拉岗布寺大殿内破损的经书

相较达拉岗布寺，因存放条件更差，科迦寺的古籍破损情况更加严重，尘污、霉蚀、水渍、粘连、撕裂的现象让人触目惊心（图4、图5）。

图4 科迦寺尘污、撕裂的经页　　　　图5 科迦寺水渍、粘连的经页

经调研发现,寺院收藏古籍主要的破损类型为尘污、霉蚀、虫蛀、鼠啮、水渍、粘连、撕裂、酸化、老化等,其中虫蛀、粘连、撕裂、老化现象比较突出。主要原因为:一是西藏海拔高、紫外线强,在长期的流传过程中,古籍遭受自然的侵蚀比较严重。二是很多古籍都是埋到地下后被考古发掘出来的,在地下必然会遭到一定的损毁。三是寺院僧人之前古籍保护的意识比较淡薄,古籍保护的技术和措施基本没有。

而我们在调研过程中发现,西藏自治区几乎所有寺院都无专门的古籍修复机构和人员,整个西藏自治区仅自治区图书馆、西藏社会科学院和西藏藏医药大学有不到10名的古籍修复人员。很多寺院都是在古籍普查中,由自治区图书馆的专家确定古籍文献,并送区图书馆古籍保护中心进行修复,对全区数量众多又破损程度不一的古籍根本无法全部修复,仅能够选择性地进行修复。

(四)古籍文献数字化情况

古籍文献数字化是保护和传承古籍文献的重要手段,也是古籍文献整理的必然趋势。但是由于经费、人才、技术等条件限制,虽然目前已对包括扎什伦布寺、萨迦寺、白嘎寺等重要寺院在内的已知存有古籍的1600余个场所(包括修行洞在内)超过1.3万函的古籍文献进行了整理、编目和部分数字化工作,但仍有很多古籍长期沉睡于寺院(尤其是阿里、山南、日喀则和那曲等较偏远地区的寺院)中,亟待专业的人员进行调研、整理、保护和数字化,以便让这些世界上独一无二的遗产能够继续传承下去。

三、存在的问题

(一)寺院古籍文献资源有待进一步深入调研

西藏和平解放七十年来,在党和政府的高度重视下,西藏自治区的古籍资源普查和保护开发工作成效显著,布达拉宫、大昭寺、罗布林卡等重点文物保护单位的大量古籍文献都得到了妥善的管理和保护。但是与此同时,许多非重点文物保护单位常常因为经费、人员、技术等多方面的原因,无法对自有古籍进行细致清点和科学编目整理,也没有进行及时定级和破损统计,为古籍保护、利用等基础工作的开展造成了不利影响。

(二)亟待修复的古籍数量多,修复人员少,矛盾突出

据统计,全国图书馆古籍修复人员在2009年古籍普查工作开始时仅有100余人,西藏自治区更是少之又少。目前区内的古籍修复人员主要集中在自治区图书馆、西藏社会科学院和西藏藏医药大学,总人数不到10人。而仅布达拉宫、

罗布林卡和西藏博物馆就有4万余册古籍，很多寺院如达拉岗布寺、托林寺、白嘎寺亟待修复的古籍都是用"数十麻袋"来计算。而区内高等院校目前也未开设古籍修复专业，修复人员基本需要去内地大型图书馆进行学习培训，修复工作也仅停留在手工和"师带徒"的经验传授阶段，无法把古籍修复和保护从传统技艺上升到理论和科学的层面。

（三）各寺院存藏环境条件不一，差距较大

由于当地相关部门的重视程度、寺院经费、藏书量和人力等因素不同，各寺院对古籍的保存和保护也存在很大差异。例如萨迦寺，古籍数量巨大，珍贵古籍较多，当地政府非常重视，寺院有专门的藏经墙和藏书室。而山南市的达拉岗布寺，虽然有专人对古籍进行管理，但是专门的藏书室仍未修建完成。山南市隆子县白嘎寺于2014年发现的66麻袋计3万多页的珍贵古籍文献，其中破损的13麻袋约6000多页至今无专人进行整理和修复。科迦寺的僧人曾动情地对项目组讲道："来这里看这些经书的人很多，但是看完就走了，再也没来过。我们希望有人能够真正帮我们把这些书整理、保护好，最好能扫描起来。"

四、相关建议

综上所述，此次调研给项目组的整体感受是：西藏寺院古籍资源非常丰富，但是与内地甚至区图书馆、西藏大学图书馆等专业单位相比，寺院古籍文献在规范化管理和质量控制上存在相当差距。如何让这些沉睡了近千年的珍贵文献重放光彩，是我们亟须解决的问题。对此，结合此次调研，提出如下几点建议：

（一）加大寺院古籍资源调研、整理、保护资金投入

随着"中华古籍保护计划"的进一步开展，以及国家对西藏古籍文献的重视和开发保护，国家和自治区对古籍保护工作的财力、物力和人力投入必然会越来越大。但是由于西藏自治区绵延千余年的宗教发展，地处山南、日喀则和阿里地区的寺院数量众多，寺院古籍文献数量更是不可计数。因此，加大对寺院古籍资源的调研、整理和保护资金投入，是做好古籍资源调研、整理和保护工作的前提。

（二）加快本地古籍保护专业修复人才培养

西藏古籍保护工作的良性发展离不开高素质的专业性古籍保护修复人才的培养。目前，区内高等院校图书馆、文学院等相关院系已着手培养"古籍整理和保护""中国古典文献学"等相关专业的本科和研究生，但是培养周期长，毕业后随即调换岗位的比比皆是。古籍资源调研、修复工作艰苦、枯燥，很多人不能坚持。因此，一是要针对初、高中毕业生，在本地的专科院校、职业技术院校优先招

募培养本地生源进行2至3年的古籍修复专业培养。二是建议由相关古籍保护中心主导,在区图书馆、区博物馆等专业机构设立"藏文古籍保护教学培训基地"或培训班,由各区、县文化部门组织各寺院古籍管理人员前往培训,及时将古籍保护的专业知识传授给一线的古籍资源管理人员,并定期对寺院古籍管理工作进行现场指导。

(三)促进寺院古籍资源管理工作进一步科学规范化

建议对各寺院古籍文献资源尽快进行编目、电子化,搭建统一的文献综合数据库平台,并在调研、整理、修复的过程中不断完善数据库。在必要的时候,精选一些寺院存藏的文献结集出版纸质图书或多媒体图书。

建议在管理方式上,对古籍文献保有量少、人手不足、保存条件差的寺院,由当地文化部门协调,由专业图书管理机构对古籍进行代管或与寺院进行联合管理。对古籍文献保有量大、人手足、保存条件好的寺院,要求建立标准的藏书室。

建议对已建或在建的寺院藏书室由指定部门进行功能验收,藏书室必须单独设计、精心施工、专业管理。充分考虑到古籍保护的特殊性,对藏书室的温度、湿度、光照进行严格要求,配备合格的消防、防盗、灭虫等安全设施。

(四)加强寺院古籍文献保护宣传力度

要通过群众喜闻乐见的各种方式,加强对西藏各地区寺院僧人、周边群众古籍文献保护的宣传,使他们真正意识到寺院古籍文献资源的重要性,更好地识别、更自觉地保护古籍。

(任江鸿,西藏大学文学院讲师;岳蕊丽,西藏大学文学院研究生)

参考文献:

[1]单霁翔.让西藏文化遗产永久传承[J].求是,2011(9):45-48.

[2]专题记者.推行古籍普查 加强古籍保护[N].中国文化报,2012-01-13(7).

[3]李林辉,宁吉加.西藏山南加查县达拉岗布寺的考古调查及清理[J].西藏研究,2003(2):68-76.

[4]杨曦,罗布扎西,多布杰.西藏加查县达拉岗布寺曲康萨玛大殿遗址发掘简报[J].考古,2014(8):50-67.

[5]格桑.古老的萨迦寺:第二敦煌[J].中国文化遗产,2009(6):40-45.

[6]马凌云.藏文文献收集与开发途径探究[J].现代情报,2014(10):74-78.

再生与传播

化身千百　垂之永久

——国家图书馆出版社仿真影印《永乐大典》综述

Review of the National Library of China Publishing House's Facsimile Edition of *Yongle Encyclopedia*

许海燕

摘　要：2002年，国家图书馆出版社启动仿真影印《永乐大典》项目，计划将存世400余册《永乐大典》全部影印出版。迄今为止，该项目已持续进行将近20年。截至目前，国家图书馆出版社累计仿真影印出版海内外《永乐大典》233册，约占现存总量的56%。

关键词：《永乐大典》；仿真影印；特色与价值

举世闻名的《永乐大典》，是世界文化遗产中的珍品。全书凡22877卷，另有凡例、目录60卷，分装11095册，原有永乐正本、嘉靖副本两部。正本的下落虽有种种猜测，但至今未见片纸只字，世人所谈《永乐大典》，皆是指嘉靖副本。清乾隆间修纂《四库全书》，曾对《永乐大典》作过清点，已缺2000余卷，尚存十分之九，大体完备，故清朝修《四库全书》《全唐文》等都利用过。《永乐大典》修成之后屡遭厄运，损毁殆尽。传世至今的嘉靖副本残卷约400余册800余卷，不及原书的4%，散藏在中国、美国、日本、英国、德国、爱尔兰等国家和地区的30余个公私收藏机构，弱息仅存，令人扼腕。

一、国家图书馆出版社仿真影印《永乐大典》概况

现存《永乐大典》残卷的规模虽不及原书的4%，但其巨大的文献价值、版本

价值和历史文物价值早已为世人所熟知。遗憾的是，这些残存的《永乐大典》散藏于世界各地，且多深藏秘阁，使得人们对它的研究和利用变得困难重重。

20世纪初以来，《永乐大典》屡次被影印出版，大大推进了学界对《永乐大典》的整理和研究。但毋庸讳言，由于时代与技术条件的制约，这些影印本亦存在很多问题：或因开本过小，文字漫漶，尽失《永乐大典》风韵；或因单色印刷，版面凌乱，颇伤原著书品。此类瑕疵，让使用者长怀月缺之憾。

2002年，时任中国国家图书馆馆长任继愈先生发出呼吁，号召"世界各地藏书机构、收藏家，群策群力，共襄盛举，慨允借用《永乐大典》原书，提供拍照、制版之用，用后归还，使这一文化遗产重现于世，垂之永久"[1]，为更多的人研究使用提供便利。呼吁一出，中国国家图书馆、上海图书馆、四川大学博物馆、南京图书馆群起响应。

《永乐大典》除具有巨大的文献价值外，其版本价值和历史文物价值亦不可估量。采取一般的缩印方式，很难充分体现其风采。因此，国家图书馆出版社（以下简称"国图社"）在出版《永乐大典》时，决定采用仿真影印的方式，版式、行款、用料、装帧等全仿嘉靖副本，精工制作，几可乱真。这一出版方式不仅使《永乐大典》永无灾厄之虞，也让今天的人们能据此充分感知这一诞生于六百年前的伟大文化奇观的恢宏气势和不朽神韵。

2004年，中国大陆所藏163册《永乐大典》全部影印出版。2014年，国图社又出版了模字韵湖字册《永乐大典》（卷二二七二至二二七四）。

从2013年开始，国图社开始陆续整理出版海外藏《永乐大典》。截至目前，累计仿真影印出版海外藏《永乐大典》13种69册，涉及海外5个国家13个收藏机构。

在仿真影印的同时，国图社出版的每一种《永乐大典》均邀请专家学者撰写前言，对所收录《永乐大典》的来源、价值等详细加以介绍。截至目前，国图社累计仿真影印出版海内外《永乐大典》233册450卷，约占现存总量的56%。具体如表1所示。

表1 国图社仿真影印版《永乐大典》简表

序号	书名	册数	出版时间	前言
1	《日本京都大学藏〈永乐大典〉》（全三册）	3	2020	（日）高田时雄《京都大学所藏〈永乐大典〉的流传》
2	《英国伦敦大学亚非学院藏〈永乐大典〉》（全五册）	5	2020	（英）何大伟《欧洲图书馆所藏〈永乐大典〉综述》

(续表)

序号	书名	册数	出版时间	前言
3	《爱尔兰切斯特·比蒂图书馆藏〈永乐大典〉(全三册)》	3	2019	(英)何大伟《欧洲图书馆所藏〈永乐大典〉综述》
4	《日本国立国会图书馆藏〈永乐大典〉》	1	2019	张升《田中庆太郎与〈永乐大典〉的流传》
5	《永乐大典(全一百六十四册)》①	163	2004年初版 2018年重印	张忱石《国之重宝 重放光华》
6	《英国剑桥大学图书馆藏〈永乐大典〉(全二册)》	2	2017	(英)何大伟《欧洲图书馆所藏〈永乐大典〉综述》
7	《德国柏林民族学博物馆藏〈永乐大典〉(全四册)》	4	2017	(英)何大伟《欧洲图书馆所藏〈永乐大典〉综述》
8	《英国阿伯丁大学图书馆藏〈永乐大典〉》	1	2016	(英)何大伟《欧洲图书馆所藏〈永乐大典〉综述》
9	《大英图书馆藏〈永乐大典〉(全二十四册)》	24	2016	(英)何大伟《欧洲图书馆所藏〈永乐大典〉综述》
10	《美国汉庭顿图书馆藏〈永乐大典〉》	1	2016	(美)杨立维《美国汉庭顿图书馆藏〈永乐大典〉综述》
11	《德国柏林国家图书馆藏〈永乐大典〉》	1	2015	(英)何大伟《欧洲图书馆所藏〈永乐大典〉综述》
12	《牛津大学博德利图书馆藏〈永乐大典〉(全十九册)》	19	2015	(英)何大伟《欧洲图书馆所藏〈永乐大典〉综述》
13	《美国普林斯顿大学东亚图书馆藏〈永乐大典〉(全二册)》	2	2014	(美)马泰来《前言》
14	《永乐大典·卷2272~2274》	1	2014	张忱石《记述国图新入藏〈永乐大典〉(卷二二七二—二二七四)往昔藏者行踪》
15	《哈佛燕京图书馆藏〈永乐大典〉(全三册)》	3	2013	沈津《哈佛燕京图书馆所藏二本〈永乐大典〉》 张升《曾为康有为收藏的一册〈永乐大典〉》

其中,有6册9卷为首次出版,包括国家图书馆新入藏的《永乐大典》卷二二七二至二二七四(模字韵湖字册)、哈佛大学贺腾图书馆藏《永乐大典》卷九八一、美国普林斯顿大学东亚图书馆葛思德文库(Gest Collection)所藏《永乐大典》

---

① 含目录1册。

卷一四九四九、二〇三七三，美国汉庭顿图书馆藏《永乐大典》卷一〇二七〇至一〇二七一，以及英国阿伯丁大学图书馆藏《永乐大典》卷一一九〇七，为学术界提供了宝贵的一手资料。

二、国图社仿真影印版《永乐大典》的特色与价值

存世的400余册800余卷《永乐大典》，除前文提到的6册9卷，以及近期法国巴黎拍卖会上新发现的2册4卷之外，其余内容均已收入中华书局1984年出版的缩印本。不过，或许是当时条件所限，中华书局缩印本的文字漫漶不清，而且也没有完整保存和全面传达数百年沧桑巨变在原书上留下的相关信息，如书上原有的钤印、递藏信息、修复痕迹等等。而国图社仿真影印版《永乐大典》则最大限度再现《永乐大典》的版式之美、书写之秀、插图之工[2]。下面，笔者拟对国图社仿真影印版《永乐大典》的特色与价值简要加以介绍。

（一）收录罕见的两册乾隆御题《永乐大典》

其一为英国伦敦大学亚非学院藏卷一一三一二至一一三一三，封面签题"御题永乐大典卷一万一千三百十二之一万一千三百十三"（图1），内含乾隆御题诗手稿，并钤有三印（图2）。该手稿严格说起来并非《永乐大典》的内容，因此中华书局影印本并未收录，此次为首次出版。

图1 英国伦敦大学亚非学院藏《永乐大典》卷一一三一二至一一三一三封面

该手稿的形式为一个筒子页，与原书大小一致。内容如下：

题倪思《重明节馆伴语录》

重明馆伴纪倪思，序语无非饰强词。称侄却私称彼虏，宋高宗致书金朝，自称为侄，而倪思此书称金为虏。外附于人以求免祸，而私逞其诋嫚，自欺欺人，不顾后世之非笑，亦何益哉。畏人反讽畏吾仪。岂诚强屈弱伸也，时宋人甚畏金人，而此录所载转自夸金使之畏宋，且如射之一事，金俗所尚，彼东南文弱之人，岂能相胜，顾盛称与使校射屡中，

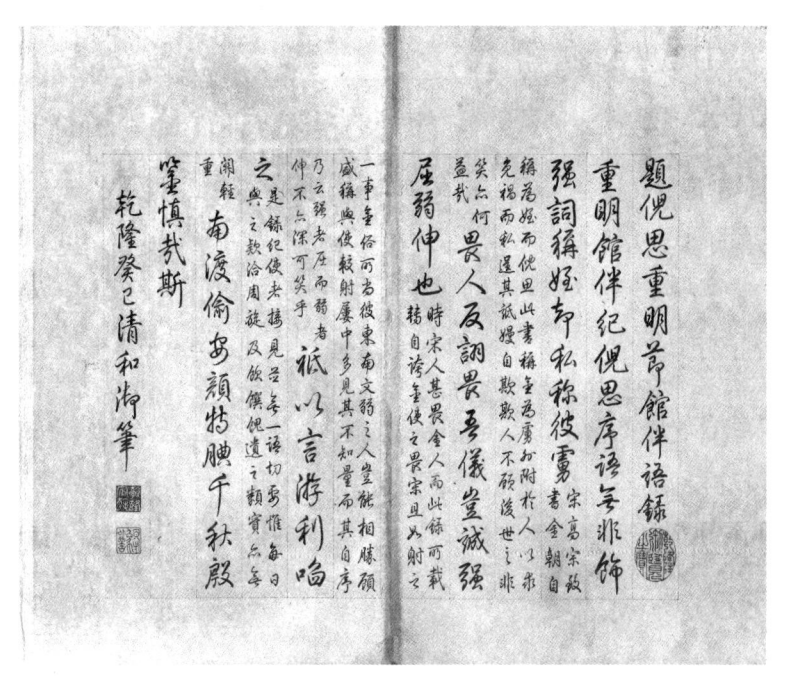

图 2　英国伦敦大学亚非学院藏《永乐大典》卷一一三一二至一一三一三乾隆御题诗手稿

多见其不知量,而其自序乃云强者屈而弱者伸,不亦深可笑乎。只以言游利啖之。是录纪使者接见并无一语切要,惟每日与之款洽周旋,及饮馔馈遗之类,实亦无关轻重。南渡偷安颜特腆,千秋殷鉴慎哉斯。

乾隆癸巳清和御笔[3]

标题下钤"乾隆御览之宝"椭圆印,落款下钤"乾隆宸翰""得象外意"方印。

其二为人英图书馆藏卷一一八八七至一一八八八,封面签题"御题永乐大典卷一万一千八百八十七之一万一千八百八十八"。但书内未见乾隆御题诗,或是入藏人英图书馆之前已遗失。

《纂修四库全书档案》载:"遵查《永乐大典》,内奉有御题诗章者,共十三册,又卷末一册,谨一并呈览。谨奏。"[4]由此可知,有乾隆御题诗的《永乐大典》仅13册。存世的400余册中,有乾隆御题诗者更是少之又少,因而更为珍贵。

(二)最大限度呈现原书剪报、书信、函套等信息

《永乐大典》从翰林院流失之后,其中一部分流向欧洲、美国、日本等地,并先后入藏各公私收藏机构。在这一过程中,衍生了一些报道、书信、纸条等文献资料,记录相关《永乐大典》的价格、捐赠者、捐赠时间、入藏经过等信息。这些资料或贴在《永乐大典》内封等处,或直接书写在卷端天头等处。此外,还有部分《永乐大典》带有函套、木盒,或是收藏机构修复的痕迹。对《永乐大典》的研究者来

说,这些无疑是不可多得的一手资料。国图社仿真影印版《永乐大典》对上述信息均想方设法加以呈现,全面反映了百余年来《永乐大典》聚散流变、悲欢离合的历史。如:

2014年,美国汉庭顿图书馆新发现一册《永乐大典》,即卷一〇二七〇至一〇二七一,里面含有一段文字,介绍该册《永乐大典》如何入藏汉庭顿图书馆:

> 这册《永乐大典》之后附有一段露西写下的简介。根据露西的描述,一九〇〇年夏,义和团围攻北京的外国使馆时,约瑟夫也被围困在使馆区内。他从临近使馆的翰林院中拿到这册《永乐大典》,还曾用它和其他书籍一起堵住窗口挡子弹。约瑟夫应是在围困解除以后将这册书带回了俄亥俄州欧柏林的家中,并收藏了很长时间。有证据表明,在此期间,露西曾经在一九二七年或此前将这册《永乐大典》借给欧柏林大学图书馆展出。一九〇六年,约瑟夫在中国逝世,一九三五年,露西也在美国加利福尼亚州去世,这册《永乐大典》就传给了他们的女儿梅布尔。人口普查记录显示,梅布尔在二十世纪二十年代初迁到加州,六十年代退休。她将这册《永乐大典》捐赠给汉庭顿图书馆,很可能是为了保证这册珍贵图书能够得以妥善保存。[5]

爱尔兰切斯特·比蒂图书馆藏《永乐大典》卷一九八六五至一九八六六内封贴了一页《泰晤士报》1914年1月6日的剪报,标题为《中国百科全书借给伦敦图书馆》,介绍翰林院失火后部分《永乐大典》的去向,以及若干册后来藏于欧洲的《永乐大典》的流传情况。该剪报部分译文如下:

> 1900年义和拳运动期间,翰林院失火,这套著名百科全书的大部分毁于这场火灾。其中200余册不久之后出现在英国公使馆里,翰林院学者胡燏棻(Hu Yufen,音译)发现了这批堆在使馆地板上的《永乐大典》,简直欣喜若狂。显然,他是意识到这一发现重要性的第一人。1902年春天,根据萨道义(E. Satow)先生的指示以及他的秘书坎贝尔(C. W. Campbell)先生的建议,这批《永乐大典》被交坎贝尔先生的朋友——那位翰林院学者,并归还中国政府。
>
> 显然,没有人知道究竟有多少册《永乐大典》被归还给中国政府。使馆之围后不久,9卷《永乐大典》就出现在英国;上文提到的翟理斯教授的文章对这9卷进行了简要介绍。至于还有多少卷被带到了中国以外的地方,无法统计。除翟理斯教授介绍的9卷之外,默顿(Merton)先生又增加了2卷。《泰晤士报》12月2日最后一版上有一条消息,介绍巴克斯(Edmund Back-

house)先生向博德利图书馆(Bodleian)慷慨捐赠中文图书,其中提到有5卷《永乐大典》在大英博物馆;与此同时,加上巴克斯先生捐赠的6卷,博德利图书馆有7卷,其中1卷正在展出。[6]

2020年6月,国图社出版《日本京都大学藏〈永乐大典〉(全三册)》,其中卷六六五至六六六带有木盒,上有日本学者内藤湖南(本名虎次郎,字炳卿,号湖南)为本册《永乐大典》撰写的跋文(图3):

图3 日本京都大学藏《永乐大典》卷六六五至六六六木盒上的跋文

《永乐大典》之由来,见于明代宦官刘若愚《明宫史》,云:"成祖敕儒臣纂修《永乐大典》一部,系湖广工洪等编纂,号召四方文墨之士,累十余年而就,计二万二千八百七十卷,一万一千九十五本。因卷帙浩繁,未遑刻板。其写册原本相传至嘉靖年间,于文楼安置,偶遭回禄之灾,世宗亟命挪救,幸未至焚。遂敕阁臣徐文贞阶复令儒臣照式摹抄一部,当时供誊写官生一百八名,每人日抄三叶,自嘉靖四十一年起,至隆庆元年始克告成。及万历年间两宫三殿复遭回禄,不知此新旧《永乐大典》二部今又见贮藏于何处也。"至清朝永乐原本已佚,只此隆庆本传于翰林院,编纂《四库全书》时多摘抄此书。今此本内有乾隆附笺,留当时摘抄之痕者。据亡友文芸阁廷式所言,庚子北清事变以前此书尚存九百余本。然庚子之乱时多被搬出于英法诸国者,现存于学部者不过六十余本。吾友董授经京卿去冬购得十七本于燕京,携至平安,颁之笃好之人,此本实其一也。近年禹域变故荐臻,古久旧书日就残缺。如此珍书，虽为零残之余，盖可不宝重永保。因有竹先生题言之命，聊为书之云。

癸丑(1913)九月十七日，此日又将赴汉城从事《朝鲜实录》之调查也。内藤虎次郎记。[7]

(三)尽量还原原书封面、封底、四库馆签佚书单

嘉靖副本《永乐大典》为包背装，四周双边，八行红格，版心大红口，三鱼尾。国图社仿真影印版完全仿嘉靖副本，正文朱、墨两色印刷。不但如此，原书的封面、封底也予以保留，且以四色印刷，最大限度还原嘉靖副本的原貌。欧洲图书馆所藏《永乐大典》的封面、封底、四库馆签佚书单、入藏经过等情况，英国牛津大学博德利图书馆中文部何大伟先生的论文《欧洲图书馆所藏〈永乐大典〉综述》已逐册介绍，因此本文仅选取几册较有代表性的《永乐大典》加以介绍。

乾隆皇帝开四库馆纂修《四库全书》之时，馆臣从《永乐大典》中辑出大量佚书，国图社仿真影印版《永乐大典》中不少册内封贴有签佚书单。如大英图书馆藏卷九一三至九一四、卷八〇二二至八〇二四，英国牛津大学博德利图书馆藏卷五二四四至五二四五、卷一五〇七三至一五〇七四，等等。如果整理研究签佚书单，或可进一步研究四库馆臣辑佚实况。例如，京都大学人文科学研究所藏卷六六五至六六六内封贴有两张签佚书单，其中一张内容为：

纂修官侍讲邹签出第六百六十六卷内

元一统志一　一页一

共书一种计一条

乾隆三十八年十一月十二日发写　誊录[7]

(四)保留原书收藏机构的藏书印章等信息

存世不少《永乐大典》的卷端等处钤有收藏单位印章，形状、颜色各异。对此，国图社仿真影印版均予以保留并按原色印刷。如：

英国牛津大学博德利图书馆藏卷八〇七至八〇八卷端上方钤"Bibliotheca Bodleina(博德利图书馆)"。

大英图书馆藏卷九一三至九一四卷端下方钤"British Museum(大英博物馆)"①。

英国伦敦大学亚非学院藏卷三九四四至三九四五卷端右下方钤"School of Oriental & African Studies, London(亚非学院，伦敦)"。

---

① 大英图书馆(又译作"不列颠图书馆")是英国的国家图书馆，其前身是大英博物馆(又译作"不列颠博物馆")图书馆，1973年后独立于博物馆之外。

英国剑桥大学图书馆藏卷一六三四三至一六三四四卷端右上方钤"Cambridge University Library, AP 16, 1901(剑桥大学图书馆,1901年4月16日)",卷一九七三七至一九七三九内封及卷端下方钤"Cambridge University Library, No 26, 1926(剑桥大学图书馆,1926年11月26日)"。

日本国立国会图书馆藏卷二二七九至二二八一卷端右下角钤"帝国图书馆",封二下方钤"大正2.3.26购求",封三左上角钤"贵重图书",并贴有标签"贵7 107"。

日本京都大学人文科学研究所藏卷六六五至六六六卷端右下角钤"东方文化研究所"①;京都大学附属图书馆藏卷九一〇至九一二卷端上方钤"130448 大正2.7.25"及"京都帝国大学②图书之印",卷一二九二九至一二九三〇卷端上方钤"京都帝国大学图书之印",右下角也钤有一个藏书印。

(五)保留原书的衔名页

存世嘉靖副本《永乐大典》中,有不少册保留了原书的衔名页,重录总校官、分校官、书写及圈点之人一应俱全,可据以研究参与嘉靖副本抄录者实情如何。国图社仿真影印版完整保留了上述信息,如英国牛津大学博德利图书馆藏卷八〇七至八〇八衔名页为:

重录总校官侍郎臣高　拱

学士臣瞿景淳

分校官检讨臣吴可行

书写儒士臣章　玄

圈点监生臣尹之先

臣李　湄[8]

(六)连卷

作为一部类书,《永乐大典》将说明或解释典籍资料整段、整卷甚至整部抄入,被认为是其最具价值之处。由于存世《永乐大典》不及原书数量4%,因而针对某一韵部,罕见完整卷数,而连卷之书则更少。国图社仿真影印版《永乐大典》中有部分韵部内容相对完整,如"六模"湖字3册,卷二二七五至二二八一《湖州府》一至七;"六模"梧字4册,卷二三三七至二三四四《梧州府》一至八;"十九庚"汀字3册,卷七八八九至七八九五《汀州府》一至七;"八贿"水字8册,卷一一

---

① 人文科学研究所成立于1949年,由京都大学的旧人文科学研究所、东方文化研究所以及西方文化研究所合并而成。

② 京都大学的前身是京都帝国大学。

一二七至一一一四一《水经》一至十五;等等。虽亦不全,但却是少见的连卷。

三、结语

存世《永乐大典》虽然数量不多,但每一册都是一座资料宝库,有许多可供挖掘利用的珍贵资源,以上仅举几个简单的例子加以说明。据初步统计,目前尚未仿真影印出版的共计186册(另1页)。虽然困难重重,国图社还是想方设法积极联系推进,力争在不久的将来完成存世全部《永乐大典》的仿真影印。

致谢:在本文收集资料及撰写的过程中,经常参考张忱石先生的《〈永乐大典〉史话》,并得到了以下师友的帮助:国图社殷梦霞女士、于浩先生、南江涛先生,北京师范大学历史系张升先生。在此对他们表示衷心感谢!

(许海燕,国家图书馆出版社副编审)

参考文献:

[1]中国国家图书馆.《永乐大典》编纂600周年国际研讨会论文集[C].北京:北京图书馆出版社,2003:呼吁书4.

[2]深圳市南山博物馆,国家图书馆.旷世宏编　文献大成——国家图书馆藏《永乐大典》文献展[M].北京:文物出版社,2020.

[3]英国伦敦大学亚非学院藏《永乐大典》(全五册):版权册[M].北京:国家图书馆出版社,2020.

[4]张升.《永乐大典》流传与辑佚新考[M].北京:社会科学文献出版社,2019:144.

[5]杨立维.美国汉庭顿图书馆藏《永乐大典》综述[M]//美国汉庭顿图书馆藏《永乐大典》:版权册.北京:国家图书馆出版社,2016.

[6]爱尔兰切斯特·比蒂图书馆《永乐大典》(全三册)[M].北京:国家图书馆出版社,2019.

[7]日本京都大学藏《永乐大典》(全三册):版权册[M].北京:国家图书馆出版社,2020.

[8]牛津大学博德利图书馆藏《永乐大典》(全十九册)[M].北京:国家图书馆出版社,2015.

人才培养

山东省高校古籍保护与修复人才培养概述

An Overview of Higher Education of Ancient Book Protection at Colleges and Universities in Shandong Province

李勇慧 桑丽娜

摘 要：山东省高校古籍保护与修复专业的学生招生始于2007年，经过14年的发展，现共有五所高校招生，实现了从专科到本科再到研究生学历教育多梯次培养的崭新局面。山东省各高校古籍保护与修复人才培养与国家古籍保护中心、山东省古籍保护中心开展的公藏机构古籍保护工作人员在职培训齐头并进，有效缓解了山东省古籍保护与修复专业人才不足的困境。

关键词：古籍保护与古籍修复人才培养；山东艺术学院；国家古籍保护中心；山东师范大学图书馆；山东省古籍保护中心

山东省高校古籍保护与修复专业的学生招生始于2007年，经过14年的发展，现共有五所高校招生，实现了从专科到本科再到研究生学历教育多梯次培养的崭新局面。其中艺术类高校山东艺术学院职业教育学院培养学生最多，该校从2009年开始招收装潢艺术设计（文物鉴定与修复）专科生，2013年开始招收绘画（鉴定与修复）本科生（2021年2月由教育部审批为文物保护与修复本科专业），2017年开始招收美术学类文物鉴定与保护（含古籍鉴定与保护）专业硕士研究生。综合类高校山东师范大学从2019年开始招收图书情报专业古籍整理与研究方向硕士研究生。此外，莱芜职业技术学院、山东力明科技职业学院、山东特殊教育职业学院这三所职业类学校分别从2007年、2018年、2019年开始招收文物修复与保护专业专科生,也有少部分古籍修复与保护专业人才的培养。现对山东艺术学院、山东师范大学、莱芜职业技术学院的古籍保护人才培养做一概述,以增进学界交流。

一、山东艺术学院

(一)专业设置与招生概况

该院古籍保护人才培养始于2009年,其下设的二级学院职业教育学院于此年开办装潢艺术设计(文物鉴定与修复)专科,至2012年共招收四届。自专业开设以来,古籍修复一直是其专业核心课程。教师主要是聘请山东省图书馆(山东省古籍保护中心)馆员,其中由山东省图书馆副馆长、山东省古籍保护中心副主任李勇慧博士讲授古籍保护与修复理论知识,修复师杨林玫、侯妍妍、焦雅慧教授古籍修复技艺。

该院自2013年开始招收绘画(鉴定与修复)本科生,这也是山东省首届古籍修复专业本科生。2017—2019年间的本科生古籍修复课程由该校的2017级首届古籍修复硕士研究生马晓钰、桑丽娜兼任。2020年7月该院向教育部提交了文物保护与修复本科专业(专业代码130409T)申请报告,并于2021年2月审批成功。

2017年开始招收美术学类文物鉴定与保护专业硕士研究生,这也是山东省首届古籍修复专业硕士研究生。下设古籍保护、古壁画、古建筑、陶瓷、玉器五个研究方向,其中玉器方向2018年起停止招生。古籍保护方向招生的具体情况是:2017年招收全日制硕士研究生2人;2018年招收全日制硕士研究生2人,非全日制硕士研究生1人;2019年招收全日制硕士研究生4人,非全日制硕士研究生1人;2020年招收全日制硕士研究生2人。古籍保护方向硕士研究生导师特聘山东省图书馆(山东省古籍保护中心)李勇慧研究馆员担任。2017—2020年共招收了四届12名古籍保护方向硕士研究生,生源非常好,大部分是本院的本科生,有很好的文物修复功底,上手较快。

(二)教学设施

该院设有"书画装裱与修复实验室""文化遗产鉴定与修复教学实验室""非物质文化遗产教学标本实验室""非物质文化遗产传习研究基地"等。学校图书馆藏有各类文物保护类图书40000余册,拥有各类古书画、画像石等文物藏品7000余件,能较好地满足专业教学与科研工作的需要。该院的教学硬件设施较为完善,主要教学实验设备如表1所示。

表 1　山东艺术学院主要教学实验设备情况表

教学实验设备名称	型号规格	数量	购入时间
书画装裱机	第五代双向自动进出	1	2013 年
成型机	天地杆成型机	1	2013 年
数控钉角机	钉框机	1	2013 年
大台面切角机	切割机	1	2013 年
装裱辅助工具	画图专用工具	1	2013 年
书画装裱修复台案	书画装裱修复工具	1	2013 年
模块铣机	条轴勾铣机	1	2013 年
木工台锯	木工截锯机	1	2013 年
切割机	轴承切角机	1	2013 年
压刨机	木工压刨机	1	2013 年
雕刻机	木工雕刻机	1	2013 年
三维扫描仪	真彩三维激光	1	2013 年

(三)培养目标

因设在美术学类文物鉴定与保护专业下,该学科点旨在培养学生系统掌握文物保护与修复的基本理论与技术,更侧重修复技艺的培养,使学生具备古代书画古籍类文物、器物类文物保护与修复的基本素养和实践能力,适应现代文物保护与修复技术的发展要求,能成为各类博物馆、美术馆、文物机构、收藏部门、考古部门、文物市场、艺术品公司等单位从事文物保护与修复工作的高素质应用型人才。

(四)课程设置

该学科点研究生的专业课程设置有"古籍保护""文献学""古籍版本目录学"。师资主要来源于山东大学、中国艺术研究院、山东省图书馆(山东省古籍保护中心)等。专业实践方面,要求学生到国家级古籍修复中心或全国古籍重点保护单位参与实践。学生毕业则要求提供古籍修复作品 5 部等,设计较为合理。学制三年。

研究生的课程设置如表 2 所示。

表2 山东艺术学院古籍保护方向研究生课程表

课程类型		课程名称	学时	学分	开课学期	授课方式	考核方式
学位课程	公共课	中国特色社会主义理论与实践研究	36	2	2	讲授	考试
		艺术原理	36	2	2	讲授	考试
		外国语	72	4	2	讲授	考试
	基础课	白描临摹与写生	36	2	2	讲授	考试
		色彩构成	36	2	2	讲授	考试
		书法	36	2	1	讲授	考试
		素描构成	36	2	1	讲授	考试
	专业课	古籍保护	72	4	1、2	讲授	考试
		文献学	72	4	2、3	讲授	考试
		古籍版本目录学	72	4	3、4	讲授	考试
选修课程		材料介入与表现	36	2	2	讲授	考试
		模具设计与制作	36	2	2	讲授	考试
		金石书法	36	2	2	讲授	考试
		陶瓷雕塑	36	2	2	讲授	考试
		传统书画装裱	36	2	1	讲授	考试
		篆刻	36	2	1	讲授	考试
		传统陶瓷烧制	36	2	1	讲授	考试
		釉料装饰	36	2	2	讲授	考试

专业实践课程有学院组织的MFA学生年度美展、省级学术性展览、全国学术性研讨会、国家级古籍修复中心实践、全国古籍重点保护单位实践、金石传拓与拓本修复、省级文物保护科研修复工场实践、省级文物科技保护中心实践、国际性学术研讨会等。

学生毕业，要求提供古籍修复作品5部，并完成学位论文。学位论文要求开题选题应具有一定的理论价值和现实意义，对论文研究方向的具体内容要有独特的见解，并能指出在哪些方面有所突破，能体现本专业较高的学术水平。要求主题突出、论点鲜明、论据充分、结构严谨、词语精练、条理分明，字数不少于0.5万字。

(五)就业去向

绘画(鉴定与修复)本科毕业生可在各级各类文博单位从事文物保护、文物修复的相关工作或在各级各类画廊、文物商店、艺术品拍卖公司、文物考古机构从事文物保护的相关工作。尤其是非常胜任古籍、古书画等纸质类文物修复的相关工作。

文物鉴定与保护专业古籍保护方向硕士研究生目前只有2020年一届毕业生2人。其中1人签约山东省文物保护修复中心的文物修复岗,从事文物修复工作;1人通过山东师范大学事业编教辅岗公开招考的山东师范大学图书馆助理馆员岗,从事古籍保护修复、阅览工作。另外,研三、研二的3名研究生正在山东省美术馆及驻济文物修复公司实习,另有2名学生准备考博。研二的2名研究生在2020年受邀到莱芜职业技术学院、山东特殊教育职业学院,讲授各为期五周的古籍修复专业的理论与实践课程,广受好评。由此既可看到山东艺术学院的研究生具有较强的古籍修复能力,也显示出职业学校中古籍修复师资力量的匮乏。

二、山东师范大学

山东师范大学图书馆古籍藏量丰富,达20万册,2009年入选第二批全国古籍重点保护单位,36部古籍入选《国家珍贵古籍名录》。该馆非常重视古籍修复工作,2016年招聘修复师1人,设立修复室。2017年入选山东省首届古籍修复站点,1人被山东省古籍保护中心录取为古籍修复初级学员。2020年该馆向全国高校公开招聘硕士研究生学历的古籍修复岗1人,后录取了山东艺术学院2017年首届艺术学类美术专业古籍保护方向硕士研究生桑丽娜。该馆正努力建设普查、保护、修复、展示、研究、教学六位一体的古籍保护工作模式。

山东师范大学图书馆图书情报专业硕士点师资队伍优良,与山东省图书馆(山东省古籍保护中心)、山东省科技情报研究院、山东省科学院情报研究所、济南市图书馆等单位合作,建立了内容丰富的图书情报专业实践基地。

(一)方向设置

图书情报专业硕士培养共分3个方向:图书馆管理与服务创新、古籍整理与研究、情报分析与数据管理。其中古籍整理与研究方向的培养目标为:学习古籍整理与研究知识,掌握古籍保护技术与方法,从事古籍的编目、索引、辑录、校勘、普查及保护与利用等实际工作。

(二)师资力量

图书情报专业硕士点师资队伍优良,拥有研究馆员7人、副研究馆员26人、专兼职导师20余人,其中博士10人。古籍整理与研究方向共有导师5人,其中专职导师3人、兼职导师2人(特聘的校外导师1人,为山东省图书馆研究馆员李勇慧)。

(三)培养方式

实行双导师制。专职导师来自山东师范大学,兼职导师、合作导师来自山东省图书馆、山东省科学院等校外图书情报领域的相关专家。采用课程学习、实践教学、学位论文相结合的培养方式。

(四)课程设置

专业研究生培养实行学分制,总学分不少于35学分。学分由公共必修课学分、专业核心课学分、专业选修课学分以及专业实践课学分组成,其中公共必修课5学分,专业核心课不少于20学分,专业选修课不少于4学分,专业实践课不少于6学分。学制二年。所设课程如表3所示。

表3 山东师范大学图书馆古籍保护研究生课程表

类别	课程名称	学分	学时	开课学期
公共必修课	中国特色社会主义与实践研究	2	36	1
	高级英语	3	72	1、2
专业核心课	图书馆学情报学概论	2	36	1
	图书情报学科发展前沿	2	24	2
	中外图书馆事业史	2	36	2
	图书馆管理实务	2	36	2
	信息资源建设	2	36	1
	信息组织与检索	3	36	1
	数字图书馆关键技术	3	36	2
	信息加工	2	36	1
	用户信息行为研究	2	36	2
	文献计量学应用	2	36	1
	科学数据管理引论	2	36	2
	参考咨询与学科服务	2	36	2
	古籍整理与保护	2	36	2
	古籍校勘学	2	36	1
	古籍版本学	2	36	1
	古籍目录学	2	36	1
	图书情报职业伦理与法律	2	36	1
	图书馆学方法论	2	36	1

(续表)

类别	课程名称	学分	学时	开课学期
专业选修课	经济情报	2	24	2
	阅读史研究	2	24	2
	科技论文写作	2	24	2
	情报分析工具导引	2	24	2

专业实践课分为馆内实践、校外实践两部分，馆内实践主要是图书馆各个部门的轮岗实习，校外实践部分是在专业实践基地进行实习。

由上可知，其最核心的课程是"古籍整理与保护""古籍校勘学""古籍版本学""古籍目录学"等。

（五）招生情况

研究生自2019年开始招生，2019年招收全日制图书情报硕士研究生10人，其中古籍整理与研究方向硕士研究生2人。2020年招收全日制图书情报硕士研究生20人、非全日制图书情报硕士研究生10人，其中古籍整理与研究方向的全日制研究生4人、非全日制1人。

（六）就业去向

自2019年开始招生，学制二年，目前尚无学生毕业。

（七）问题与建议

与MBA、MPA等统考管理类课程相比，全国图书情报硕士专业学位初试招生考试专业科目设置不够科学，使得考生们特别是众多跨专业的考生入学时不具备初步的图书情报专业基础知识，不利于学生入校后的培养。建议将初试环节的专业考试科目调整为由主考单位根据其培养方向自行命题。

因为目前多数单位现行的二年学制太短，无法较合理地统筹安排授课、实习和撰写毕业论文等培养任务，进而影响培养质量，该校已将2021级图书情报硕士专业学位培养学制统一调整为三年[①]。

三、莱芜职业技术学院

莱芜职业技术学院成立于2000年10月，其下设的文物保护学院是培养文物保护和考古探掘高素质技术技能人才的专业学院，现开设文物修复与保护、考古探掘技术两个专业，其中文物修复与保护专业校内实训基地是专业领域内全国

---

① 以上内容由山东师范大学提供资料。

唯一的国家级实训基地。文物修复与保护专业(含古籍修复与保护)专科开办于2007年,是山东省高校中第一家开设的文物类专业,也是全国高职院校中第一批开办的文物类专业。2020年在国家文物局、全国文物保护职业教育教学指导委员会、山东省教育厅、山东省文化和旅游厅指导下,发动文博相关职业院校、企事业单位、科研院所、行业协会等积极参与,牵头组建"文物修复职业教育联盟"(以下简称"职教联盟")。职教联盟是根据《教育部关于深入推进职业教育集团化办学的意见》,经全国文物保护职业教育教学指导委员会批准而组建的产教联合体,目前有43家成员单位。职教联盟以服务文博行业发展为宗旨,以促进就业为导向,以建设现代职业教育体系为引领,以提高文物修复技术技能人才培养质量为核心,产教融合,校行合作,全力服务经济社会发展。2020年12月11日,职教联盟成立大会在莱芜举办。

(一)招生情况

自2007年招生22人以来,文物修复与保护专业(含古籍修复与保护)专科每年都有较为稳定的招生名额,并有部分学生选择古籍修复与保护方向。

(二)教学设施

该院文物修复与保护专业校内实训基地于2019年被教育部评定为国家级生产性实训基地,是目前该专业领域内全国唯一的国家级实训基地。建有文物鉴赏、无机质文物修复、纸质文物修复、信息采集、传拓制作、木雕制作、内画制作、陶艺、文创等12个实训室和陈列室,建设了文物修复与保护教学博物馆。这些实训室既是理论课堂又是技能实训室,实现了教学做一体化,满足了手把手地师傅带徒弟式的技能教学要求。

(三)课程设置

主要开设课程:古籍修复、传拓制作、字画修复、陶瓷修复、青铜器修复、陶艺、内画制作、木雕。专业选修课有"古籍与版本""文物保护基础""木雕制作"等。专业核心知识与技能课程有"书画鉴赏""纸质文物修复"等。

(四)存在的问题与建议

目前存在的主要问题有:古籍保护技能课程师资紧缺;专业建设与行业指导脱节;教育链、专业链与产业链、人才链脱节,所培养的专科层次技术技能人才难以入职行业,而行业技能人才缺口较大;等等。建议加强行业内的合作与交流[①]。

---

① 以上内容由莱芜职业技术学院提供资料。

四、结语

自 2007 年以来,山东省招收古籍保护专业学历教育的高校呈逐年增加的趋势,办学梯次从专科到本科到研究生实现"三级跳",学科设置逐步完善,开设课程更加广泛而有针对性。毕业的学生进入社会,认可度越来越高。在笔者所调查的 5 所高校中,以山东艺术学院学历教育梯次及教学成果最为显著。各高校师资力量均是采用本校与社会力量相结合的方式,山东省图书馆(山东省古籍保护中心)成为主要师资担当,并从师资力量到实践基地全方位地支持高校。在支持高校学历教育的同时,教学相长,反过来也促使省古籍保护中心从以前主要关注古籍保护方法与修复技艺,到关注古籍保护与修复的理论与研究。加之国家古籍保护中心十余年来的多次培训,使山东省图书馆 2009 年成为首批"国家级古籍修复中心"之一,2014 年又入选首批"国家级古籍修复技艺传习所""国家古籍保护人才培训基地"。这种利好局面的取得,正是国家实施"中华古籍保护计划"的成果。2007 年国务院办公厅下发《关于进一步加强古籍保护工作的意见》,文件要求全国公共图书馆成立各级古籍保护中心,工作重点之一是开展古籍保护工作人才培训。山东省古籍保护中心自 2007 年成立以来,一直进行全省古籍保护从业人员的在职培训,共计开办培训班 16 期,培训 730 多人次。可以这样说,山东省古籍保护人才培养已经形成社会与高校两股力量,各自进行专业人才技能培训与高校学历教育培养,并积极开展合作,形成合力。这些人才,绝大多数在山东各大机构从事古籍保护与修复工作,有效缓解了古籍保护与修复专业人才不足的困境。但目前这 5 所进行古籍保护人才培养的高校主要集中在省会济南,而且一些重点高校尚未加入。古籍保护与修复人才培训与培养工作,仍然在路上。

致谢:在本文调研与撰写过程中,山东师范大学图书馆、山东艺术学院职业教育学院、山东艺术学院艺术管理学院、莱芜职业技术学院、山东力明科技职业学院、山东特殊教育职业学院等相关学科点的负责人积极介绍情况,提供资料,谨致以最深的谢意!

(李勇慧,山东省图书馆二级研究馆员、副馆长,山东省古籍保护中心副主任;桑丽娜,山东艺术学院美术专业古籍保护方向首届硕士研究生,山东师范大学图书馆助理馆员)

辽宁大学古籍保护与修复人才培养的探索与实践

Exploration and Practice of Training Experts for Ancient Book Protection and Restoration at Liaoning University

肖辉英　赵彦昌

摘　要：随着古籍保护事业的不断发展，古籍保护人才培养的问题受到了广泛关注。本文尝试从辽宁大学历史学院古籍保护与修复方向人才培养现状出发，对我国古籍保护人才培养模式进行初步探索，从宏观、中观、微观三个层面探讨图书馆古籍保护中心与高校联合培养古籍人才的可行性问题，以期为我国古籍人才培养提供新思路。

关键词：古籍保护；古籍修复；学科建设；人才培养

我国地大物博，先人们留给了我们丰富的古籍文献资源。根据最新统计数据，我国公藏单位存藏约有5000万册古籍文献。这些珍贵的文献虽然能够逃过战乱纷争，却不能躲避时间的洗礼与自然侵害，有近30%的文献存在不同程度的破损。而国内现有的修复人员不仅年长者居多，还出现了后继无人的情况。作为炎黄子孙，保护先人留给我们的丰厚文化财富是我们义不容辞的责任。

一、引言

新世纪以来，党中央十分重视古籍保护工作，国家陆续实施了"中华再造善本工程""中华古籍保护计划"等多项文化工程。目前，我国古籍保护工作已经积累了众多宝贵的成果与实践经验，但是古籍保护学科建设与古籍人才培养仍任重道远。现阶段如何科学合理地规划古籍保护学科的课程设置,有效地衔接用人单位与高校之间、求学与求职之间的供需关系,是当下人才培养中不可忽视的问题[1]。

2017年,为响应国家号召,缓解古籍人才匮乏的局面,辽宁省图书馆(辽宁省古籍保护中心)拟定了古籍保护人才培养方案,与辽宁大学历史学院签订联合培养协议,依据协议双方合作培养古籍保护人才。这种联合培养的模式得到了国家古籍保护中心的认可。从2017年至今,辽宁大学历史学院共招收三届古籍保护与修复方向的研究生,共计6人。

二、辽宁大学古籍保护人才培养可行性分析

(一)宏观层面上,国家为古籍保护人才培养提供了政策保障

2007年1月,国务院办公厅发布了《关于进一步加强古籍保护工作的意见》(国办发〔2007〕6号,以下简称《意见》),《意见》中明确了古籍保护工作的重要性与紧迫性,要求各部门协同配合,做好古籍保护工作。《意见》中还明确指出:"要加强古籍保护人才培养。有关部门要制订规划,多渠道、分层次培养古籍保护人才。建立古籍修复机构资格准入与修复人员资格认证制度,在有条件的高等院校设置古籍保护和修复专业,培养一批技术精湛、素质较高的古籍修复人才。"可见,国家对这种图书馆与高校联合培养古籍人才的模式是十分认可的,并且在制度和财政方面也给予了充分的保障。

(二)中观层面上,古籍存藏单位为古籍保护人才培养提供了资源支撑

辽宁省图书馆是国家一级公共图书馆,有着丰富的古籍资源,是国务院命名的首批"全国古籍重点保护单位"之一。该馆有多位国内知名的古籍修复专家,并且举办过多次"国家古籍修复人才培训班",培训过许多古籍保护工作者。多年来,辽宁省图书馆的古籍修复成果显著,有着丰富的古籍修复经验与先进的古籍修复理念,另外还配有设备齐全的古籍修复室与修复工具材料库等。辽宁大学是国家"世界一流学科建设高校"、国家"211工程"重点建设院校,配有雄厚的师资力量。这种强强联合的培养模式,由图书馆(古籍保护中心)提供修复设备、修复技术、修复材料、待修古籍等服务,由院校提供教学课程安排、科研等服务,实现了理论教学与实践修复技能培训的紧密结合[2]。

(三)微观层面上,各教学点为古籍保护人才培养奠定了教学基础

已往我国古籍保护工作人员以中专、大专毕业生为多,相对缺少高层次的复合型人才。辽宁大学古籍保护与修复方向人才培养设置在图书馆学与档案学硕

士培养模式下,这两个专业的学生具有一定的文献学、版本学、目录学及文献分类编目的知识基础,这样的文化背景十分有利于衔接古籍保护知识的学习。同时,辽宁大学历史学院在古籍保护与修复生源选择上实行双向选择制,遴选出对古籍保护感兴趣的学生,然后学院老师再针对这些学生择优选定,保证了古籍保护与修复方向研究生的优质生源。

三、辽宁大学历史学院古籍保护人才培养现状

(一)基本情况介绍

辽宁大学历史学院始建于1953年,原名为历史系,2007年更名为历史学院,是辽宁省培养历史和档案专业基础人才的重要基地。学院现设有图书情报与档案管理、考古学、世界史和中国史四个学科,每年招收来自全国各地的学生百余人。

古籍保护与修复方向设置在图书情报与档案管理一级学科下。辽宁大学图书情报与档案管理一级学科目前拥有1个本科专业(档案学)、3个硕士点(档案学、图书馆学、图书情报专业硕士)。从2017年开始,在档案学专业与图书馆学专业硕士点下都设置了古籍保护与修复方向,每年各招收1名学生。

(二)培养目标与方式

对于古籍保护与修复方向的研究生来说,须更加注重其动手实践能力的培养。因此,在培养目标与方式上都应该区别于普通的"图情档"学术硕士,注重平衡学生的基础理论与实践操作学习之间的关系。

1. 培养目标

新时代的发展环境对古籍保护工作者提出了更高的要求,不仅须具有扎实的理论基础,还要具备熟练的动手操作能力。辽宁大学历史学院将古籍保护人才的培养目标定位于:第一,愿意献身古籍保护事业;第二,要对古籍保护的基础知识有一定的了解,如文献学、考古学、艺术学、文字学、版本目录学、物理、化学、生物等学科知识都要有一定的涉猎;第三,心灵手巧,有过硬的动手操作能力,争取能够独立从事古籍修复工作。总的说来,要提高国内古籍保护与修复工作的水准,实现学用合一、供需相求,将学生培养成高素质的复合型的古籍保护人才。

2. 培养方式

目前,辽宁大学历史学院古籍保护与修复方向的研究生培养采取非定向的培养方式,主要有课堂学习、报告学习、实践学习、学位论文四个环节。

(1)课堂学习。该部分主要由辽宁大学历史学院承担,主要包括公共课、专业基础课、专业必修课和方向选修课。由于辽宁大学历史学院古籍保护与修复方向设置在两个专业下,课程内容会有一些差异,所涉及的具体课程内容如表1所示。

表1 古籍保护与修复方向硕士研究生课程设置表

类别	课程名称	
	图书馆学专业	档案学专业
公共课	政治	政治
	英语	英语
专业基础课	信息资源管理	信息资源管理
	文献管理基础理论	文献管理基础理论
	图书馆理论与方法	档案学基础理论
专业必修课	图书馆管理系统	中国档案史专题研究
	信息检索	档案管理学研究专题
方向选修课	中国书史	中国书史
	目录学	目录学
	版本学	版本学
	古籍修复管理与技术	古籍修复管理与技术

从课程设置上来看,古籍保护的理论学习相对薄弱,与初期的培养设想相差较远。考虑到这点,图书情报与档案管理一级学科管理者为每位学生特批500元购书经费,学生可根据自身学习特点与需求自我选择购书。具体购书情况如表2所示。

表2 购书信息表

主题	书名	著者	出版社	出版年
古籍修复研究类	古籍修复与装裱	陈宁	浙江摄影出版社	2017
	中国古籍修复与装裱技术图解	杜伟生	中华书局	2013
	刘建明古籍修复案例	刘建明	学苑出版社	2018
	古籍修复技术	童芷珍	上海古籍出版社	2014
	古籍修复与装帧(增补本)	潘美娣	上海人民出版社	2013
	修复理论	切萨雷·布兰迪	同济大学出版社	2016

(续表)

主题	书名	著者	出版社	出版年
古籍保护基础理论研究类	中国文献学	张舜徽	东方出版社	2019
	古籍保护原理与方法	刘家真	国家图书馆出版社	2015
	中国古典文献学	吴枫	中华书局	2015
	文明的守望——古籍保护的历史与探索	国家图书馆	北京图书馆出版社	2006
	建筑遗产保护、修复与康复性再生导论	陆地	武汉大学出版社	2019
古籍整理研究类	古书的装帧:中国书册制度考	马衡等	浙江人民美术出版社	2019
	中国古籍装具	陈红彦、张平	国家图书馆出版社	2012
学术论文及提要类	古籍保护研究(第一、二、三、四辑)	国家古籍保护中心	大象出版社	2015、2016、2018、2020
	海峡两岸中华古籍保护论著提要(2011—2015)	《海峡两岸中华古籍保护论著提要(2011—2015)》编委会	国家图书馆出版社	2017
	融摄与传习——文献保护及修复研究	国家古籍保护中心、天津市古籍保护中心	中华书局	2015

(2)报告学习。该部分是指辽宁省古籍保护中心以国家古籍保护人才培训基地为依托,邀请国内著名的古籍保护专家学者为辽宁大学历史学院该方向硕士研究生作学术报告指导。自2018年以来,共举行了10场学术报告,具体内容如表3所示。

表3 学术报告内容表

序号	时间	地点	专家	主题	主要内容
1	2018年10月11日	沈阳师范大学图书馆	林明	中西古籍保护与修复比较	中西古籍的发展简史,以及在古籍保护方法、修复工具、修复材料、修复技术上中西存在的差别

(续表)

序号	时间	地点	专家	主题	主要内容
2	2018年11月2日	沈阳师范大学图书馆	王红蕾	古籍修复的历史与实践探索	"古籍修复的历史与理念""近十年全国古籍修复工作回顾"和"'十三五'期间古籍修复工作规划"等
3	2019年11月22日	沈阳师范大学图书馆	姚伯岳	难忘黄丕烈——古代藏书家的典范	"我与黄丕烈的故事"、黄丕烈的藏书活动、黄丕烈的题跋和黄丕烈的学术地位及影响等
4	2019年11月22日	沈阳师范大学图书馆	姚伯岳	拂去历史的尘埃——美国哈佛燕京图书馆藏金石拓片巡礼	哈佛燕京图书馆藏拓片的来源和构成、类型与特点,以及哈佛燕京图书馆藏拓片的数字化整理和出版工作等
5	2019年11月30日	辽宁大学历史学院会议室	王红蕾	梓墨千年:中国古籍插图艺术	古籍插图的概念、特点及发展历程
6	2020年4月28日	云端课堂	张美芳	从西域文献的修复寻找古纸的踪迹	西域文献介绍、西域文献修复的意义及西域文献用纸的选择等
7	2020年4月28日	云端课堂	陈红彦	善本的价值与鉴赏	古籍善本的基本概念、善本所具有的价值及大量版本与版本学的知识
8	2020年4月29日	云端课堂	彭震尧	古籍的拍卖理念与实践	拍卖的起源、早期的苏富比拍卖公司与佳士得拍卖公司、我国拍卖行业的发展等
9	2020年4月30日	云端课堂	荆秀昆	家庭藏书与保管保护	家庭藏书的特点、保管保护技术与方法,以及家庭古籍收藏所面临的主要威胁等
10	2020年6月24日	云端课堂	李国荣	清宫档案与清史研究	清宫档案与清史研究的关系、未来的档案史学研究方向和全新课题

由表3可见,报告内容涉猎广泛、视角新颖。学生通过学术报告学习,有效地弥补了课堂学习的欠缺,拓展了学术视野,增长了专业知识面,得以站在更高的学术平台上学习古籍保护知识、认识古籍保护工作。

(3)实践学习。该部分是指学校与图书馆协同合作,共同完成实践教学任务,主要分为短时性实践和长期性实践。短时性实践主要指学生在学校老师带领下到相应的部门进行参观实践。长期性实践主要指根据教学计划,学校将实践教学任务传递给辽宁省图书馆,学生在图书馆老师的指导下参与实际操作,为将来正式走上工作岗位打下良好基础。具体实践学习情况详见表4。

表4 实践学习表

性质	时间	地点	人员	主要内容
短期实践	2019年10月18日	辽宁省档案馆	2017级、2018级古籍保护硕士研究生	档案馆参观、观摩档案装裱与修复
短期实践	2019年12月5日	辽宁大学图书馆古籍特藏中心	2018级、2019级古籍保护硕士研究生	参观古籍书库、学习明清时期古籍特点与流传情况、制作线装书
长期实践	2018年7月下旬至8月上旬	铁岭县图书馆	2017级档案学专业古籍保护硕士研究生	古籍普查,对古籍的题名卷数、著者、版本、册数、存卷、行款、分类等重要信息进行著录登记,并向有关数据库上传所有古籍的书影等
长期实践	2020年3月至7月	辽宁省古籍保护中心	2018级古籍保护硕士研究生	受新冠肺炎疫情影响被迫取消,等恢复正常后再进行实地实习

(4)学位论文。古籍保护方向的学位论文与辽宁大学人文社会科学类学位论文写作规范和要求一致,即在导师指导下,学生根据自己的心得体会和对古籍保护工作的认识,结合自己的兴趣爱好独立完成。近两届学生毕业论文选题情况如表5所示。

表5 毕业论文选题情况表

毕业时间	专业	题目
2020年	档案学	我国少数民族古文字古籍文献数据库建设研究
2020年	图书馆学	双一流高校图书馆学科服务平台建设研究
2021年	档案学	我国档案保护资源平台建设研究
2021年	图书馆学	我国古籍保护研究的文献计量及可视化分析

(三)师资力量

鉴于研究生导师在研究生学习阶段所起到的至关重要的作用,辽宁大学也采用双导师制。在校内学习阶段,研究生导师主要由档案学专业下的档案保护方向赵淑梅教授和图书馆学专业相应的硕士研究生导师承担。赵淑梅教授曾参编了中国人民大学出版社与高等教育出版社出版的面向21世纪档案保护技术学教材2部,发表了《21世纪档案保护技术体系的革新》《从科技进步奖看档案保护技术的发展》等20多篇国家级和省级刊物论文。校外实践学习阶段,研究生导师由辽宁省古籍保护中心的资深馆员承担。这样,通过理论与实践相结合,两位研究生导师共同指导研究生完成硕士阶段的学习任务。

(四)时间规划

规划好理论学习、实践学习,顺利完成毕业论文是古籍保护人才培养的重点。由于古籍保护学科建设还是一个新事物,在辽宁大学历史学院还处于摸索阶段。在时间规划上,古籍保护人才培养与辽宁大学其他学术型硕士的培养是一致的,实行弹性教学制,学习年限一般为三年,即六个学期,最长不得超过五年。古籍保护与修复方向硕士研究生三年学习生活规划如表6所示。

表6 古籍保护与修复方向学习时间规划表

学期	课程安排
第一学期	公共课、专业基础课学习
第二学期	专业必修课学习
第三学期	方向选修课、报告学习
第四学期	实践学习
第五、六学期	撰写毕业论文、毕业

(五)就业去向

近年来古籍保护事业在我国虽发展迅速,但仍面临许多问题,尤其是古籍保护人才就业不对口、流失率高等现象时有发生。目前,辽宁大学历史学院古籍保护与修复方向硕士研究生已有2名硕士研究生顺利毕业,就业情况如表7所示。

表7 古籍保护与修复方向研究生就业情况表

毕业时间	专业	就业情况	专业对口情况	研究方向对口情况
2020年	档案学	未正式签单位,想去档案馆类机构	——	——
2020年	图书馆学	某高校图书馆	对口	不对口

由表7可见,辽宁大学历史学院2020届古籍保护与修复方向就业状况比较好,但是存在与研究方向不对口的现象。就业不对口的问题将造成教学资源在一定程度上的浪费。当然,就业问题还与社会环境、制度保障、培养模式、毕业生个人等方面都有着一定联系,值得引起我们的充分注意。

四、存在的问题与未来的期望

(一)存在的问题

第一,课程设置不够合理。现阶段的课程设置对于古籍保护人才培养目标来说不够理想,缺少专业化课程设置与教材。第二,缺少强大的师资力量。辽宁大学历史学院现阶段还没有古籍保护方向的专门师资,理论学习主要靠学生独立自学与短暂的学术交流,长远角度看不利于古籍保护的学科建设。第三,实践学习时间少。三年的学习时间大部分被理论学习与毕业论文占据着,留给实践学习的时间少之又少,而动手操作能力对古籍保护工作又十分重要,学生需要在实践中不断成长。如何平衡理论学习与实践学习之间的关系,是古籍保护人才培养中亟须解决的问题。第四,不能学以致用,难以实现对口就业。国内文博一类的事业岗位大多处于满编状态,没有空余的编制岗位来安排新培养的古籍保护人才,迫使一部分人不得不转行,造成了教育资源一定程度上的浪费。

(二)对未来发展的期望

首先,各项工作的开展需要有来自领导部门的持续支持与重视。目前古籍保护与修复工作虽然得到文化和旅游部门的重点关注,但其得以发展还需要基层单位的配合。因此,希望古籍保护人才培养工作能够得到校内与辽宁省古籍保护中心相关领导的高度重视,为古籍人才培养提供更多的支持与保障。其次,要加强学术交流与研讨。古籍人才培养不同于其他专业,古籍工作是一门实践性极强的工作,学生除要完成理论学习外,还需要在实践工作中不断学习、提升。古籍保护前辈们多年的工作经验无疑是巨大的财富,与之进行交流学习必会使学生大有进益。最后,在资金方面希望能有更多的财政支持。自"中华古籍保护计划"实施以来,国家财政已经对古籍保护工作进行了大规模经费投入,但仍需要大量的资金支持。与此同时,还需要在国家层面上制定出相应政策,提高古籍保护工作人员的福利待遇,吸引更多优秀人才投入到古籍保护事业当中[3]。

古籍保护专业人才培养工作还是一个新鲜事物,现阶段我国的古籍保护学科人才培养还处于实验探索阶段。辽宁省图书馆与辽宁大学历史学院联合培养古籍保护与修复人才的模式,为辽宁省古籍保护人才培养提供了一条可持续发展的良性循环新道路,也为全国其他地区提供了可以借鉴的模式。在这条新道路上还有许多值得关注的问题,仍需不断改进与创新。

(肖辉英,辽宁大学历史学院古籍保护与修复方向硕士研究生;赵彦昌,辽宁大学历史学院档案系教授,博士生导师)

参考文献:

[1]葛怀东.新时期古籍修复专业的办学定位与人才培养方案[J].新世纪图书馆,2007(6):69-70,90,2.

[2]牛甲芝.基于机构联合的古籍修复人才培养模式研究:以天津地区为例[J].图书馆工作与研究,2016(10):42-45.

[3]张建国.谈古籍修复与人才培养的新途径:以院校合作办学培养古籍修复人才为例[J].图书馆工作与研究,2015(7):91-94.

史事与人物

马泰来先生琐忆

Some Memories of Mr. Ma Tailoi

何义壮撰　凌一鸣译

摘　要：马泰来（1945—2020）先生，美籍华人，文史学者与图书馆专家。他不仅以治学精谨、考证详核享誉学界，更以对北美东亚图书馆事业的贡献为人们铭记。在普林斯顿大学东亚图书馆任职期间，马先生积极推动了该馆的发展，为中美图书馆界的业务合作与学术交流做出了重要贡献。

关键词：马泰来；东亚图书馆；普林斯顿大学

2020 年 1 月，美籍华人文献学家、文史学者马泰来先生于美国病逝。笔者与马先生曾共同供职于美国普林斯顿大学东亚图书馆，并有多年密切交往。谨以此文，追忆与马先生相关的点点滴滴。

第二次世界大战结束后不久，马泰来先生的父母从香港移居广州，马泰来便出生于羊城。马泰来年幼时，举家于 1949 年回到香港，他是在七姐妹路的一幢房子底层长大的。像香港的大多数旧公寓一样，这幢建筑此后被宏伟的高层建筑所取代。从二年级开始直到高中毕业，马泰来就读于教区学校（慈幼会天主教，盎格鲁宗基督教）。就像他的哥哥——中国文学研究和海军史方面著名的学者马幼垣先生一样，马泰来职业生涯的起始阶段，也跟随兄长的步伐，他先工作了两年，然后去香港大学读书。在这两年间，他曾在一家 1965 年于香港开办的汇丰银行工作。那时马泰来每天数钱到午夜，这份工作大约维持了一个星期，他笑称此后再也未见过这么多钱。

在香港大学中文系，他学习了各种各样的中文和英文科目，包括历史和文学。他的老师之一是世界著名的汉学家饶宗颐(1917—2018)。饶先生于1952—1968年历任香港大学中文系讲师、高级讲师、教授，讲授《诗经》《楚辞》及六朝诗赋、古代文论、中国古代哲学。马先生一直与他保持师生关系，直到饶先生离世。另一位是著名的图书馆专家及历史学家余秉权(1925—1988)，他见证了从高中时代就对目录学研究产生兴趣的马泰来逐渐在这方面进行深入研究。毕业后，马泰来在高中任教一年，之后又追随其兄的脚步申请美国奖学金，并得到一份芝加哥大学的通知书，就此开始在那儿研究远东图书馆学。同样在那里，另一位世界著名的学者钱存训(1910—2015)，已经开始把这一领域纳入美国学界的知识版图。马先生同样也与他保持密切关系，并参与了这位前辈学者文集的编纂。

1970年秋天，马先生进入芝加哥大学。他在一年内已基本完成了文学硕士的课业，但因为他获得的是两年的奖学金，所以推迟了毕业。随后，他从1972年开始在图书馆全职工作，同时获得了另一份两年的奖学金，用以补贴学费，跟随另一位著名学者何炳棣(1917—2012)攻读博士学位，学习中国历史。在1987年之前，他一直坚持这种半工半读道路，并发表了一篇题为《中国明代私立书院(1368—1644)：历史发展、组织和社会影响》的博士论文。在芝加哥大学东亚图书馆，他从编目员一步步升为编目负责人，并于1987年开始担任芝加哥大学东亚图书馆馆长，直至1997年。

在此期间，马先生在美国图书馆领域担任过许多职务：20世纪80年代初，他是CEAL①技术服务委员会的成员；1985年至1989年担任CEAL在ALA②/CCAAM③的委员；CEAL总理事会(1989—1992)的主要成员；北美东亚图书馆协会中文资料委员会主席(1993—1996)；1997年，他成为CEAL主席。此外，他还参加了几个特别工作组：他是1993—1994年ARL④中国资料海外采购项目的主席；参与了RLG⑤建立的中文善本书国际联合目录项目中国善本古籍编目规则的制定(1989)；1993年参与主持了美国教育部组织召开的东亚图书馆会议第六次主任会议；1995年，他参加了一个案例研究小组，负责评估国会图书馆与1949年后中国社会科学有关的中国藏书政策。

---

① 译者按：指Council on East Asian Libraries，美国东亚图书馆理事会。
② 译者按：指American Library Association，美国图书馆协会。
③ 译者按：指Committee on Cataloging：Asian and African Materials，美国编目组织，亚细亚-非洲资料。
④ 译者按：指Association of Research Libraries，美国研究图书馆协会。
⑤ 译者按：指The Research Libraries Group，美国研究图书馆组织。

1997年底，马先生搬回香港，成为第一位居住在美国之外的CEAL主席。在此期间，他就任母校香港大学冯平山图书馆的馆长，并因此成为香港回归中国后该校图书馆的第一任负责人。担任CEAL主席时，马泰来常为其会刊撰写评论文章。他最引以为豪的，是对"白话"一词在写作中错误使用的探讨。作为中文资料委员会主席，1994年，当中国图书价格的卡特尔垄断正在形成时，马泰来成功地让CEAL挺过这一危机。不为人知的是，马泰来还曾经是印第安纳大学金赛学院图书馆的顾问，这一点非常有趣。

初识马先生时，我对他的认识可能与其他图书馆员有所不同。因为在图书馆学领域之外，先生在中国史研究界的成就已经受到了关注。而作为明清史研究者，我早已拜读其论著。1978年，他发表了关于辨正《南方草木状》真伪的文章，与李约瑟产生了争论，引起学界关注。但在此三年之前，甫读博士的马先生已经发表了一篇长达13页的《〈明人传记资料索引〉补正》。很少有人会逐条核对这部传记资料，更不会去更正错误年代、增补人物家庭成员、改进人物关系信息，并补充遗漏。有人告诉我，作为一个当时仍在读的学生，我绝不是唯一一个对马先生文章里那些细致笔记感到敬畏的人。当时，马先生将这些笔记复制并单独装订，与《明人传记资料索引》一同存放在普林斯顿大学东亚图书馆。这篇文章也给北美明史界专家牟复礼（Frederick Mote, 1922—2005）、傅路特（Luther Goodrich，又译作傅路德，1894—1986）及何炳棣留下了深刻印象，但这只是马泰来一系列考证工作的开始，他随后补充或辨正了诸多明清学者的生卒年。

当时的我不知道的是，马先生所长还远不止此[1]：他核查了林纾所译小说的英文原著，并编订索引。这些译著往往是从维多利亚时代的通俗小说转译而来，在这个领域，马先生有着令人惊讶的深入了解。当然如果是他的朋友，可能对此并不意外：他对时下最流行的电影明星也是如数家珍，对他们互相关系的了解堪比其对明代文人的熟稔。

对于中国文学研究者来说，也许马先生的以下两个发现最令人印象深刻：首先他发现了最早论述《金瓶梅》文学价值的文章——谢肇淛跋，这篇文章被《金瓶梅》的法文译者雷威安（André Lévy, 1925—2017）称为"了不起的文献发现"[2]。顺便一提，这部被美国国会图书馆统一著录题名为《金瓶梅词话》的书，从此以后就成了马先生的"眼中钉"。

---

[1] 译者按：原文为西人习语"帽子上还有其他羽毛"。
[2] 译者按：原文为法语"une découverte documentaire majeure"。

但马先生最具影响力的发现是他找到了一首诗①。此诗是关于"中国罗宾汉"——宋江的,他是小说《水浒传》的主人公,也是一个真实存在过的历史人物。马先生证明,历史上的宋江确实已经投降。尽管毛泽东曾批判宋江投降,但一部分史学家还是认为,宋江投降的相关记载是对农民起义的污蔑与诽谤。最后,中国著名史学家、宋史研究会会长邓广铭指出,事实就是事实,马先生的发现是不可否认的。此后大多数学者也沿用了马先生的发现与结论。

要知道,这些发现全都是在数据库与搜索引擎诞生之前完成的!

回到马泰来与图书馆的故事。离任冯平山图书馆不是马先生职业生涯的终点,反而给了他一个机会,他与两岸三地的图书馆员们有了更多的交往。普林斯顿大学东亚图书馆馆长出现空缺时,马先生申请并获得了此职位。作为研究明代的学者和文献专家,马先生非常清楚普林斯顿大学在这些方面的优势,并结合自己的资源进行研究。事实上,早在1991年,牟复礼就邀请马先生出任《葛思德图书馆杂志》(The Gest Library Journal)顾问委员会的成员,该刊开创了美国的中国书史研究先河。当时牟复礼就曾说过,马泰来对葛思德图书馆来说已经属于"内部人士",但很难将他归入某个特定领域,因为他跟以往最杰出的汉学家一样,一丝不苟的批判性研究触及了中国文化的方方面面。

2001年以后,马泰来先生来到普林斯顿。就在东亚图书馆的主要部分——当时在帕尔默楼(Palmer House),现在迁至弗里斯特校园中心(Frist Campus Center)——更新完成以后,他改变了参考书的存放位置,让读者受益。东亚图书馆的第二部分壮思堂(Jones Hall)随后也更新完成。当时,爆满的书架是一个大问题。同时,古朴的木质设施与"敷衍"的金属书架形成了不协调的组合,不仅影响美观,还阻碍了适度的空气流通。马先生设法找到了一个完美的折中方案:在保证空气流通的前提下,用新的木制书架代替了金属架,并说服了人们让其使用纪念已故牟复礼教授的基金,作为更换书架的经费来源。

在普林斯顿大学期间,马先生身兼图书馆员和学者双重身份,因此有资格被授予2008年设置的高级图书馆员职阶。近十年来,他主要致力于研究明末一位藏书家徐𤊹的收藏与活动,他对《红雨楼题记》及《徐氏家藏书目》的辑注将由上海古籍出版社出版。马先生有时也会使用数据库(他是"读秀"的粉丝)——当然他不是任何时候都相信数据库。举例来说,中国人可以用很多的别名,名字并不具备排他性,这意味着收集某个人的资料可能是相当困难的。

---

① 译者按:指宋李若水《捕盗偶成》。

他还与中国国家图书馆、台北"中央研究院"等单位及中华书局等出版社合作,在各种善本图书数字化和影印出版项目中起到领导作用。我馆所藏《永乐大典》最近已经再版,以后我馆的善本古籍和普通古籍目录也将进行更新。所有的出行与讨论的情况,马先生都会予以记录(他有很多目录柜,用以放置整理好的名片)。

简而言之,对于普林斯顿大学东亚图书馆,马泰来是不可替代的。但在他荣休之后,他的图书馆工作也后继有人,我们将在马先生工作的基础上,继续推动美国的中国文史研究与东亚图书馆工作。

(何义壮[Martin Heijdra],普林斯顿大学东亚系明史博士,现任普林斯顿大学东亚图书馆馆长,兼任《东亚出版与学会》杂志书评编辑、亚洲研究书目咨询委员会成员等;凌一鸣,天津师范大学古籍保护研究院讲师)

版本与鉴赏

北宋李照《径山山门事状》考论*

A Textual Research on Li Zhao's *Anecdotes of Jingshan Temple* in Song Dynasty

唐 宸

摘 要：北宋李照《径山山门事状》是已知最早的径山禅宗祖庭开山史料，具有重要的文献价值，惜无单行本传世，《全宋文》亦失载。本文在复原《径山山门事状》文字、考证作者生平与编纂经过的基础上提出：《径山山门事状》是由国一、无上、法济三位祖师的行状组成的合状，所谓李照《径山集》并不存在。《径山山门事状》详细记录了径山寺开山事迹，与《景德传灯录》等灯史著作相得益彰，成为后世文人创作的重要素材，其体例为后世径山寺志奠定了基础。本文还对历代径山志的版本源流关系进行了考辨。

关键词：《径山山门事状》；径山寺；寺志；辑佚；版本源流

杭州径山寺是禅宗"五山十刹"之首，北宋李照《径山山门事状》（以下简称《事状》）是已知最早的径山祖庭文献汇编，以记录开山故事闻名于世。然《事状》索无单行本传世，《全宋文》未收，文献记载互相抵牾，以致古今学者对其产生不少误解。本文拟全面梳理《事状》相关传世文献，对其内容体例、编纂经过、文体性质、文献价值等问题进行探讨。

---

* 基金项目：国家社会科学基金重大项目"基于大数据技术的古代文学经典文本分析与研究"（18ZDA238）。

一、《事状》辑考复原

保存《事状》文字最集中的早期文献是明初宗净的《径山集》(今传本为万历正璠续刊本)[1]。宋人施元之、旧题王十朋二家注苏轼《游径山》《再游径山》诗(以下分别简称"施注苏诗""王注苏诗")和宋《[咸淳]临安志》记径山掌故,皆曾摘引《事状》部分文段,虽早于宗净《径山集》,但都不够完整,且多概括删节[2-4]。今以宗净《径山集》为基础,据事状体例适当调整全篇次序,复原《事状》文本结构原貌,补《全宋文》之阙(见表1)。

表1 北宋李熙《径山山门事状》文本结构复原表①

文本结构复原	出处
《径山山门事状》②	施注苏诗引完整篇名
将仕郎、前守杭州右司理参军李熙撰③	宗净《径山集》引
第一代大觉国一贞元大师:〔大〕师讳法钦,吴郡昆山人,姓朱氏……吴越王厚礼重葬于旧塔焉。④(共1970字)	宗净《径山集》引全文,施注苏诗引7处355字,王注苏诗引8处423字,《[咸淳]临安志》引4处299字,祝穆《方舆胜览》引1处166字
第二代无上禅师:禅师名鉴宗,湖州长兴钱氏子也。……是兮非兮,师宁有说?⑤(共435字)	宗净《径山集》引全文
第三代法济大师:禅师讳洪諲,其先吴兴乌程人也,姓吴氏。……恩顾山门,非他可并焉。⑥(共1367字)	宗净《径山集》引全文,施注苏诗引1处56字,王注苏诗引2处85字

---

① 原文共4100余字,因篇幅所限,除标题、署名、按语照录外,其余正文只引首尾句,并注明出处。
② 此题最早见于宋本施注苏诗《游径山》,作"李熙《径山山门事状》",今据题。
③ 宗净《径山集》列此句于《径山国一祖师行实》题下,系后人刊刻错乱所致,今移至大题后。
④ 此篇见宗净《径山集》中卷,有《径山国一祖师行实》《第一代大觉国一贞元祖师》二题。施注苏诗、王注苏诗引《事状》多称"大师""国一大师""第三代法济大师",知为《事状》原题体例,故此处取《第一代大觉国一贞元大师》为题,下同。
⑤ 此篇见宗净《径山集》中卷,题为《第二代无上禅师》。
⑥ 此篇见宗净《径山集》中卷,题为《第三代法济禅师》。施注苏诗、王注苏诗引《事状》皆有"第三代法济大师"之句,知为《事状》原题。

(续表)

文本结构复原	出处
天下山水奇秀,则吴、越称首;越则有天台、四明为尚,吴则有天目居最。径山乃天目〔之〕东北峰,〔有径路通天目,故谓之径山,奇胜特异。〕其顶则五峰周抱,中有平地,实洞天耳,承天禅院居北焉。余闻是山、是寺之名久矣。大中祥符辛亥,奉命司宪于郡,日无清暇,故莫遂访焉。今年孟夏,既获美代,心腑清适,有命驾之兴,快畴昔之素。俄至于是,见其峰峦胜异,草木鲜莹,基构高下,薨檐紫带,非丹青之可状,非咏歌之可记。乃问诸僧开山之事始、先贤之灵迹,其说颇骇人之耳焉。再征其据,乃得石碑数片、旧录一卷。考其事实,得诸僧之说半焉。而又乘笔者记述事迹,或得前而遗后,或得后而遗前,观之者莫能尽见始末之实。余惜此山之奇绝,高先贤之茂行,痛其郡记错(维)〔杂〕,难卒行于世,使好事者不能传之,乃命笔总集其事,使终始一贯,前后无失。然其事得于古石者存之,传于人口者勿载,欲后之见者不复疑焉。时大中祥符乙卯岁壬(子)〔午〕月己亥日记。①	宗净《径山集》引全文,施注苏诗引1处9字,王注苏诗引1处9字,《[咸淳]临安志》引2处24字。文本略有不同,据校改凡四处:前二处皆系字句脱漏,第三处为字形讹误(误"雜"为"维"),第四处属干支纪月之误,说详后文

二、《事状》的作者与成书

(一)《事状》的作者

今天能够看到的宋人引《事状》文献主要有施元之、旧题王十朋二家注解苏诗和《[咸淳]临安志》。上述诸家仅有施元之明确言及"李照《径山山门事状》",这是现存最早的《事状》作者记录。然而宋代历史上有多位李照,如端拱二年(989)进士、徽州人李照[5],在《宋史·乐志》中屡屡出现的仁宗景祐朝(1034—1037)著名礼乐改革家、集贤院校理李照(《全宋文》录其议奏9篇),还有端平二年(1235)特奏名进士、侯官人李照(字辉仲)[6]。第三位李照是南宋人,可以排除。那么《事状》的作者究竟是哪一位李照呢?

通过《事状》按语,可知作者李照于北宋真宗大中祥符四年辛亥(1011)出任杭州右司理参军(即"司宪",从八品)。因其寄禄官阶为将仕郎(从九品),属于低阶高配,故加"守"字,自称"守杭州右司理参军"。至八年乙卯(1015),他任满获代,得以闲暇时间游览径山寺,并撰集《事状》一篇。考《杭州上天竺讲寺志》曰:"宋李照,时以大中祥符七年②,由集贤学士出为杭州司理,撰《天竺看经院灵感观音圣像记》甚详。后毁于兵燹,不存。"[7]通过"大中祥符""杭州司理"两个

---

① 李照按语见宗净《径山集》中卷《径山国一祖师行实》题下,今依事状体例(说详后文)移至此处。
② 按:李照司宪杭州始于大中祥符四年,终于八年。这里的"大中祥符七年"应是他撰写《天竺看经院灵感观音圣像记》的时间,而不是"出为杭州司理"的时间。

关键词不难判断，这一位留心佛家掌故的李照就是《事状》的作者李照，而他在司宪杭州之前曾经带职集贤院，显然他和那位礼乐改革家、集贤院校理李照也是同一人（"集贤学士"是集贤院诸官职之统称，并非确指）。据《宋史·乐志》《太平治迹统类》《乐书》《玉海》等文献记载，李照在景祐初担任尚书省祠部员外郎、集贤院校理，奉仁宗之命改制乐律。景祐二年（1035）九月丁酉，因改制礼乐有功，升尚书省刑部员外郎，赐三品服[8]。可能由于他的礼乐改革受到不少大臣（如宋祁）的反对，他决定谋求带职外放。《[嘉泰]会稽志》载："李照，景祐二年十二月以刑部员外郎、集贤校理知（引者注：知越州），三年十一月移明州。"[9]他在越州知州任上始议创建学校[10]，明州任上禁止百姓侵湖为田[11]，都留有一定政绩。此后他的生平行迹不再见诸史志，可能在景祐三年后不久致仕。

《事状》作者李照的早年经历已经难以考证，按常理推断他应有功名，否则难以担任司理参军这一在当时初授门槛较高的官职。那么，他和前文提及的徽州进士李照是否为同一人呢？答案应该是否定的。徽州人李照早在端拱二年即中进士，到了二十多年后的大中祥符年间至少已经为官数任，而《事状》的作者李照此时仍然只是一个"刚入流"的从九品将仕郎，彼此的差距是很大的。

（二）《事状》的成书经过

李照《事状》自署"大中祥符乙卯岁壬子月己亥日记"，"乙卯"是大中祥符八年（1015）。然而根据干支纪年法规律，只有丁年、壬年才会有壬子月，故此处年份、月份二者必有一误。若年份有误，因大中祥符共八年，无丁年，只有五年为壬年，然文中既称"大中祥符辛亥，奉命司宪于郡……今年孟夏，既获美代"，按照常理，此时距离他初任杭州司宪的大中祥符四年辛亥至少应已三年以上，才能符合"既获美代"即任满获代的说法，因此年份不太可能有误；若月份有误，大中祥符八年与"壬""子"有关的月份有五月（壬午月）和十一月（戊子月），五月二十日恰为己亥日，十一月无己亥日。综合上述考察，李照此文的实际撰写时间应当是"大中祥符乙卯岁壬午月己亥日"，也就是大中祥符八年五月二十日。"壬午""壬子"属形近而误。

李照造访径山寺是在大中祥符八年孟夏（四月），至五月二十日成《事状》一篇，用时仅一个多月。他编集《事状》的文献依据是"石碑数片、旧录一卷"，所谓"旧录"，很可能是僧传、语录、祖图一类文献。他强调"其事得于古石者存之，传于人口者勿载"，这一编纂原则在《事状》中有所体现：撰写国一大师行实，李照参考了唐代宗诏敕勒石（有门徒"三十二人姓名列于碑阴"）和唐崔元翰所撰石碑（立于径山寺西南隅。明代后期仍存，万历三十九年王在晋游径山时曾"取唐崔元翰碑籀文摩拟"[12]);撰写无上禅师行实,参考了唐人沈敬修《灵龛铭并序》及《赞》;撰写法济大师行实,参考了后梁开平五年(911)僧师烈撰文、贞明二年(916)立石的石碑。此外,他多次考察径山寺现存遗迹,如龙井、喝石岩、玉芝岩、含晖亭、灵鸡冢、禅床与剑迹等。正因为他秉持严谨的学术态度,坚持"传信""阙疑"的书写原则,《事状》得以成为一篇文献价值极高的禅宗史料文献。

三、《事状》的性质与价值

(一)《事状》的文体性质与前人误解

《事状》是状体文献,状体文献的代表性文体是行状,这一文体实际承担了为作传记或志铭提供原始资料的作用。佛教历史上祖师行状极多,其内容一般都以叙述祖师生平经历、驻锡过程、宗派师承为主,且非常重视对祖师论禅语录与所受封典的记录,例如旧藏日本东福寺、现藏日本京都国立博物馆的径山寺十方住持第三十四代佛鉴无准禅师的两篇行状:其一是德如撰《大宋国临安府径山兴圣万寿禅寺住持特赐佛鉴禅师行状》卷子本一卷,嘉熙三年(1239)作成,日本延宝二年(1674)被收藏者裁成五幅重新装帧;其二是道璨撰《径山佛鉴禅师行状》卷子本一卷,淳祐九年(1249)作成[13]。两篇行状文体结构、行文范式与李照《事状》非常接近,以开篇为例(见表2):

表2 李照、德如二行状文体对照示例表

李照撰无上禅师事状	德如撰佛鉴禅师行状
禅师名鉴宗,湖州长兴钱氏子也。祖徽,礼部侍郎。父晟,晦德不仕。师少而颖异,风骨不凡,挺然有拔俗志。依本州开元寺大德高间出家。年二十七,受具戒,间使习经业,通《净名》《思益》二经。弃之游方……	师世居西川隆庆府,讳师范……俗姓雍。父、祖乐善,尝度僧三人……至九龄,愿求出家,父母不违其志。遂依阴庆院僧道钦脱白……既出家……其时便有游方志……落发,师授以《金刚经》……

李照《事状》是由第一代国一大师行状、第二代无上禅师行状和第三代法济大师行状组成的合状,它最初的形态很可能也是卷子本。由于三位大师是径山寺开山始祖,他们的生平事迹是"开山之事始、先贤之灵迹",就连吴越王也"恩顾山门",所以李照决定"总集其事",采取事状体例来编纂三位大师的合状,并命名为《径山山门事状》。

唐宋时期采取类似合状结构的事状并不罕见,如白居易《太原白氏家状》内含《故巩县令白府君事状》《襄州别驾府君事状》二篇事状[14]。李照在《事状》最后附上按语,这也是状体常见体例,如柳宗元的《段太尉逸事状》就由段太尉生平行状和柳宗元本人按语两部分构成,中间以"太尉逸事如右"区隔[15];又如方回《先君事状》,由十余则先人逸事和方回本人按语两部分构成,按语以"至元壬午正月,回时年五十六,泣血再书"结尾[16]。

通过上述考证,可以明确李照《事状》是多篇行状的合状,并不是一部独立的、正式的著作。用今天的话来说,它是一份文件,而不是一本书。宋元人引用时或称《事状》《径山事状》《山门事状》《径山山门事状》,绝无《径山集》之名。李照自署"时大中祥符乙卯岁壬(子)〔午〕月己亥日记"的那一段文字,实为《事状》文末按语(或者说跋语、识语),并不是一篇序文。

《事状》文字不多,很难被单独刊刻,只能依靠传抄,或者被一些著作收录、摘引才能流传下来。明初宗净编《径山集》时依据的《事状》版本应当是径山寺收藏的传抄本。众所周知,明人刻书体例与宋人已有很大不同,他们往往将宋人原本置于文末的跋语、后序移至卷首,对于宋人分辨甚清的"大题""小题"也不再区别,这就导致原本位于《事状》最末的李照按语在《径山集》中被置于《事状》逸文之前,甚至夹在《径山国一祖师行实》和《第一代大觉国一贞元祖师》两标题之间,殊无伦次。正璠重刻宗净《径山集》时认为"祖上之遗籍,后人莫敢妄为之臧否"(方壹序),遂照样未改,延续至今。

明末宋奎光辑《径山志》,因不明宋人《事状》内容、体例,将李照按语误题作《径山集序》[17]387,从此虚构出本不存在的李照《径山集》;又将明初宗净误作万历时人,将宗净《径山集》当作所谓李照《径山集》的重刻本,可谓一错再错。其《径山志·凡例》云:"万历初年,本山僧宗净重刻《径山集》,所载诸祖事,实十无二三。今考之《佛祖统载》及《传灯录》《禅宗正脉》《五灯会元》《高僧传》诸藏典,复益以松源所藏抄本。八十七祖,称大备焉。"然而同书卷三《列祖》曰:"六十五代月江禅师,讳宗净,别号月清,金华人,倪姓……寿六十七,于正统壬戌三月十三日示微疾。午时集众……跏趺而逝。"知宗净生于洪武九年(1376),卒于正统七年(1442),绝非万历间人,《径山志》自相矛盾。万历年间重刻宗净《径山集》的人其实是本山比丘正璠。

《径山志》的错误对后人产生了很多误导,如雍正《浙江通志·经籍》著录《径山集》二种,其一无卷数,小注引《径山志》称其为"大中祥符辛亥李照集";另一种为三卷,小注称其为"万历初年僧宗净刻"[18]。二种著录皆误。台湾明文书局1980年影印《径山志》,也误称"万历初年有僧宗净者刻《径山集》"[17]1;又如赵焕明《径山著述》云:"宋《径山集》,宋参军李照著……书已失传,但明代的《径山志》中有李照的《径山集序》一文,证明确有宋《径山集》之书。"[19]上述三家都是过于相信《径山志·凡例》,误以为有所谓宋李照《径山集》存在,误将宗净当作万历时人。

(二)《事状》的文献价值

作为已知最早的径山寺开山史料,《事状》的文献价值主要体现在以下几个方面:

首先,《事状》详细记录了径山寺三位祖师的弘法事迹,与《景德传灯录》(以下简称《灯录》)等灯史著作相得益彰。据冯国栋先生考证,道原撰成《灯录》后进献朝廷,宋真宗命杨亿等人刊定成三十卷。"初刻之年代约在大中祥符四年之后,而景祐元年之前已有刊本传世……直至熙宁本,方正式将《传灯录》编入大藏。"[20]150《灯录》初刻单行本在大中祥符四年至景祐元年间(1011—1034)问世,而李照编纂《事状》在大中祥符八年,二者时间相近。但李照在《事状》按语中明确提及的参考文献仅有"石碑数片、旧录一卷",并无只言片语言及《灯录》,他很可能并未看到《灯录》。换言之,道原、李照二人几乎同时独立撰写径山寺三位祖师行实,兹以国一大师行实为例对二者区别进行比较(表3中的序号为实际文本次序)。

表3 《灯录》《事状》国一大师行实对照表

道原《灯录》	李照《事状》
(1)杭州径山道钦禅师者,苏州昆山人也,姓朱氏。初服膺儒教。	(1)师讳法钦,吴郡昆山人,姓朱氏,世服儒业。
未载	(2)师初孕……为时推服。
(2)年二十八,玄素禅师遇之,因谓之曰:"观子神气温粹,真法宝也。"师感悟,因求为弟子。	(3)年二十二……玄素禅师见而异之……素曰:"观子神观,几于生知。若肯出家,必悟如来知见。"师即裂缝掖,刻苦亲依。
(3)素躬与落发。	躬为去发。①
未载	(4)素深器之……久之,辞素,请示所止。
(4)乃戒之曰:"汝乘流而行,逢径则止。"师遂南行,抵临安。见东北一山,因访于樵子。曰:"此径山也。"乃驻锡焉。	(5)素曰:"乘流而行,遇径即止。"……后之临安,行次东北山之下,见樵者……樵曰:"此天目山之径路,谓之径山,亦名径坞。"师忆素语,乃披榛而入。
未载	(6)大雪经旬,绝食安禅……有白衣老人前而致拜……木逾数载,名震天下。

---

① 此句不见于明《径山集》,据王注苏诗《游径山》引《事状》补。

(续表)

道原《灯录》	李照《事状》
(5)有僧问："如何是道?"师云："山上有鲤鱼。水底有蓬尘。"	(9)有僧问："如何是道?"师曰："山上有鲤鱼,井底有蓬尘。"
(6)马祖令人送书到,书中作一圆相。师发缄,于圆相中作一画,却封回。	(7)马祖令人驰书,书中作一圆相。师开缄,于圆相中作一点,却封回。
(7)僧问："如何是祖师西来意?"师曰："汝问不当。"曰："如何得当?"师曰："待吾灭后,即向汝说。"	(10)又僧问："如何是祖师西来意?"师曰："汝问不当。"曰："如何得当?"师曰："待吾灭后,即向汝说。"
(8)马祖令门人智藏来问："十二时中以何为境?"师曰："待汝回去时有信。"藏曰:"如今便回去。"师曰："传语:却须问取曹溪。"	(8)又令智藏来问："十二时中以何为境?"师曰："待汝回去时有信。"藏曰:"如今便回。"师曰："传语:却须问取曹溪。"
未载	(11)永泰初……见一白衣人,称是天目巾子山人……因慧之奏,以礼径山为师,师名益著。
(9)唐大历三年。代宗诏至阙下亲加瞻礼。	(12)大历中,代宗遣内侍黄凤持诏致师诣阙,其词曰……同弟子之礼。
(10)一日师在内庭,见帝起立。帝曰："师何以起?"师曰："檀越何得向四威仪中见贫道?"帝悦,谓忠国师曰："欲锡钦师一名。"忠欣然奉诏,乃赐号"国一"焉。	(13)师一日在内庭,见帝起立。帝曰："师何以起?"师曰："檀越何得向四威仪中见贫道?"帝悦,谓忠国师曰："欲赐钦师一名。"忠忻然奉诏,乃赐号"国一"焉。
(11)后辞归本山。	(14)顷之,辞归。帝曰……复归龙兴与径山,不择所止。
(12)于贞元八年十二月示疾说法而逝。寿七十有九。	(15)师将示灭于龙兴,先期三日告众曰……俗寿九十二,僧腊七十,实贞元八年十二月二十八日也。
未载	(16)师悲愿弘深,见面闻名……到于天龙敬向、异类皈依……师之灭,亦三日而死。
(13)敕谥曰大觉禅师。	(17)贞元九年,德宗赐谥号曰"贞元大觉禅师",塔曰"天中"。
未载	(18)宪宗元和十年,赐丰碑……其碑在寺之西南隅。
未载	(19)师嗣牛头宗派,得法于素……融师四祖信大师。
未载	(20)天复中……吴越王厚礼重葬于旧塔焉。

从上表可以看出《灯录》和《事状》应当具有共同的文献来源,即径山寺石碑旧录、祖图语录之类文献,但详略有所不同:二者雷同文段多是《灯录》较简省,仅

有语录部分《灯录》照录全文(左第5至第8条),与《事状》几乎一字不差(右第7至第10条),这体现出《灯录》侧重记言的文体特征。冯国栋先生即认为:"灯录之体与一般僧传之别,在于僧传重于记行而灯录重于记言。"[20]96 但《灯录》记言顺序明显错乱,不如《事状》条理清楚,可见李照所谓"使终始一贯,前后无失"并非虚言。

至于《事状》独有而《灯录》近乎完全未载的情节,主要包括:第一,童年奇事、受学玄素、辞别玄素;第二,初到径山于雪中绝食修禅,感化猎人;第三,遇到神龙化身的白衣老人,创建寺庵,名震天下;第四,遇到天目巾子山人,度为沙弥崇慧,后来崇慧进京斗法获胜;第五,径山出现动植物祥瑞感应现象;第六,宪宗立碑;第七,师承关系;第八,吴越时期发塔,肉身如生。除第六、第七条外,皆是李照认为"颇骇人之耳"的传说故事,《灯录》完全不载①;但李照认为这些故事都是"得于古石"的,有一定文献价值,故仍得编入《事状》中。至于第六、第七条都是李照撰写《事状》的重要参考文献,也一并编入。李照的编纂理念是先进的,《[咸淳]临安志》云:"案,径山记开山之始,其事涉怪诸如此类,皆存其旧,不敢削也。然观天台、天童诸山,其初皆有方外异人为之通道,而蛇龙魑魅之所居始为人境,其事大率类此,无足怪也。"[4]22 对其给予了充分肯定。

其次,《事状》保留诸多径山开山逸事,成为后世文人创作的重要素材。仅明《径山志·名什》就录有苏轼、苏辙、范仲淹、陆游等名人诗作百余首,以及蔡襄、黄汝亨等人游记多篇,这些诗文引用《事状》典故者比比皆是。最著名的径山诗出自苏轼,其《游径山》的"下有万古蛟龙渊""精诚贯山石为裂""寒窗暖足来朴渥""雪眉老人朝叩门"等句,《再游径山》的"冢上鸡鸣犹忆钦""雪窗驯兔元不死""不怕黄巾把刀槊""榻上双痕凛然在"等句,皆典出《事状》。赵次公注二诗时,不明白典故出处,往往不得要领,如"寒窗暖足来朴渥"句,赵注云:"朴渥,兔也。《木兰歌》:'雄兔脚扑朔,雌兔眼迷离。'"读者仍不明白为何苏轼会引用《木兰歌》古典。旧题王十朋注则云:"《事状》云:'师有白兔二,常跪于杖屦之间。'"根据《事状》注出今典,与古典相得益彰。又如"雪眉老人朝扣门,愿为弟子长参禅"句,赵注云:"《宣室志》载:任顼居深山中,尝一日闭关昼坐。一翁扣门来谒,曰:'我非人也,乃龙也。'"又云:"龙见孙思邈,称弟子以为言。"与国一大师故事毫不相关。旧题王十朋注则云:"此以上并系径山实事,当以《径山事状》注者为是,如赵次公注者皆牵合。"可谓确论。

---

① 《灯录》全书原本即按师承排列,故无须载录第七条。

《事状》中的一些逸事还成为文人创作习用的成语典故，如元阴时夫《韵府群玉》收录"乘流遇径"一词，并引《径山事状》曰："国一禅师遇马素禅师。曰：'汝乘流而行，遇径而止。'至临安东北山下，问之樵者。曰：'此山谓之径坞。'乃求挂锡。"[21]627 清张玉书《佩文韵府》收录"湫龙""遇径"二词，亦引《径山事状》典故说明。《事状》对后世文人创作的影响由此可见一斑。相关案例很多，此不赘列。

最后，《事状》的体例为后世径山寺志奠定了基础。径山寺历史上多次纂修寺志，但今人往往仅知宗净、宋奎光二种，今逐一考证如下：

1. 明初宗净编、万历四年（1576）正璠重刻《径山集》三卷：上卷录记文五篇；中卷录《事状》，并增录第四代祖师以下数十位祖师名衔、籍贯、忌辰；下卷录艺文，计诗三十余首，文若干。此书核心部分是以《事状》为主的中卷，增录部分非常简略，大部分祖师仅有法号、籍贯、忌辰寥寥数语而已（如"第四代慧满扶禅师，秀州人。四月初七日忌辰"），增录依据应是径山五十一代住持祖铭于元至正十年（1350）所立"祖师名衔"刻石。宗净初刻本"历年滋久，书亡板废"，万历四年本山比丘正璠发愿"依抄本重缮刻之"，于是续补祖师名衔至八十代祖师。但因"板失罔所据证之，又祖上之遗籍，后人莫敢妄为之臧否"，导致此次重刻本"中间鲁鱼亥豕者屡出"，受到作序者方壹的质疑（方壹序）。正璠刻本的这一缺点在其载录的《事状》逸文中也有体现，此不赘列。

2. 约明万历七年至十二年间，知县高则巽刻《径山志》二卷①。《日藏汉籍善本书录》著录《径山志》二卷，云："（明）高则巽等纂辑，明万历间（1573—1620年）刊本，共三册，尊经阁文库藏本。原江户时代加贺藩主前田纲纪等旧藏。"[22] 明徐桂《林高二公生祠碑记》亦称高则巽"暇日出旧所业《天籁子草》授诸生，刻《洞霄》《径山志》以表名迹"[23]。此书刊刻时间与正璠重刻《径山集》相近，可能有所取资。因孤本远在异域，有待确考。

3. 明万历四十四年李长庚、沈焕然编《径山志》②。此本并非单行，而是由知县戴日强将其作为《[万历]余杭县志》的第九卷刊刻传世③。全书不分卷，列图考（沿考）、山水、寺宇、禅宗、诗文、纪异诸门，卷端题"后学李长庚、沈焕然编

---

① 高则巽，字汝命，号申宇，南昌人，嘉靖三十七年举人，《[康熙]余杭县志》有传。高则巽任余杭县令的具体时间方志或缺载，或误作万历十年。考《[嘉庆]余杭县志》卷二十一有明徐桂撰《林高二公生祠碑记》，称高"在邑六年……仅以入计迁南宁州别驾"。检明《南宁府志》，高任南宁府通判在万历十二年至十七年，则他任余杭知县约在七年至十二年，刊刻《径山志》在其间。

② 李长庚，杭州人，生平不详。沈焕然，字无文，杭州人，邑庠生，天启元年举人，《[康熙]余杭县志》有传。

③ 戴日强，号兆台，蒙城人，万历十六年举人，三十八年至四十四年任余杭知县，《[嘉庆]余杭县志》有传。

辑",卷中还有一处署名"丙辰秋日武林李长庚书"的按语,这与《[万历]余杭县志》刻于四十四年丙辰相合。前揭明徐桂为高则巽所撰碑记曾提及"文学沈焕然",由此推断李长庚、沈焕然本与前述高则巽本当有一定渊源关系。

4. 明万历末年法铠重辑《径山志》①。书未成,仅有万历四十四年德清《〈径山志〉序》留存,序曰:"其事已承余杭令公戴君入邑志。于此所关者大,非徒纪胜而已,故(法铠)重辑之,以便一家观览。予特为之序。"[17]396 法铠发愿在万历四十四年《余杭县志》所附《径山志》外重辑一部内容丰富的寺志单行本,预先索序于德清。宋奎光称"志未成,而序留化城"[17]396,应属事实。

5. 明天启四年(1624)宋奎光、李烨然编刻《径山志》十四卷②。是年夏季余杭教谕宋奎光初稿,秋季知府李烨然删定,有黄汝亨、李烨然、陈懋德、徐文龙四序。全书分列祖、制敕、序文、塔铭、碑记、游记、书启、偈咏、名什、外护、殿宇、静室、名胜、下院、古迹、寺产、纪事诸门,内容体例对李长庚、沈焕然《径山志》有一定继承。黄汝亨《序》云:"独径山向无旧志。万历初年有僧宗净者刻《径山集》,载诸祖事,十之二三仅存其名与示寂日月,诗文亦寥寥。戴令邑志,更自简少。达观禅师昔谋刻大藏,易以书册,广为流通。澹居铠公承之,与吴本如诸公恢复化城寺,贮此刻板,事甫就而入灭,任此志者遂虚无人矣。"沿袭《凡例》误将僧宗净当作万历时人,对李长庚、沈焕然编《径山志》(戴日强刻本)、法铠重辑《径山志》皆一笔带过,一句"径山向无旧志"似有失公允。

上述五种版本的径山寺志,法铠辑本未成,高则巽本远在异域。细览其余三种,最核心、最重要的历祖事迹部分都脱胎自李照《事状》。国一、无上、法济三位开山祖师事迹,宗净《径山集》与宋奎光《径山志》皆照录《事状》全文,而李长庚、沈焕然《径山志》则多有删节,黄汝亨称其"更自简少",亦属实情。

(唐宸,安徽大学文学院讲师)

参考文献:
[1] 宗净.径山集[M].正播,增修.明万历刻本//中国佛寺志丛刊:第78册.扬州:广陵书社,2006:39-62.
[2] 施元之,等.施顾注东坡先生诗[M].宋嘉定六年刻景定三年修补本//中华再造善本:第355号第4册.北京:北京图书馆出版社,2004.
[3] 旧题王十朋.王状元集百家注分类东坡先生诗[M].宋建安黄善夫家塾刻本//中华再造善本:第

---

① 法铠,字忍之,号澹居,江阴人,修复化城寺为藏板处,寂于径山。
② 宋奎光,字元实,号培岩,常熟人,万历四十年举人,时任余杭教谕,《[康熙]常熟县志》有传。李烨然,一作华然,字文若,号鹤汀,汶上人,万历三十八年进士,天启二年任杭州知府,《[康熙]蒲城县志》有传。

358号第11册.北京:北京图书馆出版社,2004.

[4]潜说友.[咸淳]临安志[M].宋咸淳刻本//中华再造善本:第155号第15册.北京:北京图书馆出版社,2004.

[5]罗愿.[淳熙]新安志[M].清刻本//宋元方志丛刊:第8册.北京:中华书局,1990:7713.

[6]叶溥,张孟敬.[正德]福州府志[M].明正德十五年刻本//福建师范大学图书馆藏稀见方志丛刊:第2册.北京:北京图书馆出版社,2008:581.

[7]光宾.杭州上天竺讲寺志[M].明刻本//中国方志丛书:第523号.台北:成文出版社,1983:332.

[8]李焘.续资治通鉴长编[M]//景印文渊阁四库全书:第315册.台北:台湾商务印书馆,2008:801-802.

[9]沈作宾.[嘉泰]会稽志[M].清嘉庆十三年刻本//宋元方志丛刊:第7册.北京:中华书局,1990:6753.

[10]张淏.[宝庆]会稽续志[M].清嘉庆十三年刻本//宋元方志丛刊:第7册.北京:中华书局,1990:7093.

[11]张津.[乾道]四明图经[M].清咸丰四年刻本//宋元方志丛刊:第5册.北京:中华书局,1990:4957.

[12]戴日强.[万历]余杭县志[M].明万历刻本//四库全书存目丛书:史部第210册.济南:齐鲁书社,1996:387.

[13]石川重雄.东福寺藏《佛鉴无准禅师行状》[J].国际社会科学杂志,2009(3):164-179.

[14]白居易.白氏长庆集[M].日本翻宋大字本//四部丛刊:第733册.上海:商务印书馆,1922:21.

[15]柳宗元.河东先生集[M].宋咸淳廖氏世彩堂刻本//中华再造善本:第311号第4册.北京:北京图书馆出版社,2004:1-5.

[16]方回.桐江集[M].宛委别藏影印清钞本//续修四库全书:第1322册.上海:上海古籍出版社,2002:482-490.

[17]宋奎光.径山志[M].明天启四年李烨然刻本//中国佛寺史志汇刊:第1辑第32册.台北:明文书局,1980.

[18]李卫.[雍正]浙江通志[M]//景印文渊阁四库全书:第525册.台北:台湾商务印书馆,2008:750.

[19]赵焕明.径山著述[M].杭州:西泠印社出版社,2010:6.

[20]冯国栋.《景德传灯录》研究[M].北京:中华书局,2014.

[21]阴时夫.韵府群玉[M]//景印文渊阁四库全书:第951册.台北:台湾商务印书馆,2008:627.

[22]严绍璗.日藏汉籍善本书录[M].北京:中华书局,2007:635.

[23]张吉安.[嘉庆]余杭县志[M].民国八年重刊本//中国方志丛书:第56号.台北:成文出版社,1983:292.

《曲石丛书》的版本、编撰特点与文献价值研究[*]

——以苏州大学图书馆藏曲石精庐本为中心

A Study on the Version, Compiling and Documentary Value of *Qushi Series*: Focused on the Qushi Jinglu Version Conserved in Soochow University Library

邹桂香

摘　要：曲石精庐版《曲石丛书》是李根源寓居苏州期间主持刊刻的一套丛书，主要收录李根源本人著述与族人、师友朋僚及云南乡贤的著作。由其亲友门生主要担纲文字审校工作，有浓厚的孝亲尊师思想。《曲石丛书》保存了云南、苏州两地的乡邦文献和西南边疆史地、舆图资料，有助于厘清考察苏州等地金石文物的历史遗存，为深入研究李根源的寓居生活日常和社会交游提供了珍贵线索和翔实资料。

关键词：李根源；《曲石丛书》；阙园集刻；曲石精庐

　　《曲石丛书》是辛亥元老李根源在 20 世纪二三十年代寓居苏州期间所刊刻的一套丛书，以"曲石"命名，是为纪念先祖所居之云南腾冲曲石。李根源（1879—1965），字印泉，又字养谿、雪生，云南腾冲人，同盟会员，辛亥云南起义的主要领导人，曾任云南陆军讲武堂监督、总办，是朱德同志的恩师，先后参加"二次革命"和护法战争。1922 年任北洋政府农商总长、代国务总理，1923 年至 1937 年底离政息影，隐居苏州。后来由于日本侵华战争爆发，1937 年底苏州沦陷，李根源被迫撤离，转移至重庆等地。李根源素好文事，自 1925 年起，李根源主持和整理了他早年及在苏州期间的著述，并辑录其族人、师友、乡贤的著作，命名为

---

[*] 本文系教育部青年基金项目"近代书院藏书的流转与当代传承研究"（18YJC870030）研究成果之一。

《曲石丛书》。李根源在苏州的藏书室为曲石精庐,所刻书版也多藏于此,故世称该丛书为曲石精庐本。

《曲石丛书》作为一部民国时期完全由个人主持的大型的家刻本,具有一定的影响力,《续修四库全书总目提要》《中国古代著名丛书提要》《中国西南文献丛书》《云南书目》及《苏州民国艺文志》中均有著录,但由于"大致随收随刻,无统一条例,故各家藏弄,著录不一"[1]366。有研究者认为其"驳杂不纯"[2],对其编纂体例持批评态度。从收藏著录的角度而言,《曲石丛书》虽然确有上述不足,极易导致书目著录的混乱,但是从文献学的角度观之,该丛书在其外观形式及文献内容方面,仍有相当的意蕴和研究价值。尤其是在当前民国文献价值日增的情况下,这批兼具艺术和审美价值的家刻文献理应受到重视。苏州是李根源的第二故乡,《曲石丛书》的编纂及出版活动主要在苏州完成。李根源作为民国时期军政界颇具声望的辛亥元老,学界对其在苏州长达十四年的寓公生涯虽多有研究,但是由于其在苏州的文事活动记载相对简略,《曲石丛书》的刻印情况有待于进一步的爬梳。本文主要依据苏州大学图书馆古籍部藏《曲石丛书》,通过对所录文献的研读,梳理《曲石丛书》的版本、编纂特点及其蕴含的文献价值。

一、《曲石丛书》所录文献基本情况

《曲石丛书》刊刻的时间跨度较大,各文献出版间隔不一,导致"各家藏弄,著录不一",为该丛书所录文献种数的考证增加了难度。笔者查考苏州大学图书馆古籍部藏《曲石丛书》及国内各大丛书目录,对该丛书所收录文献的版本、著者及文献来源等加以梳理考证,以期开展更深层次的研究。

表1 《曲石丛书》所录文献基本情况

序号	书名	封面题名	序跋、题词	校刻、版本
1	滇西兵要界务图注	于右任	李曰垓序,李根澐跋,王灿、周麟书题词	李根澐录;李根源绘图,李根澐注释
2	九保金石文存	赵藩、卢铸	孙璞序,王灿跋,张一麐、金天羽、王謇、张以诚题词	李根澐校字
3	吴郡西山访古记	于右任、李曰垓	张一麐、金天羽、赵藩、孙光庭、亢惟恭序,赵藩、何秉智、方树梅、彭毂孙跋,吴荫培、彭清鹏、费树蔚、周麟书、李学诗、赵藩、陈直、尤志达、吴湖帆题词	朱世贵校刻

(续表)

序号	书名	封面题名	序跋、题词	校刻、版本
4	虎阜金石经眼录	周钟岳、丁佛言	王德森序,王謇跋	
5	洞庭山金石	王人文、郑伟业	王謇序	李选廷校刻
6	镇扬游记	邓尔疋、袁嘉榖	陈荣昌序,赵藩跋,李维源题词	朱世贵校刻
7	景邃堂题跋	章炳麟	李根源跋	李根澐、李希纲、李希泌校字
8	曲石文录	章炳麟		李根澐、李希纲、李希靖、李希泌校字
9	曲石诗录	张一麐		民国三十二年(1943)增刻于重庆
10	雪生年录		周兆麟、金天翮(即金天羽)跋	杨天麟、郑伟业校字
11	娱亲雅言	俞宗海、邓邦述	王德森序,李根源跋	
12	观贞老人寿序录	吴荫培、黄葆戉	民国八年(1919)寿序,民国十四年(1925)寿序	李根源、李根澐等家族众人刻录
13	观贞老人哀挽录	曾熙、张一麐	李根源、李根澐题识	陈海泉刻字,陈谟、曹兆徵校字
14	阙茔石刻录	章炳麟、王清穆	金天羽序,章炳麟跋	
15	罗生山馆诗文集	顾视高、吴琨、袁嘉榖	周麟书、亢惟恭、彭榖孙、李曰垓序,何秉智、费树蔚、方树梅跋,费树蔚、王灿、费善庆、沈昌眉、钮家鲁、王源翰、杨天麟、江迟、金震、王謇、周钟岳、赵式铭题词	板藏葑门十全街曲石精庐
16	治平吟草	张一麐、吴荫培	孙光庭、金天羽、章炳麟序,孙雄、吴荫培、费树蔚、亢惟恭、王源瀚、彭榖孙、周麟书、周钟岳、何秉智题词	李学铮、李肇尊、李肇薰、李肇蕃校字 板藏云南腾冲县绮萝乡青齐李氏宗祠
17	东斋诗义钞	章炳麟、秦树声、赵藩、邓邦述	李根源、陈荣昌、章兆鸿、贺宗章序,严天骏跋	李根源、张以诚校刻

(续表)

序号	书名	封面题名	序跋、题词	校刻、版本
18	腾越杜乱纪实	于右任、周钟岳	吴燾序,李根源、章炳麟、胡裕培跋,革孚言、李学诗、吴燾、吴煦、赵鹤清、王灿题词	
19	焦尾集	于右任、黄葆戉	赵藩、孙光庭、李根源序	
20	文氏族谱续集	黄葆戉、彭毂孙	杨绳武、沈德潜、彭启丰、彭毂孙序	文仁钰录
21	罔措斋联集	张一麐、袁嘉穀	李根源序,普荷题词	民国十九年(1930)铅版于苏州
22	交养轩遗集	于右任、杨天骥	王灿序	金克信、金克义录,李根澐校字
23	陈圆圆事辑、陈圆圆事辑续	于右任、杨天骥	金天羽序	李根澐校字

(一)《曲石丛书》所收文献

《曲石丛书》收录文献的种数没有准确的记载,各收藏机构及相关书目的著录各异。《云南书目》依据当时国学图书馆所藏版本,著录该丛书共 22 种 29 册[3]69-72。《中国古代著名丛书提要》著录为 22 种,《续修四库全书总目提要·丛书部》"杂丛"类和《苏州民国艺文志》,均把《曲石丛书》和《阙园集刻》分别著录,共有 23 种。苏州大学图书馆古籍部所藏《曲石丛书》共计 19 种 30 册,线装铅印,版心有"腾冲李氏刻""曲石丛书"牌记,由当时苏州规模最大的民办印刷厂文新印刷公司承印。包括《曲石杂著》和《阙园集刻》两个子集,前者含《吴郡西山访古记》《虎阜金石经眼录》《洞庭山金石》三种,后者含《娱亲雅言》《观贞老人寿序录》《观贞老人哀挽录》《阙茔石刻录》四种,其他均为单本文献。

(二)《曲石丛书》收录文献来源

1. 李根源自撰

李根源文武兼备,著述颇丰,离开政坛隐居苏州后,有了相对充裕的时间从事著述和图书编印。《曲石丛书》中不少文献为李根源早年或寓苏期间所著,《九保金石文存》为李根源早年"采录故乡之祠庙、碑记暨古今贤哲、忠孝、义节人物之金石文字,汇而集之者也"(王灿《九保金石文存跋》)。《滇西兵要界务图注》为 1911 年李根源等在滇西边陲勘察半年后所绘制的图略,后经其弟李根澐将每幅图均根据方志、文献进行批注汇编而成。《曲石杂著》三种及《镇扬游记》,均为李根源居住苏州期间所著。1926年2月至4月,李根源依据吴县地方志、故老相传及乡人提供的线索,寻访苏州西部诸山,"其游以访山中祠墓、碑碣为帜志,名人淹佚之墓,多剔榛莽而始得之"(赵藩《吴郡西山访古记序》),实地勘察并记载了顾雍、韩世忠等四十多位名人的墓葬,辑为《吴郡西山访古记》。之后李根源"复游虎阜,遍拓其摩岩题名、佛幢碑版、石室刻经之属,合为一编"(王謇《虎阜金石经眼录跋》)而成《虎阜金石经眼录》,继而遍游太湖东西二山而成《洞庭山金石》。《镇扬游记》则为李根源1926年8月考察镇江及扬州古迹时所记。《曲石文录》是民国十七年(1928)"希白、铁恒、泽新、武诚为余搜集旧稿,得文四卷,名《曲石文录》"[4]136,为李根源诗词旧稿文录。

2. 族人、师友、同僚的著作

李根源早期的社会活动主要在云南,其关系网络也以滇籍人士为主,故而《曲石丛书》"所刊各书大多为滇人著述,或与辑者有渊源的人的著述"[1]366。寓居苏州期间,李根源的亲友、老师等多来依附。李学诗(1874—1930),字希白,为李根源族兄,自1925年起居住在阙园,为《曲石丛书》重要的主持者。《罗生山馆诗文集》和《治平吟草》分别为其居苏州前、居苏州期间所作,"当是时国家多故,而希白亦几老,兄弟偕隐,希白时为歌诗以抒其意。逮印泉母殁,庐居山中,希白以好山水从之,居二年中积诗几二百首,题曰《治平吟草》"(章炳麟《治平吟草序》)。孙光庭(1863—1944),字少元,云南曲靖人,李根源业师,护法运动失败后,曾依李根源隐居苏州,《东斋诗文钞》即为孙光庭所著。著名词家况周颐,亦是李根源的文友,1926年春曾与李根源、金天羽、张一麐、沈瓞民、费树蔚、周麟书等苏州名流游沧浪亭、可园等处,共同赏梅。况周颐辞世后,李根源将况氏辑录的《陈圆圆事辑》又补充了一卷,录入丛书。湖南新化人贺宗章,字竺生,1916年李根源曾聘其入陕参省幕,两人小僚亦友,志趣相投,在金石碑刻方面有不少合作,故录其《焦尾集》入《曲石丛书》。

《娱亲雅言》集李根源与众友好阙园雅集诗酒酬唱之作,"丙寅初春,吴中贤硕集消寒会于兹园,乘兴有作,霏金戛玉,佳章鳞集,因辑录之"(《娱亲雅言》目次下李根源识语)。阙园为李根源母亲阙太夫人(号观贞老人)在苏州所居之处,李根源曾于阙园举行消寒会、四季赏花会及阙太夫人的寿辰雅集。《观贞老人寿序录》收录众友好在老夫人六十四岁、七十岁大寿时所撰的寿序。阙太夫人病逝后,李根源将其家传、墓志铭、墓碑铭、墓碣、诔、灵表、赞、祭文、哀状、挽诗、挽联等,辑录为《观贞老人哀挽录》。李根源在为母亲服丧期间,在小王山附近植松造林,成松海盛景,并邀约名流贤达于此赏景题词,《阙茔石刻录》是把松海盛景各处的摩崖碑刻加以整理辑录而成的。

3.同里先贤的著述

李根源注重乡邦文献的收集与整理,包括里居乡贤的遗稿、记录史实掌故的野史笔记,乃至高僧的著述。《交养轩遗集》的著者腾冲人金泽,清道光年间举人,"赋性豪迈,遇事敢为,故其诗真挚刻露,不尚雕琢藻绘,布帛菽粟,俱有至理"(王灿《交养轩遗集序》),惜其生平诗作多毁于兵燹,李根源将其曾孙金克信搜集的残卷录入《曲石丛书》。腾越(今云南腾冲)人曹琨,字佩瑶,所撰《腾越杜乱纪实》为考乡邦掌故的重要著述。明代云南高僧担当(1593—1673),法名普荷,李根源将其弟子广厦辑录的《罔措斋联集》录入《曲石丛书》。此外,李根源另辑有《明义僧担公遗诗》,《曲石文录》卷三有《普荷传》。李根源在苏州结交不少吴中俊贤,并与吴门望族彭家结为儿女亲家,《曲石丛书》中收录有彭启丰作序的《文氏族谱续集》。

(三)《曲石丛书》收录文献的版本情况

《曲石丛书》收录的若干文献不是首次出版。《吴郡西山访古记》曾于1926年在上海泰东书局出版铅印本,曲石精庐本则为1929年刊版[5]。《九保金石文存》曾于"民国八年五月铅印于广州,十九年十二月增补刻版于吴县"(《九保金石文存》卷末李根源识语)。《罔措斋联集》也曾于"民国元年铅印于大理,十九年锓版于苏州"(《罔措斋联集》卷末李根源识语)。李根源著、李根澐录的《滇西兵要界务图注》,也先后经至少三次增补刻印。该稿本原存云贵总督衙门,1929年曾首次在上海石印,绘图甚精。1941年由于"版本今已毁于吴县,不可不别谋流传",又被李根源录入《永昌府文征》"纪载类",题名加一"钞"字,是为《滇西兵要界务图注钞》[6]。李根源自撰年谱《雪生年录》曾于1930年由上海印书局首次铅印出版,1966年又被录入沈云龙主编、文海出版社出版的《近代中国史料丛刊》。

李根源《曲石文录》在刊印之际惨遭火厄,"印将竣,馆失慎,全书被焚,幸存校稿,重事排印。惟卷五四篇,卷六五篇,时正组版,竟于救焚之际,毁损于火,无副本,不能补"[7]326。《曲石诗录》并未在苏州刊刻,据李根源小儿子李希泌先生回忆,《曲石诗录》前十卷曾先后于兰州、腾冲、昆明、重庆等地排印行世。第十卷于1943年在重庆刊印,版心有"曲石丛书"及"民国三十二年八月在渝增印"牌记。1981年,马晋三见《曲石诗录》后四卷印本字迹模糊,便出资续刊并撰写后记,由扬州市邗江古籍印刷厂承印[8]。由于后来的各卷增补刊印均不在苏州,故苏州大学图书馆藏《曲石丛书》中未见《曲石诗录》。

二、《曲石丛书》的编纂思想与特点

《曲石丛书》集中编纂于1926年至1932年间，作为一部大型的家刻本，此丛书实乃集合众人之力而成。该丛书从选材、编纂到刊刻，参与者均以血缘、地缘、业缘为主的传统关系网络为主。李根源时处近代社会转型期，兼具新兴社会阶层的时代特点，又深受传统社会文化的影响，《曲石丛书》的编纂特点在这些方面也多有体现。

(一)孝亲尊师的思想

李根源半世戎马倥偬，其间祖母、父亲去世，均未能奔丧尽孝，一直心怀愧疚，他曾慨叹："吾母行年逾六十，徒以奔走国事，弗克归省，又弗克迎养，报国何若，尚不敢知，而所以报吾母者，尤不知何若。"(岑春煊《腾冲李母阚太夫人六十有四寿序》)隐居苏州后，遂决心娱亲读书。李根源把母亲接至苏州，"别辟宅西南隙地为老人游息之所，署曰阙园"(《娱亲雅言》目次下李根源识语)。《娱亲雅言》初名为《阙园录》，后据金天羽的建议改为现名，"娱亲"取老莱子彩衣娱亲之义。老夫人病逝后，李根源在吴县小王山修建墓庐，发愿"服中誓不出吴县境一步"[4]127，以示孝心。《曲石丛书》收录李根源业师孙光庭的《东斋诗文钞》两种，《东斋诗钞》封面由章炳麟题"东斋诗文钞"，内封由赵藩题"孙少元先生诗稿"，《东斋文钞》内封由秦树声题"东斋文钞"，均由李根源亲自校刻并作序，以示对恩师的敬重。

(二)亲友、门生担纲校刻工作

《曲石丛书》的审校和刻版工作，主要由李根源的亲友及门生担纲，形成一个亲友合作团队，文稿的题跋、序文等皆出自当时各界社会名流、士绅贤达之手。其族兄李学诗是该丛书编纂的重要负责人，《治平吟草》的校订工作由其子李肇尊、李薰和李蕃完成。李根源自著文稿，多由家人整理，胞弟李根澐，儿子李希纲、李希泌参与了不少校对工作，如《曲石文录》是"为先族兄学诗，胞弟根澐，妹夫余锅、尹明德所辑录"[7]326，体现出典型的家族特色。李根源门生郑伟业、杨天麟、朱世贵、张以诚、李选廷等也参与校刻。据《雪生年录》，民国十七年(1928)，"编拙藏书籍得八卷，名曰《曲石庐藏书目》，杨石卿、金东雷、郑梨村任其事"[4]136，但是未能刊印。另外，《曲石丛书》的出版经费也依靠友朋的赞助和支持。

(三)注重云南乡邦先贤著述

《云南书目》认为《曲石丛书》"以滇人著述而著录之"[3]72，此看法较为允当，如实反映了该丛书的选材特点。李根源自幼接受儒家传统文化教育和熏陶,亲友、业师、僚属是其重要的关系网络。李根源早期的社会活动主要在云南,交游以滇籍人士为主,乡贤著述成为《曲石丛书》的首要来源,而且不局限于某个群体或阶层,既包括落魄举人、普通文人,也包括得道高僧,远远突破传统的家刻本丛书的范畴,体现出其开阔胸襟和平等观念。凡是有益于乡梓史实、乡邦文献的保存,都乐于收录刊刻,如《交养轩遗集》《腾越杜乱纪实》《罔措斋联集》等文献的收录。

三、《曲石丛书》的文献价值

《曲石丛书》的编纂,不仅保存了一些云南乡邦文献,而且对西南边疆史地资料有所保存。同时,李根源邀约不少名流作序题词,对研究他在苏州的寓居生活及交游网络有一定的参考价值。

（一）保存乡邦文献及西南边疆史地资料

"以滇人著述而著录之"的评价,实质上是对《曲石丛书》在乡邦文献保存方面的肯定,不少文献赖该丛书得以流传。由于长期的边疆军旅生涯,李根源重视对西南边疆地区史料的辑录。李根源曾得到王芝《海说》六卷的同治十年抄本,因"其前三卷专言腾越历诸土司过野人山至缅甸之作,记述缅事颇详"[4]137,计划刊印该书,由于已有刻本而作罢。《腾越杜乱纪实》对腾越地区回民起义情况记述甚详,吴恭认为该著"叙述当日变乱始末,条分缕析,朗若列眉,洵堪为后人龟鉴"(吴恭《腾越杜乱纪实序》)。王灿认为"老人生长兵戈际,亲见烽烟遍里间。乱后从头谈战事,一编野史补官书"(王灿《印公刊腾越杜乱纪实命为题词谨赋二绝呈教》其二),为还原真实历史场景提供了新的线索和研究视角。《滇西兵要界务图注》完整保存了清末民初西南边疆地区的舆图资料,而且各卷注释图文兼备,对各处的地形、沿革、历史掌故、风俗人情、矿产、交通等均有记载,对西南边疆地区的开发具有相当的参考价值和现实意义。

（二）利于厘定苏州等地金石文物的基本情况

金石文献是校史、证史和补史的重要资源,宋代以来,深受学界重视。李根源素爱金石,并多有收藏,著述也以金石研究为主。《景邃堂题跋》为其收藏金石碑刻的题跋,"凡当日僚友代撰者,均详注其姓氏,以存其真"[4]136。李根源隐居苏州后,对苏州的金石文物产生浓厚兴趣,1926年春,相继对苏州西部诸山、虎丘、太湖东西山地区的金石碑刻进行考察,《虎阜金石经眼录》和《洞庭山金石》对虎丘及洞庭两山历代文人墨客的题名、佛幢、碑版、墓祠、祠堂、会馆碑记、摩崖刻书均详细著录,并纠正原有文献著录的错讹,补充了原有文献著录的不足与遗漏,是近代以来以个人之力对苏州金石文物进行的全面清查。李根源此举得到苏州当地名流士绅的肯定,金天羽赞其"胸中掌故比吴郡诸老宿尤为翔实"(金天羽《吴郡西山访古记序》),张一麐认为:"遂使吴中文献昭若发矇,古代衣冠望而罗拜,凡斯风义可格人天。"(张一麐《吴郡西山访古记序》)使不少吴中文献重见天日。时任云南图书馆馆长的何秉智认为:"先生作记之用心,洵足以楷模全国,昭示来兹。"(何秉智《吴郡西山访古记跋》)1931年,李根源被委以《吴县志》总纂重任,并负责撰写《吴县志》的"冢墓卷"和"金石卷"。作为寓居苏州的外来人士,能够参与县志的编纂,实际上是对其所做的金石文物勘察工作的充分肯定。《吴郡西山访古记》不仅为民国《吴县志》相关内容的编纂提供了翔实资料,1984年苏州相关部门对吴县西部山区进行的文物普查,亦以该书为蓝本。

(三)提供深入研究李根源寓居生活和交游网络的线索

李根源寓居苏州期间,被公推为当时下野要人寓居吴门的领袖,"杯中酒不空,座上客常满",影响力不俗。苏州名士金天羽曾邀请其参加"九九消寒会",使他得以结交吴中俊贤,并相继以阙园和阙茔为中心,形成盘根错节的交游网。《曲石丛书》所录文献,除《曲石文录》《曲石诗录》外,均有序、跋、题词等,且多出于名家手笔,他们中既有苏州本地的社会名流,也包括不少寓居苏州者,涵括政界、军界、学界等多个领域,实属难得。如浙江余杭的章炳麟(太炎)时隐苏州讲学,昆山的王德森时居德隐庐,著名藏书家邓邦述当时也在苏州。国民党元老于右任(1879—1964),精书法,尤擅草书,被誉为"当代草圣",《曲石丛书》中不少封面题名为其题写。丁佛言(1878—1931),篆书名家,有"南吴(昌硕)北丁"之美誉。袁嘉穀(1872—1937),工行楷,其书法自创一体,当时被称为"袁家书"。黄葆戉(1880—1968),善隶书,当时上海商务印书馆所有书画册签题,皆出其手笔。曾熙(1861—1930),工诗文,善书,世有"北李(瑞清)南曾"之称。总之,《曲石丛书》为研究李根源寓苏期间的生活日常、社会活动、交游网络提供了生动鲜活的资料,为这种关系的剖析提供了重要信息。

四、结语

民国时期,私家刻本日渐凋零,《曲石丛书》逆势而出,且规模可观,编纂收录虽确有庞杂之嫌,所录文献亦未超越传统的血缘、地缘、业缘关系网络,并有浓厚的孝亲尊师思想。但是值得注意的是,《曲石丛书》不仅在形式上颇具艺术美感,文本内容上亦有较强的研究价值。该丛书集中保存了一批云南、苏州等地的乡邦文献,为金石、文物等方面的调查考证提供了重要依据,应受到文献学、历史学、金石学等领域的重视。李根源作为民国时期军政界颇具影响力的人物,《曲石丛书》的刊刻,是一项重要的文事盛举,不仅成为民国时期苏州家刻文化的一个组成部分,也成为研究民国时期寓公群体日常生活的一个窗口和途径。随着"民国时期文献保护计划"项目的实施,全国各大图书馆对民国文献的普查、整理出版、数字化工作得以顺利开展,不少文献得到切实有效的保护,值得欣慰。但是对于民国文献的关注,切不可浅尝辄止,而应当拓展其文献与学术价值的研究,不可止步于简单的整理和保护。国内众多图书馆收藏有大量民国时期的地方文献,对深入研究当地各个时期的政治、经济和文化发展有着重要的史料价值,需要进行系统深入的挖掘和整理。尤其是在当前文旅融合的发展背景下,当地旅游文化资源的深度开发,离不开对历史名人文化的发掘,因此,典型的名人名家文献资源的开发利用就更凸显其多重意义和时代价值。

(邹桂香,苏州大学档案与电子政务系副教授,历史学博士)

参考文献:
[1]潘树广,黄镇伟,涂小马.中国古代著名丛书提要:上册[M].桂林:广西师范大学出版社,2015.
[2]李孝友.李根源著述考略[M]//沈家明.李根源纪念文集.昆明:云南美术出版社,2005:43.
[3]李小缘.云南书目[M].昆明:云南人民出版社,1988.
[4]李根源.雪生年录[M]//沈云龙.近代中国史料丛刊:第二辑15册.台北:文海出版社,1966.
[5]朱海明.书影苏州:朱海明版本收藏鉴赏录[M].苏州:苏州大学出版社,2011:100.
[6]方国瑜.云南史料丛刊[M].昆明:云南大学出版社,2001.
[7]李根源.曲石文录[M]//沈云龙.近代中国史料丛刊续编:第三辑28册.台北:文海出版社,1974.
[8]李希泌.健行斋文录[M].北京:书目文献出版社,1996:283.

书评与书话

打开历史现场的钥匙
——评《民间历史文献整理概论》

The Key to the Historic Scene: Comments on *Introduction to the Collation of Folk Historical Documents*

凌一鸣

摘　要：民间历史文献是历史文献的重要组成部分，是历史学研究的对象和工具。经过多年发展，中山大学图书馆在此类文献收藏与整理方面积累了大量经验，《民间历史文献整理概论》一书即该馆团队对实践进行提炼总结而成。该书就民间历史文献收集、典藏、分类、编目、修复、数字化等方面展开了深入探讨，不仅具有较强的实践指导意义与统括性，也对收藏与研究之间的关系进行了探索。

关键词：民间历史文献；文献整理；概论

20世纪初以来，民间历史文献的发现、整理与利用渐成历史学及相关研究中的热点。在为一次次的新发现惊喜之余，如何对此类文献进行界定、分类、著录、整理乃至数字化也成为摆在民间历史文献典藏单位面前的一大难题。这不仅要求工作人员在一般文献典藏方法的基础上进行改进与调整，还要求他们针对民间历史文献这一文献类型建设符合其特征的整理体系。

中山大学图书馆长期致力于民间历史文献的搜集与整理活动，并在典藏过程中对该类文献进行了系统化的处理。在大量扎实的实践经验基础上，该馆研究馆员王蕾及其团队提炼总结了其具有普适性的部分，撰成《民间历史文献整理概论》一书，在相关领域研究中迈出了重要的第一步。

一、背景与基础

"民间历史文献"的提出,主要是与所谓官方修纂的文献相区别,长期以来对其并没有明晰的判断。大多数时候,民间历史文献与地方文献、民间文书、民间文献等说法并列使用,一般用来泛指包括契约、族谱、账本、日记、书信、唱本、药方、科仪等在内的各种具体文献形式。这些文献大多产生于广大民众的生产生活之中,反映了他们的生产生活方式,是研究社会生活的最直接史料,可以说是引领学者进入历史现场的一条捷径。

然而就我国史学传统而言,官方史书被视为正统,产生与保存于日常生活、家长里短之间的民间文献则长期没有得到应有的重视。社会史研究大多从国家视角或者"官绅关系"的角度展开探讨,关注的焦点也更多集中于政治制度、人口增减、土地利用等宏观问题。正如李怀印所说:"早期研究者对地方自治的研究,主要是建立在传统史料之上的,这些资料主要有官方文献、方志、私人著述。"[1]

随着顾颉刚、傅斯年提倡在社会史研究中贯彻"眼光向下"的学术理路,以基层社会为研究对象的研究成果越来越多,对非传统史料的发掘也逐渐深入。顾颉刚即认为"在故纸堆中找材料和在自然界中找材料是没有什么高下的分别"[2]。20世纪三四十年代,历史学家傅衣凌利用在福建永安黄历乡发现的土地契约进行明清社会经济史研究,由此倡导学界重视"民间记录的搜集"[3]。另一位经济史泰斗梁方仲也同样重视民间文献资料的运用,"特别是强调利用经济活动中形成的实物资料的重要性"[4]。他们被视为中国社会经济史学派的奠基人,学者将此学派的基本特点总结为"在搜集史料时,除正史、官书之外,应注重民间记录的搜集,以民间文献证史"[5]。沿着此脉络,陈高华、刘重日、杨国桢乃至如今成果丰硕的"华南学派"学者均对民间历史文献这一"富矿"进行了不同程度的开采。

发掘和利用民间文献成为社会史研究中非常重要与实用的方法,而各种民间历史文献也对探索某一特定历史时期地方社会的特征起到了重要作用。郑振满指出:"系统收集和整理、利用民间历史文献,深入揭示民间文化的传承机制,开展多学科结合的综合研究,对于推动中国人文社会科学的发展具有战略性意义。"[6]通过对新发现的民间历史文献进行利用,许多区域史研究中的问题得到了充分探讨。

随着民间历史文献研究的逐渐深入,有许多学者也开始对研究的方法、理路、模式进行了探索。这些探索往往通过对某地区某时段内出现的大量民间历史文献进行整体性研究而展开。比如浙江大学地方历史文书研究与编纂中心对龙泉司法档案的研究,王振忠等对徽州文书的研究,陈支平对台湾社会经济史的研究以及对石仓书契、清水江文书等民间历史文献的研究。

正是由于学界对民间历史文献的价值日益关注,对相关文献的搜集和保藏也逐渐受到重视。其中最明显的表现就是收藏单位的逐渐增多。以本书作者所在的中山大学图书馆为例,中山大学经过多年努力,已经建立了成体系的民间文献特藏,形成了收藏传统。该校中国古文献研究所、中国非物质文化遗产中心、人类学系荔波水书研究基地、图书馆等机构均藏有大量的民间历史文献。尤其是中山大学图书馆的徽州文书收藏,据本书正文前程焕文《序论》所言,该校已将徽州文书列入985工程建设项目,给予了经费支持,"图书馆目前已将全部40万件册的文献逐箱冷冻杀虫,并完成其中34万件册的编号与封装整理,通过馆内数字化实验室完成约1万件册徽州文书的扫描,改造并建设了用于存藏民间历史文献的恒温恒湿专业库房"[7]序论27。这些措施不仅保障了中山大学民间历史文献整理收藏的高水平,也使该校的整理研究团队积累了丰富的实践经验和可供分析的数据。此外,诸如上海交通大学、邯郸学院等高校以及各地方图书馆、档案馆也对民间历史文献的收藏日益重视,因此对该类型文献保藏经验进行总结也就具有其必要性。

在收藏的基础上,各单位也都开始梳理民间历史文献保护与收藏中的特殊性。比如以姚娇等为代表的邯郸学院团队以太行山文书为例对民间文书纸张原料进行了理化分析,并讨论其修复用纸的特殊性[8]。他们还提出:"民间文书的修复工作在修复技艺、修复方案的制定以及修复材料的选择等方面可以部分地借鉴善本古籍与馆藏文献修复,但是其不同于传统古籍的装帧形式、多种多样的破损类型以及异常丰富的纸张种类对于文书修复人员来说是新的挑战。很多民间文书修复案例说明,民间文书修复工作不可以照抄照搬,必须要寻找一条适于自身的新模式,这条路任重而道远。"[9]这些工作和结论都在提醒我们,以民间历史文献为对象展开专门研究,需要具有丰富实践经验的研究者通过对大量一线工作经验进行提炼,使之成为具有可推广性和指导性的理论武器。

二、内容与方法

民间历史文献内容广博,本书主要从图书馆等收藏单位的视角展开,讨论收藏单位应如何针对民间历史文献的特殊性展开工作,为进一步的研究提供帮助。

该书在框架设计和章节安排上分为七章,除第一章"绪论"外,第二章"收集与典藏"、第三章"民间历史文献分类"、第四章"编目著录与元数据规范"属于图书馆等收藏单位文献典藏与管理的范畴,第五章"民间历史文献保护与修复"属于文献保管的范畴,第六章"民间历史文献数字化加工与管理"、第七章"民间历史文献数据库建设与数字人文导向"则就目前最热的文献数字化问题展开探索性发掘。现分别介绍如下。

第一章"绪论"。作为"概论"类著作,本书"绪论"承担着重要的任务,它需要解决确定研究对象、研究背景与研究意义的问题,从而为全书内容奠定基础。具体而言,本书"绪论"讨论的核心问题在于对"民间历史文献"这一概念的界定。为解决这一核心问题,作者首先辨析了"民间文献"的概念,提出了此类文献的两个基本标准:"一方面要看其内容是否记录民间社会生活,另一方面要看文献的整个生命过程是否与民间社会生活存在关系。"[7]4-5 本书所指的"民间"是针对"官方"所提出的,"民间文献"重点区分与比较的对象则是"传统典籍"与"官府档案"。为了更清晰明确地展示概念的界限,作者以文献生命史为线索,以生产、使用、传播、保存等各环节为顺序探讨民间文献与所谓"传统典籍"及"官府档案"的差异。最终本书提出:"民间历史文献是社会历史发展过程中,在民间日常社会活动中形成的一切反映各类社会关系的资料。"[7]7 本章第二节"形成流传"与第三节"存藏整理"均讨论本书的研究背景,两者分别从产生和保存两个角度进行论述。考虑到本书从收藏单位视角展开,第三节显得尤为重要。作者也在此节详尽地调研了目前民间历史文献收藏整理的历史与现状,并以徽州民间历史文献为重点案例予以讨论。第四节"研究意义"主要分析了民间历史文献收藏与整理领域存在的问题,提出了本书的最终目标是推动"民间历史文献学"[10]的建设。

第二章"收集与典藏"。作为本书正文的第一章,作者选择以"收集与典藏"为论述的开端。如前所述,本书筑基于大量民间历史文献收集、典藏、编目、著录与数字化实际工作之上,收集与典藏又是这一流程的第一个环节。但在本章的研究中,作者却未开门见山地总结实际经验,介绍民间历史文献收集与典藏的方法与流程,而是首先讨论收集与典藏工作必须遵守的基本原则。这不仅体现了作者对实践经验所做的理论提炼工作,也与本书"概论"的定位及建设"民间历史文献学"的立意一致。作者曾在论文中提出,民间文献的内容具有"原始性""过程性"和"关联性"[11]。本书所厘定的基本原则也是针对这些特征展开:"尊重文献的现状""保持文献群的完整性和归户性""客观对待不同文献"。本章第二节

"收集方法"与第三节"典藏流程",既是多年搜求文献过程中总结出的甘苦之言,也是收集与典藏环节中必须解决的核心问题。本书以"田野收集""征集购买""捐赠与交换"为主要收集方法。根据中山大学图书馆工作经验而完成的第三节"典藏流程"更有探讨空间与推广意义。该馆经过多年探索,建立了一系列较为成熟的流程与规范,包括"制定清点标准""编号""登记""包装""庋藏""数据管理"等主要步骤,并分别予以细致介绍。在介绍过程中,作者有意关注民间历史文献的共性,以超越个案经验总结的范畴。其中,涉及标准制定、注意事项等内容的部分精确到具体文献的处理方式,对于相关收藏单位最具实用性与针对性。

第三章"民间历史文献分类"。是章主语为"民间历史文献",但实际上仍是以收藏单位为主体沿着收藏整理的理路讨论如何对民间历史文献进行分类处理,并非客观讨论民间历史文献的类型。由于学界对民间历史文献的界定还相对模糊,国内也尚无一套具有普适性与可拓展性的分类体系,所以本章第一节"研究现状"对目前各研究与收藏单位使用的分类方法进行了梳理。但如同其他各章一样,这种梳理仍是以徽州历史文献为主展开。尽管徽州历史文献分类中出现的问题(如各级类目划分标准不统一,各级类目设置不完整,以及文献分类不当等[7]47)在其他民间历史文献工作中也大量存在,但在综合分析研究现状时仅就"徽州民间历史文献分类法"为主题还是显得较为局限。本章第二、三、四节以设计与建立分类体系的程序分别讨论编制原则、分类方法、分类体系。这些内容仍是以中山大学图书馆的实践为依据,同时兼顾研究者(如明清史研究专家)的需求与意见,具有较强的指导性和可操作性。尤其是第四节重点介绍的《中山大学民间历史文献分类体系》,是参考《中国图书馆分类法》和其他常用文献分类法所制,包含了12个一级类目、74个二级类目、143个三级类目以及数量巨大的四级类目。除基本的分类体系表外,还包括了标记制度、通用复分表和类目说明。

第四章"编目著录与元数据规范"。本章讨论民间文献整理过程中的又一重要环节——编目著录,兼及当今文献编目的核心问题——元数据规范的制定。与民间历史文献分类一样,编目著录同样是具有一定独立性和专门性的研究领域,因此本章首节也对相关研究与实践的情况做了回溯与总结。考虑到民间历史文献内容的多样性以及学界对其处理方式的不同,作者把已有研究分为传统目录著录、数据库元数据、档案著录与元数据、历史田野考察信息登记四个部分,也展示出统一民间历史文献编目规范的难度和必要性。本章后三节"描述型元数据设计""描述型元数据规范""元数据著录规则"试图解决元数据这一关键问题。作者认为理想的描述型元数据不仅要揭示文献主要外观、形式与内容等基本信息,还需要符合收藏机构文献组织、信息揭示、学科服务规范的元数据框架与著录细则。基于此,作者在第三节、第四节提供了中山大学图书馆所制定与使用的民间历史文献元数据规范与著录规则,并通过不同类型民间历史文献的著录表展现了此规范与规则的基本格式与著录项目。

第五章"民间历史文献保护与修复"。本章所涉的保护与修复工作是文献收藏尤其是历史文献收藏工作中的又一重要任务。相较于古籍保护与修复,民间历史文献的保护与修复现状更亟待重视。为此,作者在第一节"保护现状"中侧重调研了目前民间历史文献保护的情况。本节从民间历史文献的特殊性出发,通过定性与定量分析,找出了目前存在的问题,提出了有针对性的建议。第二节"保护原则与管理体系"在现状调查的基础上设计了保护与管理模式,并将管理体系具体分为技术操作和管理制度两个模块,以提升效率和专业性。第三节将保护所需注意的各个要素统归在"原生性保护"这一主题之下,尽管稍显笼统,但却基本涵盖了民间历史文献保护中所需注意的各个要点。第四节"文献修复操作规范"聚焦于已损坏文献的修复问题,包括修复工作的适用范围、修复原则、操作流程以及主要技术手段。作为从收藏单位视角撰写的著作,本章第五节特别介绍了中山大学图书馆现行的一系列文献保护管理制度,以供相关单位参考评价。

第六章"民间历史文献数字化加工与管理"。第六、七章都是围绕着民间历史文献的数字化展开,属于文献的再生性保护范畴。作者试图从理论高度概括与解释民间历史文献数字化的内涵,于是在第六章首节中将"民间历史文献数字化"定位为一个专有概念,并阐述了对其意义的理解,以及此过程中需遵守的原则。第二节"民间历史文献数字化标准"据数字化的目的和用途,将数字化资源分为长期保存级、复制加工级、发布服务级三种应用级别;又据不同载体形式,制定了相应的加工标准和格式体系。第三节"民间历史文献数字化管理"则从具体加工过程和工作流程的角度,提出了包括加工前期准备、数字化及存储设备选取、图像资源创建、图像后期处理、质量检验乃至数字化资源保存管理等各方面的数字化管理规范。

第七章"民间历史文献数据库建设与数字人文导向"。本章第一节根据数据类型的差异,将民间历史文献数据库建设的基本理念分类总结为文献内容的全文展示、文献内容的数据标引和数字人文型研究平台三点,从而满足使用者对图、文乃至数据挖掘、深度利用的需要。第二节再次引徽州文书作为典型案例，回溯民间历史文献数据库建设的发展历程和趋势。作者指出，此类型数据库未来的发展需符合民间历史文献学术研究的需求，借鉴高质量文献数据库成熟经验，引领与跟随数字人文研究的脉动。本章第三节正是对民间历史文献数据库与数字人文的结合展开论述，认为民间历史文献因其内容丰富、类型多样、数量巨大，而有条件成为数字人文发挥作用的极佳舞台。在本书作者看来，引入数字人文理念最大的效用是提升文本挖掘的深度，为研究者进一步研究提供方便，因此他们特别提醒数字人文数据库建设中需注意对资源内容的深入理解和跨学科研究与合作。

三、特点与意义

正如程焕文为本书所撰《序论》所言："《民间历史文献整理概论》是一本面向民间历史文献实践的学术著作，从实践中来，再到实践中去，是这本著作的主旋律。"[7]序论30 可见本书撰著的出发点与立意。高度的实践性，不仅是本书重要的特征，也是最大的价值。从1927年顾颉刚依时任中山大学校长朱家骅之嘱拟定《国立广州中山大学购求图书计划书》开始，中山大学图书馆就建立了重视民间文献的传统。以中山大学图书馆工作人员为主的本书作者团队，不仅继承了前辈奠定的学风，更拥有多年民间历史文献典藏、管理与整理的经验。该书大量关于操作程序、要点的提炼和总结都是多年心血的结晶。以民间历史文献分类法的编制为例，本书综合考虑徽州民间历史文献的载体形态、内容以及所属时代予以区别对待："书籍部分参考古籍四部分类法或《中国图书馆分类法》进行分类，器物、图幅等参考博物馆分类方法按材质进行分类，1949年以后的徽州民间历史文献参考现代档案分类方法进行分类。"[7]50 而占据重要比例的1949年以前产生的非书籍、非器物图幅类徽州民间历史文献则使用自制分类体系进行处理。在具体操作中，又考虑"分类体系相对的稳定性、实际分类工作的可操作性、类目设置的全面性，以及满足使用者按研究内容进行分类检索的需求"，制定分类的基本方针："一级类目采用内容分类法，二、三级类目根据实际需要灵活、综合采用类型、内容等分类法。"[7]51 这绝非项目筹划阶段敲定即一成不变的，也并非对他人经验的仿效，而是在长期实践过程中不断调整、磨合、修订而得出的结果，并最终返回自藏民间历史文献典藏、整理实践中得到验证。这样反复检验的结论能够保障分类体系在很大范围内适应内容多样的民间历史文献，避免沦为"纸上谈兵"。

注重保藏与研究的结合是本书的又一重要特点。前已提及，中山大学同样是目前国内民间文献研究的重镇，是史学界已成显学的"华南学派"的重要组成部分。该学派的代表人物之一郑振满提出了"建设民间历史文献学"的设想[6]，因此如何将学术研究与文献收藏紧密结合也成为摆在研究者与收藏者面前的一个亟待解决的问题。本书作者将历史学者刘志伟的访谈录置于全书正文之前，说明了他们试图通过本书紧密结合保藏与研究两个环节，凸显民间历史文献收藏对于学术研究的实用性，展现"藏为了用"的理念。摸清民间历史文献研究者对收藏单位的需求与期待，也是处理与优化两者关系的一个步骤。值得留意的是，当被问到"我们如何尽可能去靠近历史现场？如果我们要走进历史现场，做田野调查，您认为我们应该重点做哪几方面的事情？"刘志伟在回答中解释了历史现场的多重层次："一个当然是回到文书所在的地方，……再就是那里的人，……应该跟当地的老百姓合作。"并补充道："不过，我觉得这是我们历史学者的责任，图书馆的文献工作就不一定非要去做这些了。图书馆等收藏机构的重点就是确认和记录文书的来源地，尽可能搞清楚文书流传途径，这已经很好了。"[7]代序39 这段话可以视作历史学者对解读与整理民间历史文献的代表性观点。如有学者所言："所谓回到历史现场，不仅要回到一定的空间位置，回到事情发生的那个时代或那段时间，而且要设法回到当时当地，回到事情正在发生的过程之中。"[12] 从这个角度出发，民间历史文献并不能直接还原历史现场，但是其所反映的正是基层社会日常生活的细节和过程，是学者打开历史现场大门的一把钥匙，而收藏单位就是尽可能地为每一扇门找到合适的钥匙。以本书最后一章为例，作者所筹划的优质数字人文民间历史文献数据库，需要能够体现文献内容的关联性、同一土地文献的关联性以及文献的归户性，这都是研究者走进某一特定历史现场的需求。一个达到上述要求的数据库，可以更为直接地从纵横两方面体现历史过程和社会关系，帮助研究者更为便捷地找到对应历史现场的钥匙。

本书另一特点是强烈的统括性。它不仅是对建立民间历史文献研究新范式的探索，更是对以往研究的一个统括性总结。如前所述，本书各章分别用一节的篇幅，回溯了民间历史文献分类、编目著录与元数据规范、保护与修复、数字化乃至数据库建设各方面的研究与实践情况。这保证了作者对各个领域研究现状中存在的弊端有比较清醒的宏观认识，同时也能较有针对性地提出修正方案。由此，不仅可以对以往民间历史文献研究与使用现状有一个较为全面的基本了解，也是立足于过去对未来发展的方向做出预见和展望。尤值一提的是本书的附录,前八个部分是中山大学图书馆在搜集、著录、登记民间历史文献各个阶段所制定的不同表格,第九、第十部分则是《民间历史文献出版成果目录》《民间历史文献整理研究辅助学科参考文献目录》。这份附录正是本书实践性和统括性的集中体现。

当然,对于这样一部具有相当开创性的著作而言,由于时间紧、任务重、缺乏类似著作参考等现实,还是难免存在一些问题。其中最明显的就是,如今各色民间历史文献的收藏与研究已如百花齐放,但本书中徽州文书所占的比例过重,前已备述,此不赘言。有些篇章更是直接用"徽州文书"代替了"民间历史文献"的说法(如第170页),导致前后逻辑关系不够严密。对于本书这样一部探讨建立学术研究范式的概论性著作而言,过分强调徽州文书的主体地位,会在一定程度上影响其普适性。

另一个引起读者质疑的问题是:如果收藏单位所藏民间历史文献类别比较单一,书中的典藏保管体系是否依然适用?或者是否需要进行调整?本书虽以中山大学藏徽州文书为主要案例和经验来源,但是徽州文书毕竟数量庞大、种类繁多,这对于概论性研究当然是良好的分析模板。但是一些图书馆或档案馆收藏文献类型相对较少,专门性较强,如此完备的体系是否还有引入的必要性,也是值得讨论的问题。

由于本书为多人联合撰著,又属于项目成果,有时间的要求,所以难免存在一些编校上的问题。如本书第一章第一节在辨析概念时出现了两个第三条,分别是"民间文献"(第4页)与"民间历史文献"(第6页),甚至还有将"徽州文书"误作"徽州义书"的(第27页),都可见本书的校订工作不乏仓促之处。

此外,本书还存在一些值得商榷的地方,如篇幅分布不均、术语使用不尽统一以及鲜少涉及少数民族民间历史文献等。但作为一部开创性的著作,本书建立的研究模式、研究方法乃至未尽完善之处都是后来研究者值得参考的重要资源。

(凌一鸣,天津师范大学古籍保护研究院讲师)

参考文献:
[1]李怀印.华北村治:晚清和民国时期的国家与乡村[M].北京:中华书局,2008:11.
[2]顾颉刚.一九二六年始刊词[J].北京大学研究所国学门周刊,1926,2(13):35.
[3]傅衣凌.明清农村社会经济[M].北京:生活·读书·新知三联书店,1961:191.
[4]刘志伟,陈春声.梁方仲先生的中国社会经济史研究[C]//陈春声,刘志伟.遗大投艰集:纪念梁方仲教授诞辰一百周年.广州:广东人民出版社,2012:122.

[5]陈支平.跨学科探索:傅衣凌与中国社会经济史学[M]//陈支平.史学水龙头集.福州:福建人民出版社,2016:461.

[6]郑振满.民间历史文献与文化传承研究[J].东南学术,2004(增刊):293-294.

[7]王蕾,叶湄,薛玉,等.民间历史文献整理概论[M].桂林:广西师范大学出版社,2020.

[8]姚娇,王欢欢,耿付江.民间文书纸张原料与修复用纸初探[J].中国造纸学报,2019(2):33-37.

[9]姚娇,李楠,吴波.民间文书修复工作实践与技术探索[J].邯郸学院学报,2019(2):63-69.

[10]杨培娜,申斌.走向民间历史文献学:20世纪民间文献搜集整理方法的演进历程[J].中山大学学报(社会科学版),2014,54(5):71-80.

[11]王蕾,申斌.徽州民间历史文献整理方法研究:以中山大学图书馆馆藏为例[J].图书馆论坛,2014,34(4):120-126.

[12]桑兵.从眼光向下回到历史现场:社会学人类学对近代中国史学的影响[J].中国社会科学,2005(1):191-204,209.

> 研究生论坛

明墓出土大统历保护试论

On the Protection and Conservation of Great Union System of Calendrical Astronomy Discovered in Ming Tombs

乔金丽

摘 要：据已公布的考古资料，共有7座明墓出土了16种22册大统历，其中一册仅存封面。出土的大统历形制多样，可分为王历与民历。目前，已知上海博物馆与贵州省博物馆对出土大统历进行了修复。出土大统历蕴含着丰富的历史信息，相关部门应积极完成大统历的修复，重视修复档案的建立，并加强影印出版与数字化工作。

关键词：明墓；大统历；保护

我国历朝各代的中央政府都有颁行历书的传统。历书由历谱发展而来，又有"历日""具注历日"等称谓，现存有吐鲁番古墓群出土具注历日[1]、敦煌卷子中的唐宋历书、明清历书及旧时《黄历》等[2]。大统历是明朝官方编订、推行使用的历书，传世数量不少，现知国家图书馆藏大统历99种105册，台湾"国家图书馆"藏约50册。

学者们以往多重视对出土汉代历谱等早期历日材料的研究，对大统历的研究也多以传世本及文献记载为基础，探究大统历的刊本形制以及明代的颁历制度等问题，而对出土大统历的关注较少。本文拟从古籍保护的视角，对大统历的出土情况及保护现状予以介绍，并提出相关的保护建议，以就正于方家。

一、大统历的出土概况

据我国已公布的考古资料，目前共有7座明代墓葬出土了16种22册大统历，其中一册仅存封面。其出土和存藏等相关情况如表1所示。

表1 明墓出土大统历一览表

编号	出土时间与地点	大统历年份	数量	装帧形式	纸张	存藏单位
1	1964年福建省漳州市	成化年间	1种1册	不详	不详	福建博物院
2	1964年江西省南城县	万历十年至十三年、十七年、十八年①	6种11册	不详	不详	江西省博物馆
3	1979年江西省南城县	不晚于万历三十一年	1种1册	线装	棉纸	江西省博物馆
4	1984年贵州省惠水县	万历十九年至二十三年	5种6册	不详	棉纸	贵州省博物馆
5	1988年福建省南平市	嘉靖三十九年	封面1张	包背装	绢质封面	南平市博物馆
6	1994年上海市嘉定区	弘治至嘉靖十年	1种1册	线装	不详	上海博物馆
7	2006年浙江省嘉兴市	嘉靖二十二年	1种1册	不详	不详	嘉兴博物馆

为进一步了解明墓出土大统历的情况，现再分述如下：

1964年福建漳州市出土大统历1种1册，仅知为明成化年间（1465—1487）印制[3]，装帧形式、纸张情况不详。

1964年江西南城县出土大统历11册，已辨认出年代的至少有6种，即明万历十年（1582）、十一年、十二年、十三年、十七年、十八年大统历。出土大统历形制相同，长32厘米、宽17厘米，每册连封面共16页[4]。

1979年江西南城县出土大统历1种1册，长30厘米、宽16厘米，线装，棉纸印刷，加前后书衣共27页。与出土的其他大统历不同，该册大统历版印形式为半月每页。据墓志记载，墓主人葬于明万历三十一年十二月初三日[5]，则该册大统历年代最晚为万历三十一年。

1984年贵州惠水县出土大统历5种6册，含明万历十九年、二十年、二十一年、二十三年各1册，万历二十二年2册。其形制相同，版框高23.5厘米、宽28厘米，每册16页或17页（闰年），棉纸印刷。万历十九年至二十二年大统历的无

---

① 据随葬清单上的时间可知该墓年代为万历二十一年，加之已辨认出的出土大统历年份多连续，推测该批大统历年份为万历十年至万历二十年，但亦不排除其他可能。由于其余5册大统历年份暂不清楚，故暂列已知大统历的年份及种类。

字护页用作记账,万历二十三年大统历无字护页抄录保护太平庄布告1篇[6]。

1988年福建南平市出土《大明嘉靖三十九年(1560)大统历》黄色绢质封面一张,长26厘米、宽17厘米,左侧有边长7厘米的朱红色方形印记,字迹模糊不清[7]。绫绢封面大统历为王历①,由钦天监印制,据《中国出版百科全书》"钦天监"条中"明代历书多黄绫包背装,也有纸面的"[8],可推知此大统历原为包背装。

1994年上海嘉定区出土大统历1种1册,共18页。据《明墓出土历书的揭取与复原》一文作者考证,"从其内容可知,该书为明代弘治至万历间的一本历书"[9]。从出土的墓主人陆广墓志铭可知其卒于"嘉靖辛卯",即嘉靖十年,因此,该册历书的年代应在明代弘治(1488—1505)至嘉靖十年间。该册大统历修复后按原样装帧,为线装。

2006年浙江嘉兴市出土大统历1种1册,年代为嘉靖二十二年,长33厘米,宽19厘米[10]。据嘉兴市博物馆馆员介绍,此册大统历板结严重,尚未修复,故暂不知其页数、装帧形式等。

由上可知,明墓出土的大统历,从数量上来说,同时出土的大统历数量不一,多者达11册,少则只有一张封面;从所涉年代来说,从明成化到万历年间;从封面材质来说,有纸质、绢质两种;从装帧形式看,有包背装,有线装;从封面版印内容看,内容相同,左印该年历日名称,右印禁止历书私印的告示②。纸质封面的大统历,现已知有棉纸印刷者;版印形式不同,有半月一页者与每月一页者两种。绢质封面的大统历,为王历,暂未见传世本。这些大统历的出土,增进了我们对传世大统历的认识,有利于推动相关研究的发展。

二、对出土大统历的保护工作

(一)加强对出土大统历的原生性保护

目前,出土大统历的明墓均位于我国南方地区,充足的雨水及较高的地下水位导致埋藏环境较潮湿或干湿交替,此环境有利于微生物的繁殖,进而在纸张表面形成菌垢。除纸张自身的生化降解外,多数随葬的大统历还受到棺液的浸泡及棺内其他腐烂物的附着。出土大统历纸页间多相互粘连,板结严重,呈饼状或

---

① 《明会典》载"琉球、占城等外国,止统以前,各因朝贡,每国给与王历一本、民历十本;今常给者惟朝鲜国,王历一本、民历一百本",《李朝实录》记载永乐年间(1403—1424)明廷赐给朝鲜"永乐三年大统历日一百本,内黄绫面一本"。前者所说"王历一本"可与后者"黄绫面一本"相对应。可知,出土的黄色绢质封面大统历应属王历无疑,惜仅存一张封面。

② 大统历封面均左印"大明某(年号)某(岁)大统历",右印"钦天监奏/准印造大统历日颁行天下/伪造者依/律处斩有能告捕者官给赏/银五十两如无本监历/日印即同私历"六行文字。

砖状,修复难度大。自大统历出土后,加强对它们的保护和修复工作就显得尤为重要。

对出土大统历完成修复工作的有上海博物馆。在修复过程中,清洗、除臭是首要任务。上海博物馆对陆广墓出土的大统历进行揭取前,先利用出土残片进行了多次的清洗软化实验,如"热水及水蒸气蒸煮""有机溶液清洗""酸碱溶液清洗"及"EDTA 二钠溶液清洗"[9]。前三种方法效果不甚理想,要么未使纸张软化,要么造成纸张褪色甚至完全溶解。另外,为了解书页相互粘连、固结的原因,在清洗实验过程中,同时利用现代科技,如显微摄影、木质素检测等对出土纸张残片进行了物理及化学分析,综合得出去除钙离子是使纸张软化的关键,最终选用能使纸张软化并且不损伤纸张的"EDTA 二钠溶液"进行清洗。将整册书放入"EDTA 二钠溶液"中浸泡,两天后纸张开始松软、杂质开始溶解,之后不断更换溶液,直至纸张全部松软且无粘连。"揭"是古籍修复的关键[11],对出土古籍亦如此。在出土大统历的揭取工作中,修复者裁剪与出土历书尺寸相同的厚宣纸覆于纸张上,利用宣纸的拉力进行纸张的揭取工作。由于出土大统历是整本对折的,所以整个揭取过程难度更大,需要修复者十分细心与耐心。揭取后的纸张经过托裱与漂白,按原样进行装帧。

整个修复过程遵循"因书而异""修旧如旧"的古籍修复原则,修复者通过多次实验与分析后,选择最适宜此书的清洗溶液与揭取方式。黄克忠先生认为:"文物保护方法是否科学,主要看传递不同历史时期人类生存信息的文物轨迹能否得以真实、完整、长久地保存。要做到这一点,需要不断跟踪科技发展前沿,在文物保护中充分利用各学科的先进技术。"[12]上海博物馆对出土大统历的完整揭取与修复就是现代科技与传统修复技术相结合的结果。

此外,贵州省博物馆对出土的大统历进行了修复,但仅知其"被棺液浸成'纸饼',经过抢救性的技术处理与修补,基本上恢复原状"[6],暂不清楚详细的修复过程。上海博物馆对出土大统历的修复树立了一个范例,有利于指导相关修复工作的开展。

在对出土大统历的修复过程中,应完善相关的修复档案。修复档案是古籍保护的一项重要内容,是对修复的古籍个案进行的相关记录。包括出土大统历在内的纸质文献是物质文明和精神文明相结合的产物,其装帧形式、用纸情况等都带有其所处时代的特征。古籍的影印出版只能使我们了解文字内容,对于其用纸、装帧等问题多不清晰。明代大统历的印制机构不止一处,除钦天监外,还有十二布政司。出土大统历有较明确的区域所属关系,将同时期不同地区的大统历进行对比,对于了解各地印制大统历所用纸张、版印尺寸及装帧形式的异同具有非常重要的意义。修复档案贯穿古籍修复的始终,对修复古籍的形态及修复过程有详细记录,有利于我们了解古籍用纸、装帧形式、修复方法,甚至对以后的修复工作都会有很大的启示意义。

(二)推动对出土大统历的再生性保护工作

出土大统历属于可移动文物,按照"保护为主、抢救第一、合理利用、加强管理"的文物工作十六字方针,首先要保护好,再在保护的基础上进行合理利用。然而,多数古籍,尤其是出土古籍由于其珍贵性大多藏而未用,再生性保护是解决"藏"与"用"矛盾的有效途径。

影印出版是古籍再生性保护的重要方法。利用现代技术影印制作古籍文献的复制本,可使学者在利用文献的同时减少对古籍实体造成的损伤。国家图书馆所藏的明代正统(1436—1449)至崇祯(1628—1644)年间颁行的大统历99种105册已影印出版,共6册,按大统历的年代早晚顺序排列,后附《大统历注》及《大统历法启蒙》两部明清研究著作[13]。这些大统历大部分曾经周绍良、李一氓收藏,对它们的影印出版为学者们考察明代的天文历法乃至社会文化提供了极大的方便。就目前看,出土的大统历由不同的文博单位保管,大多被长期存于库房,且部分尚未修复,未能被学者们充分利用。本人通过对明墓出土的大统历与国家图书馆所藏大统历年份的对比,发现出土的明万历十一年、十九年大统历国家图书馆未收藏。如将其修复后影印出版或数字化,对于传世本来说将起到很大的补充作用,丰富大统历的研究材料。

总之,明墓出土的大统历蕴含着丰富的历史信息,相关单位应当利用现代科学技术,积极准备出土大统历的修复、影印出版与数字化工作,推动出土大统历的再生性保护。

三、结语

明墓出土大统历的尺寸及装帧形式多样,据封面材质及版印形式可分为王历与民历。万历时期,王历并无特殊用纸,与民历同为棉纸印制。另外,出土大统历线装比例较大,推测线装可能为明中晚期大统历的主要装帧形式。明墓随葬大统历在出土后的相关整理和研究工作较少,除发掘报告中对出土大统历的介绍外,仅见对出土绢质封面大统历所属性质的研究。修复方面,目前也仅知上海博物馆和贵州省博物馆对所藏的出土大统历进行过修复。在此,笔者建议相关收藏单位应积极完成对出土大统历的修复,重视修复档案的建立,同时推动影印出版与数字化工作,以便学者对出土本与传世本大统历进行对比研究,获得更多的学术线索。

(乔金丽,天津师范大学历史文化学院2018级考古学硕士研究生)

参考文献:
[1]邓文宽.敦煌吐鲁番天文历法研究[M].兰州:甘肃教育出版社,2002:228-289.
[2]江晓原.历书起源考[J].中国文化,1992(1):150-159.
[3]黄天柱.泉州稽古集[M].北京:中国文联出版社,2003:95-105.
[4]薛尧.江西南城明墓出土文物[J].考古,1965(6):318-320,14.
[5]刘林,余家栋,许智范.南城明益宣王朱翊鈏夫妇合葬墓[J].江西历史文物,1980(3):27-40.
[6]《贵州省博物馆藏品志》编辑委员会.贵州省博物馆藏品志[M].贵阳:贵州人民出版社,1990:175-176.
[7]张文崟.福建南平发现明代绢质《大统历》封面[J].文物,1989(12):47,105.
[8]许力以.中国出版百科全书[M].太原:书海出版社,1997:560.
[9]陈元生,解玉林,罗曦芸,等.明墓出土历书的揭取与复原[J].文物保护与考古科学,1996,8(2):45-53.
[10]吴海红.嘉兴王店李家坟明墓清理报告[J].东南文化,2009(2):53-62,130-132.
[11]潘美娣.太仓明墓出土古籍修复记[J].图书馆杂志,1987(5):14-16,9.
[12]黄克忠.我国文物科技保护现状及走向[J].中国文物科学研究,2006(1):75-79.
[13]本社古籍影印室.国家图书馆藏明代大统历日汇编(全六册)[M].北京:北京图书馆出版社,2007.

编后记

王振良

国家古籍保护中心主办的《古籍保护研究》第七辑编竣,承办单位天津师范大学古籍保护研究院的诸位编辑,为此付出了诸多的心血。随着第四、五、六辑的相继出版发行,编辑部也感受到了古籍保护领域同仁的热切目光。本辑共刊出稿件20篇,分别纳入10个栏目。

"古籍保护综述"栏目刊文2篇。王沛《"中华古籍保护计划"少数民族古籍保护情况综述》全面梳理了在"中华古籍保护计划"推动实施过程中,国家古籍保护中心全面贯彻党和国家的民族政策,牢固树立"保护民族古籍、增进民族团结、维护祖国统一"的理念,在制度设计、古籍普查、价值挖掘、文脉传承、人才培养等方面,积极推进少数民族文字古籍及民族地区古籍保护工作,所取得的丰硕成果。文章还从完善协调机制、制定相关规范、改善保管条件、推动再生性保护、开展人才培养、加强宣传推广等六方面提出了深化少数民族古籍保护的建议。包菊香《国家古籍保护中心古籍书目数据库建设实践与思考》介绍了"全国古籍普查登记平台""全国古籍普查登记基本数据库""国家珍贵古籍名录数据库""海外中华古籍书目数据库""中华历代古籍书目数据库"建设情况,论述了各自的功能和特色,并就今后工作提出有价值的建议:一是加强古籍书目数据库之间互联互通,研发一站式检索发布平台;二是针对同书同版本著录不尽相同现象,加强对数据进行规范统一;三是关注国际编目界先进理念、编目技术,推动数据的国际交换;四是深化数据库条目的分类和主题标引,揭示书目之间的内在关系。

"普查与编目"栏目刊文3篇。周余姣、沈志佳《美国华盛顿大学图书馆存藏易学类古籍考略》著录了美国华盛顿大学图书馆存藏的易学类古籍46种47部324册,按照《中华古籍总目分类表》从书名、卷数、索书号、撰人、版本、册函数、版式、版心、序跋、内封、藏书来源等方面进行详细的内容揭示,并通过与"全国古籍普查登记基本数据库"和《中国古籍善本书目》《易学书目》比对,总结出该馆易学类古籍的存藏特点:门类较为完备,存有稀见版本。胡艳杰《思路、方法与类型——对〈全国古籍普查登记图录〉编纂的几点思考》指出,作为"中华古籍保护计划"基本工作之一的全国古籍普查登记在2020年底基本完成,作者提出在此基础上编纂出版《全国古籍普查登记图录》的设想,认为这是深入推进全国古籍普查工作的重要举措,对古籍保护有着极为重要的实践意义。文章还针对图录的编纂思路、工作方法、编纂类型等提出具体的操作性建议。吴雪梅、芦婷婷《首都师范大学图书馆古籍普查工作实践与思考》概述了首都师范大学图书馆历时十年的古籍普查过程,总结了具体经验并进行了深入思考,可为《中华古籍总目》编纂、民国文献普查、碑帖拓片普查等提供借鉴。

"修复与装潢"栏目刊文4篇。陈丽萍《修复与重现——从学术研究角度看敦煌文献修复的贡献》以作者接触到的三类敦煌文书为例,说明了敦煌文书的修复工作对文书内容的研究以及判定不同藏地文书的缀合关系所起到的重要推进作用。《湘山志》是广西师范大学图书馆藏特色方志,但破损严重。陈福蓉《〈湘山志〉修复记》介绍该书修补复原时,在裁书页和齐栏环节遇到前所未有的困难,最后在严格遵循古籍修复原则的前提下,大胆尝试创新,找到较为理想的解决办法。此可为同类古籍修复提供借鉴。吴庭宏《古籍修复原则与方法研究——以黄丕烈藏书题跋之古书修补论述为基础》通过对黄丕烈藏书题跋中关于古书修补论述的解析,指出黄丕烈提倡修补古书要保持古书原貌,古籍修复人员应提高自身素养,继承黄丕烈的古书修补思想,在古籍修复中严格执行"整旧如旧"基本原则,正确运用"整旧如新"的修复方法。臧春华《中国古籍修复题跋举隅——见于〈上海图书馆善本题跋真迹〉》列举了203部古籍中关于修复的题跋。因为传统文献对古籍修复方法记载不多,而这些题跋对古籍破损情况、修复时间、修复技法等都有所揭示,故可供古籍修复研究者和实践者参考。

"保藏与利用"栏目刊文3篇。易晓辉《浅析木质装具对古籍文献的影响因素及改进措施》指出,装具作为古籍文献的保护体,制作材料的安全性直接影响纸质文献保护效果。木质材料在传统古籍文献装具制作中被广泛应用,然而从文献保护涉及的相关指标来看,大多数木材也存在一定缺陷,尤其是木材的酸性和有机挥发物会对纸张寿命产生不利影响。因此,如何兼顾传统习惯和科学保护的要求,解决木材的酸性和挥发物缺陷,成为文献保护领域亟待解决的问题。文章提出,在制作木质装具时应科学选材,做好常规处理,同时对木材采取碱性改性、热处理、固化封闭等措施,使其安全性能得到改进。吴芹芳、谢泉《武汉大学图书馆利用 RFID 管理古籍的设想》以武汉大学图书馆为例,探讨了提高古籍清点与管理效率的可能性方案,认为 RFID 技术具有非直接接触、远距离跨介质识别、自动批量处理等优点。文章着重探讨了 RFID 应用于古籍管理的可行性、其可实现的功能,以及目前待解决的问题。任江鸿、岳蕊丽《西藏山南、日喀则和阿里地区寺院古籍文献收藏、整理、保护现状调研报告》介绍了 2009 年西藏古籍保护专项工作启动以来所取得的巨大进展。作者采用实地走访、网络查询和统计分类的方法,对山南、日喀则和阿里地区 6 座重要寺院的古籍文献收藏、整理、保护现状进行了调研,并通过对寺院僧人和当地民众的采访分析认为,这些古籍文献基本处于寺院自主管理状态,管理水平亟待提高。

"再生与传播"栏目刊文 1 篇。许海燕《化身千百　垂之永久——国家图书馆出版社仿真影印〈永乐大典〉综述》介绍了国家图书馆出版社 2002 年启动的仿真影印《永乐大典》项目概况,从六个方面论述了仿真影印《永乐大典》的特色与价值:收录罕见的两册乾隆御题《永乐大典》,最大限度呈现原书剪报、书信、函套等信息,尽量还原原书封面、封底、四库馆签佚书单,保留原书收藏机构的藏书印章等信息,保留原书的衔名页,恢复了罕见的幸存连卷。

"人才培养"栏目刊文 2 篇。李勇慧、桑丽娜《山东省高校古籍保护与修复人才培养概述》介绍了山东艺术学院、山东师范大学图书馆和莱芜职业技术学院有关古籍保护与修复人才培养情况,指出它们与国家古籍保护中心、山东省古籍保护中心开展的公藏机构古籍保护工作人员在职培训齐头并进,有效缓解了山东省古籍保护与修复专业人才不足的困境,开创了从专科到本科再到硕士研究生学历教育的多梯次人才培养格局。肖辉英、赵彦昌《辽宁大学古籍保护与修复人才培养的探索与实践》从辽宁大学历史学院古籍保护与修复方向人才培养现状出发,对中国古籍保护人才培养模式进行了初步探索,从宏观、中观、微观三个层面探讨了图书馆古籍保护中心与高校联合培养古籍人才的可行性问题,为我国古籍人才培养提供了新思路。

"史事与人物"栏目刊文 1 篇。何义壮撰、凌一鸣译《马泰来先生琐忆》通过具体鲜明的事例,回忆了文史学者、图书馆专家马泰来对北美东亚图书馆事业发展的贡献。何义壮作为普林斯顿大学东亚图书馆馆长,特别记述和表彰了马泰来就职该馆期间,在图书保藏、影印出版、目录更新以及中美图书馆界的业务合作与学术交流等领域做出的重要贡献。

"版本与鉴赏"栏目刊文2篇。唐宸《北宋李照〈径山山门事状〉考论》的研究对象是已知最早的径山禅宗祖庭开山史料,具有重要的文献价值,惜无单行本传世,《全宋文》亦失载。本文在复原《径山山门事状》文字、考证作者生平与编纂经过的基础上提出:《径山山门事状》是由国一、无上、法济三位祖师的行状组成的合状,所谓李照《径山集》并不存在;《径山山门事状》详细记录了径山寺开山事迹,与《景德传灯录》等灯史著作相得益彰,成为后世文人创作的重要素材,其体例为后世径山寺志奠定了基础。本文还对历代径山志的版本源流进行了考辨。《曲石丛书》是李根源寓居苏州时主持刊刻的丛书,邹桂香《〈曲石丛书〉的版本、编撰特点与文献价值研究——以苏州大学图书馆藏曲石精庐本为中心》通过对《曲石丛书》的考察,认为由李根源亲友门生主要担纲文字审校工作,体现了浓厚的孝亲尊师思想。同时该书保存了云南、苏州两地的乡邦文献和西南边疆史地、舆图资料,有助于厘清相关金石文物的历史遗存,为深入研究李根源的寓居生活和社会交游提供了珍贵线索和翔实资料。

"书评与书话"栏目刊文1篇。凌一鸣《打开历史现场的钥匙——评〈民间历史文献整理概论〉》指出,民间历史文献是历史文献的重要组成部分,是历史学研究的对象和工具。中山大学图书馆在民间历史文献收藏与整理方面积累了大量经验,《民间历史文献整理概论》一书即该馆研究馆员王蕾及其团队提炼总结而成。全书就民间历史文献收集、典藏、分类、编目、修复、数字化等方面展开深入研究,不仅具有较强的实践指导意义与统括性,也对收藏与研究之间的关系进行了探索。书评认为《民间历史文献整理概论》是"一部开创性的著作,本书建立的研究模式、研究方法乃至未尽完善之处都是后来研究者值得参考的重要资源"。

"研究生论坛"栏目刊文1篇。乔金丽《明墓出土大统历保护试论》总结考察了7座明墓出土的16种22册大统历(其中一册仅存封面),指出出土的大统历蕴含着丰富的历史信息,相关部门应在既有基础上积极完成大统历的修复,重视修复档案的建立,并加强相关的影印出版与数字化工作。

最后,向支持爱护《古籍保护研究》的顾问、编委、作者谨致谢忱,向辛勤编刊认真把关的大象出版社编校人员表示敬意!

2021年2月18日

征稿启事

《古籍保护研究》集刊的编辑出版,旨在推行"中华古籍保护计划",为古籍保护工作者搭建一个古籍保护工作与研究成果的交流平台,广泛宣传古籍保护工作的重要意义,总结先进工作经验,及时发表古籍保护研究成果,推进古籍保护工作与学科建设向纵深发展。

本刊由国家古籍保护中心主办,自2015年底到2018年底共出版三辑。自2019年第四辑起,由国家古籍保护中心主办、天津师范大学古籍保护研究院承办,刊期半年,分别于每年3月31日、9月30日前由大象出版社出版,每辑约25万字。

本刊设定栏目为"古籍保护综述、探索与交流、普查与编目、修复与装潢、保藏与利用、再生与传播、人才培养、史事与人物、名家谈古籍、版本与鉴赏、书评与书话、研究生论坛、古籍保护人事记"等。敬希广大古籍保护工作者、专家学者及古籍爱好者垂注并赐稿。

一、稿件要求

1. 稿件必须为原创,要求观点明确,层次清楚,结构严谨,文风朴实。

2. 篇幅一般在1万字以内,有关古籍保护方面的重要工作综述、重要研究成果和特邀稿件不受此限。

3. 论文层级一般为三级,采用"一、(一)、1"的形式。文章结构为:文章标题(附英文标题)、作者姓名、摘要(100~300字)、关键词(3~5个,用分号间隔)、正文、参考文献、作者介绍。

4. 文章标题用三号宋体加黑,居左;作者姓名用小四号仿宋,居左;摘要、关键词用楷体,居左。正文用五号宋体,1.5倍行距;小标题加黑,居左空2格。

5. 参考文献列于文后,请按《信息与文献 参考文献著录规则》(GB/T 7714—2015)要求标注。

6. 注释采用页下注的形式,每页重新编号,均用圈码(①②③……)表示。

7. 所有来稿请提供作者基本信息,包括姓名、工作单位、职称或职务、联系地址、邮政编码、电子邮箱、电话号码。

二、投稿事宜

1. 请登录本刊网站(https://gjbh.cbpt.cnki.net),在页面左下方的"作者投稿系统"登录个人账户(首次投稿须注册),完成"导航式投稿"或"一步式投稿",投稿后可随时查阅审稿进程。

2. 来稿将在2个月内得到录用或退稿答复;如无答复,作者可转投他刊。

3. 来稿一般采用双向匿名外审制度,本刊将为作者保守个人信息。

4. 来稿一经刊用,即按本刊标准支付稿酬,出版后另寄赠样书2册。

5. 本刊已被中国知网收录,正式出版后所有文章可在中国知网内下载。

三、联系方式

联系人:周余姣 凌一鸣

电话:022-23767301

邮箱:gjbhyj2018@163.com

地址:天津市西青区宾水西道393号天津师范大学古籍保护研究院

邮编:300387

《古籍保护研究》编辑部
2021年2月18日